Repose-toi sur moi

DU MÊME AUTEUR

Vu, Le Dilettante, 1998 ; Folio, 2000.
Kenavo, Flammarion, 2000 ; J'ai lu, 2002.
Situations délicates, Flammarion, 2001 ; J'ai lu, 2003.
In vivo, Flammarion, 2002 ; J'ai lu, 2006.
U.V., Le Dilettante, 2003 ; Folio, 2005.
L'Idole, Flammarion, 2004 ; 2012 ; J'ai lu, 2009.
Que la paix soit avec vous, Flammarion, 2006 ; J'ai lu, 2008.
Combien de fois je t'aime, Flammarion, 2008 ; J'ai lu, 2009.
L'Homme qui ne savait pas dire non, Flammarion, 2009 ;
    J'ai lu, 2012.
L'Amour sans le faire, Flammarion, 2012 ; J'ai lu, 2013.
L'Écrivain national, Flammarion, 2014 ; J'ai lu, 2015.

Serge Joncour

Repose-toi sur moi

roman

Flammarion

ISBN : 978-2-0813-0663-9

I

Avant de sonner au portail Ludovic prend toujours une grande inspiration, histoire d'accélérer son rythme cardiaque, se préparer au coup de sang ou à l'accueil glacial. Ensuite, il se tient droit, torse bombé il campe son gabarit et attend que la porte s'ouvre. Mais là, quand il voit apparaître la vieille femme sur le perron de ce pavillon défraîchi, il comprend que cette fois l'épreuve sera tout autre ; ne pas s'apitoyer.

Dans le salon, Ludovic choisit le grand fauteuil de l'autre côté de la table basse, la vieille dame met un temps fou à se poser, il se dit qu'elle doit sûrement en rajouter, à moins qu'elle n'ait vraiment mal au dos, aux jambes, un peu partout visiblement. Il en profite pour sortir les documents de la chemise qu'il a apportée, mais déjà la vieille femme se relève, elle marche péniblement vers le couloir et dit qu'elle va chercher ses lunettes, seulement elle ne sait plus où elles sont.

Trois minutes après elle n'est toujours pas revenue. Cruel temps mort. Comme souvent pendant ce genre de pause, Ludovic se sent mal à l'aise, salement embêté, il a horreur de ces silences, il préfère que tout s'enchaîne, que tout aille vite, quitte à ce que le ton monte et que ça s'enflamme. Lors d'une visite il arrive que ça s'envenime, que les cris fusent, et même que le gars sorte carrément une lame comme la semaine dernière, alors qu'aujourd'hui c'est tout le contraire. Sans rien en laisser paraître il n'est pas fier, surtout que cette vieille femme lui fait penser à sa mère, elle a plus ou moins le même âge, la même difficulté à marcher. En la découvrant tout à l'heure sur le perron, au moment où elle est venue lui ouvrir, il en a été troublé. Dans ces cas-là il s'en tient à sa carrure qui en impose, un mètre quatre-vingt-quinze pour cent deux kilos, pour peu de fermer le visage il sait produire de l'effet, pourtant ce qu'il veut c'est ne pas faire peur, juste qu'on se dise qu'il ne sera pas le type à s'émouvoir, à se laisser attendrir, en général il y parvient très bien. Pourtant, c'est rude parfois, c'est rude de tout comprendre des autres, de tout en ressentir immédiatement, parce que là rien qu'en entrant, en se laissant guider le long de la petite sente cimentée, en la suivant dans le corridor de son pavillon de Sevran, il a tout deviné de cette vieille femme qui avance mal, se doutant qu'elle a dû vivre la plus grande partie de sa vie ici, il a retrouvé tous les symptômes des trop anciennes habitudes, la niche abandonnée depuis des lustres, le jardin qu'on ne fait plus, les chaussures du mari au pied du buffet, le mari qui apparemment n'est pas là, qui dort, ou qui est à l'hôpital, il ne sait pas encore où elle en est de sa vie cette petite dame, cette brave endettée, et même si le pavillon n'est pas moche, tout y sent la déveine et le destin fané.

À l'odeur de cuisine qui flotte dans toutes les pièces, il a tout de suite reconnu les cuissons au beurre répétitives, les steaks décongelés dans la poêle trop grasse, les choux de Bruxelles qui ont traîné hors du frigo, un parfum de vieille école, et la radio à piles sur le meuble, et la rangée de chaussons. Mais le plus marquant c'est l'odeur un peu rance des cuissons de la veille, il la retrouve souvent quand il entre comme ça à l'improviste chez les gens, c'est le fumet de ceux qui se nourrissent mal, en mangeant gras, en buvant peut-être. Comme à chaque fois, il est frappé par une impression d'ensemble, c'est dû à cette indélicatesse ultime qu'il y a à débarquer chez des inconnus sans avoir prévenu de sa visite. Quand elle a vu le papier à en-tête qu'il lui tendait au-dessus du portail, avec le logo bleu blanc rouge qui claque bien, elle lui a aussitôt dit d'entrer, sans faire la moindre difficulté, poliment. De toute évidence cette femme ne cherchera pas à se défiler, ce qui serait pitoyable. Pour lui surtout. C'est toujours désolant de devoir gérer une situation où les autres jouent d'emblée la mauvaise foi, où la déloyauté et le manque de scrupules empoisonnent tout. Mais ces situations-là il les pressent. Les rares fois où les gestes ont dépassé les paroles et qu'ils en sont venus aux mains, c'était avec des jeunes pas trop équilibrés, des couples le plus souvent, avec les mômes qui se mettent à chialer au milieu, qui électrisent tout.

La vieille femme revient avec ses lunettes, elle lui demande s'il veut boire quelque chose, s'il préfère une bière ou un porto, mais là il refuse tout net, le danger ce serait que ça vire à la visite de courtoisie, que la tonalité bascule dans le compassionnel. Le vrai risque quand on fait comme ça du recouvrement de dettes c'est bien de se laisser troubler, de fléchir, à partir de là on n'en finirait pas d'absoudre. En jetant un coup d'œil aux éléments qu'il a dans le dossier, il réalise que la vieille dame n'est pas si âgée que ça, soixante-seize ans comme il le voit à sa date de naissance sur les bordereaux, mais elle n'a peut-être plus toute sa tête, ou elle fait bien semblant, parce qu'elle est déjà en train de lui servir un verre de porto, en s'en servant aussi un pour elle, à ras bord, deux petits verres qu'elle glisse délicatement sur la table basse. Ludovic repousse ostensiblement le sien, et dans un geste large il en profite pour prendre le plus de place possible en déployant tous les documents qu'il a apportés. Face à tous ces papiers à en-tête, la femme se relève, Ludovic sent bien que quelque chose s'affole en elle. En revoyant les copies de toutes ces relances qu'elle a déjà reçues, elle a du mal à encaisser le coup, mais la réalité est là, cette foutue dette est bien là devant elle, en train de la rattraper.

— Vous savez, madame Salama, plus ça traîne ces histoires, et moins c'est bon. Je dis ça pour vous, madame Salama. Je vous le rappelle, si je suis venu c'est pour arranger les choses, je suis là pour que tout rentre dans l'ordre vous comprenez, moi mon boulot c'est justement d'éviter que les choses se gâtent. Vous comprenez... ?

Pour chaque rendez-vous, il se munit d'une chemise en carton avec le nom de la personne écrit dessus en évidence, une simple chemise mais pas de cartable, pour bien marquer l'exclusivité de sa démarche, pour signifier qu'il se déplace spécialement pour elle, uniquement pour la voir elle, elle dont le nom de famille est inscrit au marqueur noir sur le dossier rouge, un peu comme un dossier médical, un dossier bien épais, qu'il gonfle à quatre-vingt-dix pour cent de papiers qui n'ont rien à voir, ce qui en impose. Depuis deux ans qu'il fait ce boulot, Ludovic est au moins sûr d'une chose, c'est que le gros dossier impressionne bien plus méchamment que ses cent deux kilos.

— Oh moi, vous savez, j'ai jamais rien compris à tous ces papiers, les recommandés tout ça...

— Justement, madame Salama, vous devriez vous asseoir, que je vous explique bien tout.

Il sent la dame plutôt inquiète, alors il module en humanisant l'affaire.

— Ne vous en faites pas, ça arrive à tout le monde d'avoir des petits impayés. Je vais vous dire, de nos jours c'est même la règle, on s'endette pour acheter quelque chose, un beau jour on a la chose, mais là on oublie qu'il faut finir de la payer, c'est le système qui veut ça...

— C'était pour ma petite-fille, vous comprenez, c'était pas pour nous.

— La bague, c'était pour votre petite-fille ?

— Oui, pour son mariage.

— D'accord, mais si je lis bien, elle s'est mariée il y a deux ans, et la bague, elle n'est toujours pas payée, deux ans ça fait beaucoup, vous ne trouvez pas ? En plus il n'y a eu qu'un seul versement après l'acompte, et encore, pas complet, c'est bien ça ?

— Elle a divorcé depuis. Pauvre petite, c'est un amour, elle n'est pas aidée dans la vie, mais je vous prie de croire que c'est un amour de gamine.

— J'en suis sûr, madame Salama, mais comprenez-moi bien, je ne suis pas venu vous parler de votre petite-fille, là c'est la bague qui nous occupe...

— Il l'a laissée seule avec deux enfants, du jour au lendemain...

— D'accord, mais à ce que je vois dans le dossier, le mari de votre petite-fille, lui, il n'y est pour rien, son nom n'y figure même pas. Madame Salama, c'est bien vous qui l'avez achetée, cette bague, n'est-ce pas ? Vous vouliez lui avancer, c'est ça ?

— Oh, je ne sais plus, c'est mon mari qui avait rempli tous les papiers, c'est toujours lui qui remplit ces papiers-là.

— D'accord. Et il est où monsieur Salama ?

— À l'hôpital.

La petite appréhension douloureuse qu'il sentait poindre avant de poser cette toute simple question, voilà qu'elle se confirme, voilà qu'il faut tout de suite qu'il tienne sa ligne, ne pas se laisser gagner par l'apitoiement.

— D'accord, mais sur le premier chèque, c'était bien votre signature à vous, non ?

— C'est un chéquier commun, et puis je ne sais plus, moi, vous me parlez de ça, il y a trois ans, et je vous dis, ils ont divorcé depuis.

— Non, deux ans. Et sinon, elle est où cette bague maintenant ?

En faisant mine de fouiller dans ses dossiers, Ludovic imagine d'avance le topo, récupérer la bague chez la petite-fille, qui l'a sans doute déjà revendue, et les deux mômes qui hurlent, et la jeune femme qui perd ses moyens ou qui panique, ou qui s'affole, et si elle a un nouveau mec dans sa vie, et qu'il est là au milieu, devoir gérer le mec aussi, tenter de rester impassible, marcher au-dessus du volcan... Alors il tente le petit coup de bluff.

— Madame Salama, votre petite-fille vous l'avez aidée, eh bien vous savez ce que vous allez faire, vous allez l'aider jusqu'au bout, sinon c'est sur elle que ça va retomber toute cette histoire, si vous ne faites rien, c'est elle qui va devoir régler les sept cents euros !

— Oh, mais je ne veux pas qu'elle ait de problèmes... Oh, mon Dieu, fallait que ça m'arrive à moi, j'ai pas de chance vous savez, j'ai pas de chance, ne me dites pas que vous allez lui faire des problèmes...

— Moi, si je suis là, c'est justement pour qu'il n'y ait pas de problèmes. Écoutez-moi bien, dans cette histoire je suis un conciliateur, c'est tout, je représente le bijoutier de Livry-Gargan chez qui vous avez acheté la bague, c'est un brave artisan, seulement ces derniers temps il a beaucoup de soucis avec des gens qui ne le payent pas, si bien que lui il avance de la marchandise pour que les gens aient leur bague à temps, et après c'est lui qui est embêté parce qu'on ne le paye pas, vous comprenez ? Il faut bien qu'il récupère son argent, sans quoi il va fermer boutique, vous comprenez ?

— Les bijoutiers, c'est tous des voleurs...

— Pas celui-là, madame Salama, pas celui-là, croyez-moi. Alors, pour avancer, on va faire une petite chose toute simple, on va faire un échéancier, sur vingt mois si vous voulez, et, pour que vous soyez tranquille, vous allez me faire vingt chèques de trente-cinq euros, que le bijoutier déposera mois par mois, comme ça on évite les procédures, l'huissier et tout le pataquès, je vous promets qu'il n'y aura pas de mesure de justice, pas de tribunal, pas de problèmes, rien…

— Manquerait plus qu'il me traîne en justice, à mon âge, qu'il essaye un peu, tiens, il va pas être déçu !

— Ne vous en faites pas, je suis justement là pour qu'on ne vous embête pas, pour qu'on discute gentiment, vous voyez. Voilà, on va y aller doucement, mois par mois, vous me suivez madame Salama, tout doucement, vous savez quoi, faites-moi confiance madame Salama, vous allez voir, on va tout arranger et comme ça, grâce à vous, tout le monde sera content, et votre petite-fille ne sera pas embêtée. D'accord… Allez, on trinque ?

— Ah non, ça je ne veux pas !

— Quoi donc ?

— Que la petite soit embêtée.

Quand elle sort un vieux chéquier tout démantibulé du tiroir de la commode, soudain il est saisi d'un doute, il prie pour qu'elle ne lui fasse pas le coup des chèques en bois, parce que déjà il s'imagine revenir dans une semaine, revenir, mais dans une tout autre disposition, et là devoir hausser le ton, passer dans un tout autre registre, face à cette femme de soixante-seize ans, sincèrement il croise les doigts pour qu'elle ne l'embrouille pas et qu'elle la joue honnête. C'est alors qu'elle avale son verre de porto d'un trait et s'en ressert un second, qu'elle avale aussi sec, et il a de nouveau un doute. Dès le premier chèque elle se plaint qu'elle n'y arrive pas, que le stylo marche mal et qu'il n'y a pas assez de lumière, sur ce elle se relève et lui dit qu'il les fasse lui-même, qu'il les remplisse. Elle prend le parti de lui faire confiance. Lui aussi en un sens.

Ils sont deux à se faire confiance. Seulement, à force, il a le flair, les emmerdes il les renifle, et quand il remarque sur le talon du carnet que le dernier chèque date de trois ans, et qu'il s'aperçoit qu'elle porte deux paires de chaussettes par-dessus ses bas, parce que c'est vrai qu'ici c'est pas chauffé, il sent bien que cette histoire n'en restera pas là.

Autour d'Aurore il y a plein de monde, trop peut-être. Une panne informatique paralyse toutes les caisses. Chacun attend dans sa file avec son panier ou son caddie remplis, le demi-tour est impossible, à moins de s'en aller et de tout planter là, seulement ce soir on mangerait quoi ? Aurore jette un coup d'œil sur son téléphone, il capte mais ne peut rien pour elle. Les caissières flottent dans ce temps mort inhabituel, déboussolées par le silence. Depuis que les caisses se sont tues, il n'y a plus les bips qui tintaient de toutes parts, plus aucun mouvement de tapis roulant, plus le moindre bruit. Les gens se regardent sans réaction. Le manager dit que tout va se remettre en marche dans trois ou quatre minutes, il tient un talkie-walkie dans une main, et dans l'autre une boîte de chocolats qu'il offre aux clients pour les faire patienter. Aurore se demande si ces trois ou quatre minutes de perdues seront irrémédiables, en quoi elles pourraient dévier le cours de sa vie. Une suée la prend mais elle ne s'énerve pas, pourtant elle n'en peut plus de ce temps qu'on lui vole, de ce temps qu'il lui faudra encore pour

ramasser ses courses puis rentrer dans le froid et traverser sa cour, une fois de plus traverser cette cour.

Cet incident est à l'image de sa vie, dernièrement.
Depuis septembre ses journées sont faites de ça, de
temps qu'on lui vole, de temps qui ne lui appartient
pas. Celui qu'ils lui prennent tous au bureau, et ces
minutes englouties dans les couloirs du métro, même
ses enfants elle les voit comme deux petits voleurs
égoïstes, y compris Victor, son beau-fils, qui n'est là
que dix jours par mois, son beau-fils qui s'efface le
plus possible et qui se renfrogne, à la limite c'est pire,
il lui vole un temps qu'il ne demande même pas, simplement en étant là, en ne faisant rien, ni son lit ni
ses devoirs, en se vautrant avec sa console dans ce
canapé blanc où elle rêverait de se poser un soir, rien
qu'un soir, jeter ses affaires dans l'entrée et s'installer
dans le profond cuir blanc, et que tout se fasse sans elle.

Les bips reviennent, la vie reprend. Quand elle ressort
du Monoprix il fait nuit noire. À dix-neuf heures trente,
un 20 octobre, le jour a déjà perdu la partie. Les sacs des
courses lui entaillent les paumes. Avec ce froid les gens
marchent vite, comme s'ils avaient peur. À mesure qu'elle
s'enfonce dans les petites rues il y a de moins en moins
de monde, de voitures, de boutiques, bientôt elle n'entend
plus que le bruit de ses talons sur le trottoir. Parfois elle
a le sentiment de se résumer à ça, au martèlement du
temps qui file, à l'écho mécanique d'une marche qui
s'éteint dans le soir. Pourtant elle a tout ce qu'elle voulait,
des responsabilités, un bel appartement, une famille, c'est
juste que depuis septembre tout se dérègle.

Elle fait le code de l'immeuble tout en poussant la
porte du bout du pied et retrouve sa cour plongée dans

l'obscurité. Finalement il n'y a pas d'autre moment que celui-là, où elle est seule, c'est pour ça qu'elle en a besoin. Avant que des corbeaux ne s'y installent, cette cour c'était une véritable pause, une bouffée d'air, un bienfait qu'elle ressentait chaque fois, faut dire que dès qu'on pénètre dans le hall et qu'on marche vers la cour, la ville tout autour s'efface. Ce silence épais, ce sentiment de paix vient des deux arbres immenses qui font comme un toit au-dessus des toits, au point que cela crée un monde à part, sauvage, l'herbe pousse entre les pavés disjoints, des buissons au milieu forment des massifs au pied des arbres, la nature ici regagne du terrain, un peu trop visiblement.

Dans ce vieil hôtel particulier, seule la façade côté rue a été ravalée, celle du bâtiment où elle habite. En fond de cour, les bâtiments sont plutôt antiques, des fils électriques courent sur des poutres vieilles de trois siècles, là-bas les derniers travaux datent de plusieurs décennies, c'est comme un autre monde, un monde où elle ne va jamais. Elle marche dans cette odeur de sous-bois, une petite campagne qu'elle devine dans la pénombre, car depuis septembre elle n'allume plus, depuis que les deux corbeaux sont là, elle sait que si elle enclenche la minuterie ils lanceront leurs croassements glaçants, pire qu'une alarme, des cris immenses hurlés du haut des arbres, rien que d'y penser elle en a froid dans le dos. Elle n'a jamais été à l'aise avec les oiseaux, déjà qu'elle a peur des pigeons quand ils s'approchent trop près, alors des corbeaux ce n'est pas possible.

Le jour où elle a poussé cette porte pour la première fois, il y a huit ans, c'était pour visiter l'appartement

avec Richard, et dès qu'elle était tombée sur cette verdure protégée de la canicule de juillet, ça lui avait fait
l'effet d'un coin de campagne en plein Paris. Sous les
grands arbres l'air semblait climatisé, frais, tout de suite
elle avait su que ce serait là qu'ils vivraient, avant même
de voir l'appartement elle savait que c'était là, à cause
de cette cour, un vrai sas avec le reste du monde.

Elle allume la lampe poussive du local des boîtes
aux lettres, une pièce du rez-de-chaussée qui sert aussi
de garage à poubelles. La vieille ampoule répand sa
lumière d'ambre. Elle flanque les publicités à la poubelle, garde les factures. En ressortant, elle lève la tête,
les feuilles ondulent avec le vent, ce soir elle ne les
trouve pas, ça n'enlève pas l'appréhension.

Une fois dans l'escalier, là aussi la solution c'est de
ne pas allumer. Parfois elle craint de les croiser sur un
palier, elle croit les voir à chaque étage. Elle se dit
qu'un soir elle n'y arrivera plus, un soir elle sera tellement paralysée par la peur qu'elle ne pourra plus rentrer chez elle. Richard lui dit chaque fois, « Aurore, ce
ne sont que des oiseaux, si ça se trouve c'est eux qui
ont peur de toi », mais elle sait que ce n'est pas vrai,
ces corbeaux, même quand ils sont là à moins d'un
mètre, ils ne bougent pas, au contraire, ils vous obser-
vent ou vous défient. Ces deux corbeaux sont à l'image
de toutes ces peurs qui l'encerclent en ce moment, ces
choses qui se détraquent, ces dettes qui s'accumulent,
et son associé qui ne lui parle plus, depuis septembre
tout concourt à l'affoler.

En ville on passe sa vie à produire une première impression, à longueur de journée on croise des milliers de regards, autant d'êtres frôlés de trop près, certains en les remarquant à peine, d'autres en ne les voyant même pas. Ce qui frappe tout de suite chez Ludovic, c'est sa stature. Être baraqué marque un caractère, ça conditionne son rapport à l'autre, accessoirement ça oblige à une certaine prudence, comme là ce soir dans ce bus bondé, il sent qu'au moindre déséquilibre il pourrait faire mal à quelqu'un, alors il s'agrippe à la barre, surtout que le chauffeur est un nerveux qui secoue son monde. Juste en dessous de Ludovic, trois vieilles dames assises paraissent toutes petites, quelques hommes semblent l'être aussi. Il n'est pas sûr d'être observé par les femmes, les hommes par contre lui lancent des coups d'œil, ils convoitent ça, une carrure, dans l'anonymat des foules, ça a valeur de passe-droit.

Une jeune femme monte avec une poussette, les gens se tassent mais ça ne rentre pas, une voix enregistrée demande *aux voyageurs d'avancer vers le fond*, le chauffeur se lève et joint le geste à ces paroles, tous se compressent, on étouffe là-dedans, alors Ludovic sort, il s'éjecte de ce bus infecté d'impatience. Il a un problème avec la foule, cette façon urbaine de s'amasser. Une fois sur le boulevard c'est pareil, les gens foncent tête baissée. Le retrait d'épaule, le pas de côté pour éviter le choc, tout le monde le fait sans y penser alors que lui il se concentre dessus. Il faut sans doute vivre à Paris depuis longtemps pour louvoyer d'instinct dans une multitude dense et pressée, pour s'y fondre sans ne même plus y prêter attention.

Avant, il ne ressentait pas l'impact de sa masse lancée au milieu des autres. Quand il marchait dans la vallée du Célé, sur les sentiers des roches hautes ou en pleins champs, sa présence n'avait pas le même poids, l'environnement se foutait pas mal de son gabarit, tandis que là il est dans l'évitement permanent.

Une fois au pont National il tourne à gauche pour marcher le long des quais. Ici la vue est grande offerte, totalement dégagée. En ville il n'y a qu'un fleuve pour ouvrir le ciel comme ça, même s'il fait nuit, ici au moins on voit le ciel. La Seine, c'est le seul élément apaisé, le seul élément féminin, en dehors duquel tout ce qu'il voit autour de lui c'est une ville nerveuse, dure, une ville pensée par des hommes, des immeubles et des monuments bâtis par des hommes, des squares, des voitures et des avenues dessinées par des hommes, des rues nettoyées par des hommes, et là encore dans le skatepark, à traîner dans le froid, comme tout à l'heure sous le métro aérien, là encore, rien que des hommes... En longeant le quai du fleuve, il se rend bien compte que les mecs le regardent. Ils le regardent parce qu'il les regarde. Ce genre de bravades, c'est sans fin. Déjà qu'il sort d'un rendez-vous tendu à Ivry, une heure à se chauffer avec un couple qui jouait la mauvaise foi, si buté qu'il avait été à deux doigts de péter un câble… Mais il ne l'a pas fait. Deux fois il a craqué dans un contexte de ce type, deux fois les autres en face l'avaient tellement chauffé qu'il avait pété les plombs, mais il ne le fera plus, il sait qu'il ne le fera plus. À un moment ou à un autre on se fait tous rattraper par la sagesse. Malgré ça, les visites domiciliaires ça reste un exercice délicat. Débarquer chez les gens comme ça sans prévenir, et dans la foulée aussi sec leur présenter l'ardoise, ça enfièvre le contact. Il ne se sera énervé que deux fois. Deux coups de sang en deux ans, bien sûr c'est peu, « mais un seul peut être de trop ». Ce sont les mots de Coubressac, son patron, lui au départ il n'était pas chaud pour que Ludovic fasse des visites à domicile. Coubressac le connaît depuis longtemps, il l'a vu jouer troisième ligne en fédérale, il sait qu'à l'extérieur du terrain c'était un agneau mais pas dans le jeu, il était même un peu rugueux comme numéro 8, plus enclin à percuter l'adversaire qu'à chercher l'intervalle.

Quand on paraît fort il faut en plus se résoudre à l'être. Depuis quarante-six ans on le voit comme un gars solide, celui que rien n'atteint. Alors qu'en réalité il se sent complètement écrasé par cette ville. S'il vit à Paris c'est uniquement par sens du sacrifice, sans quoi il serait toujours dans la vallée du Célé, malgré les terres qui ne rendent pas et ces rumeurs dont il ne se dépêtrait pas, malgré les produits qui auraient causé la mort de sa femme et ce procès qui ne se tient pas, à ce jour encore il vivrait de l'agriculture, par atavisme sans doute, par vocation surtout. Seulement, en plus du souvenir errant de Mathilde, il y a aussi qu'aujourd'hui on ne peut pas vivre à cinq sur une exploitation de quarante hectares, en prairie principalement et bien enclavés. Déjà bien beau qu'ils arrivent à en vivre, eux, sa sœur et ses parents, qu'ils s'en sortent sans trop de concessions. Finalement sa seule fierté vient de là, de s'être sacrifié pour sa sœur et ses neveux, même s'il a dû laisser sa place à son beau-frère, au moins il est sûr que ses parents finiront leur vie tranquilles sans avoir à se casser la tête pour des histoires de partage.

C'est jamais facile de quitter sa terre, surtout quand on la possède pour de vrai, mais après la mort de Mathilde et de tout ce qu'on en disait il ne pouvait plus rester là-bas. Dès qu'il a eu l'opportunité de ce job à Paris, en manière de défi il a dit oui. L'aîné des Coubressac cherchait des négociateurs pour la région parisienne, il voulait des gars fiables, sans expérience particulière, mais fiables. Coubressac, la société de matériel agricole, sponsor depuis toujours d'une poignée de clubs de rugby de la région, dont ceux de Saint-Sauveur et de Gourdon. Lorsque Ludovic jouait en junior, puis en fédérale, Coubressac était écrit en lettres d'or sur le panneau des donateurs, à l'entrée du stade. Il y a trente ans, l'aîné des Coubressac s'est installé à Paris pour se lancer dans l'immobilier, très vite il a été confronté aux problèmes d'impayés, au point de pressentir que ça deviendrait un bon filon en temps de crise. Les faits lui ont donné raison, aujourd'hui les impayés en France c'est six cents milliards d'euros par an, dans un pays où le premier budget de l'État est le remboursement de la dette, c'est bien le signe que la dette tient le monde et que le principal enjeu c'est soit de se faire payer, soit de payer ce qu'on doit. Ensuite, Coubressac s'est associé à un juriste et, dès les années 1990, ils se sont lancés dans le recouvrement à grande envergure. Au début ils étaient les deux seuls négociateurs, maintenant ils en emploient plus de quarante. Trois seulement font des visites, les autres bossent tous par téléphone. Le recouvrement de dettes est une activité qui demande du tact et de la persuasion. Après deux mois de formation juridique Ludo a franchi le pas. Paris, c'était bien plus radical comme éloignement que Limoges ou Toulouse, et le choc fut rude. Même si ce boulot semble être du sur-mesure, il sait qu'il ne tiendra pas longtemps, au bout de deux ans déjà il n'en peut plus, il est accablé par la déveine des autres, ces braves endettés qui se font piéger par des crédits, ou ces embrouilleurs qui refusent de payer, deux démarches contraires pour le même résultat, un jour ou l'autre il faut passer à la caisse.

Mais lui au moins il préfère les voir en face, il trouve ça plus humain, parce que faire du recouvrement par téléphone, assis huit heures par jour dans un bureau, relancer les débiteurs, les harceler pendant des semaines en répétant toujours les mêmes formules d'une voix cassante, ce n'est pas pour lui. C'est pourquoi il a opté pour les visites domiciliaires, et la plupart du temps ça se résume à ça, un pavillon en plus ou moins proche banlieue, un pavillon plus souvent qu'un appartement, un nom sous une sonnette, sur laquelle, sans état d'âme, il appuie. Alors que le recouvrement par téléphone, ça vire souvent à la chasse à courre, un genre d'inlassable traque qui vise à semer la panique chez le débiteur en l'appelant à tout bout de champ, aussi bien le soir tard que tôt le matin, et en donnant des coups de fil à tout l'entourage, à sa famille et même sur son lieu de travail, histoire que tout le monde soit bien au courant qu'il doit de l'argent, de lui coller l'étiquette de « débiteur » sur le front, de ne jamais le lâcher jusqu'à ce qu'il craque. C'est sale.

Vu l'ensemble des dossiers gérés, Ludovic le sait, les visites donnent de meilleurs résultats, les dossiers sont bien plus efficacement réglés. De toute façon jamais il n'aurait pu passer ses journées au téléphone, déjà parce qu'il n'aime pas téléphoner, même ses proches il ne les appelle jamais, mais surtout parce qu'il a trop besoin de bouger, d'être dehors, ne pas être assis c'est pour lui une façon d'être.

Quand il a commencé ce job il s'attendait à du rugueux, à des situations tendues face à des quasi-délinquants, mais le plus souvent c'est à des vaincus qu'il a affaire, à des petits salaires ou à des nouveaux chômeurs qui se sont laissé déborder par l'envie de consommer. Parfois il tombe aussi sur des vieux pas trop à jour, dont certains se sont fait berner, ou se sont montrés imprévoyants. Bien sûr, à côté de ça, il y a les malveillants, ceux qui plantent sciemment le commerçant, ceux qui ne payent pas le bailleur ou l'artisan, mais pas tant que ça hélas, à la limite ce serait plus simple d'être toujours confronté à des embrouilleurs, des teigneux, au niveau de la motivation ça l'aiderait, là au moins il ne se ferait pas rattraper par ses états d'âme.

Ce n'est pas un boulot dont il se vante, pour autant il ne se sent pas à la solde du grand capital, pas plus qu'il n'a envie de prendre le parti de ceux qu'il relance, la réalité est moins binaire, face aux endettés ce ne sont pas de puissants créanciers qu'il représente, plutôt des artisans, des petits patrons de PME, des professions libérales, ça va du bijoutier au dentiste, du plombier au marchand de meubles, ainsi que du maçon à l'architecte, toutes sortes de prestataires qui laissent s'accumuler les impayés et n'arrivent pas à gérer les relances, parce que c'est devenu un métier de se faire payer. Le risque pour eux, c'est de déposer le bilan. La principale cause des faillites en France, c'est les défauts de paiement, des dizaines de milliers d'emplois perdus chaque année, et le tiers de ces impayés sont liés à des changements d'adresse plus ou moins opérés sciemment, dans ces cas-là les créanciers sont totalement démunis, à moins de se lancer dans des procédures juridiques qui n'en finissent pas, qui coûtent cher, et dont l'issue n'est pas garantie. Quant aux grandes marques elles ont leur service de recouvrement intégré, elles se prévalent d'huissiers, sans en avoir le droit, mais une lettre recommandée avec l'en-tête plus ou moins réglementaire d'une étude d'huissier, en général ça impressionne, mais ça ne règle pas toujours le problème, loin de là. C'est pour ça que Ludo refuse le terme de chasseur de dettes, il se vit plutôt comme un redresseur de torts, du moins c'est ce qu'il se raconte, parce qu'il ressent toujours le besoin de se justifier. Le mieux, c'est de ne jamais en parler, de son boulot. De toute façon il n'a pas l'habitude de se confier.

Depuis deux ans qu'il vit à Paris, il ne s'est fait ni ami ni relation, il ne voit quasiment personne. Côté horaires il est autonome, il va trois fois par mois au bureau pour les réunions de débriefing, mais au jour le jour il est son propre patron. Au total il ne parle qu'aux gens qu'il « visite », ses clients, en un sens ça fait du monde. Sa seule hantise c'est de tomber sur le fameux tableau de famille, des parents avec enfants, une mère avec son bébé dans les bras, et les petits frères et sœurs qui se foutent dans ses pattes, le père qui reste en retrait. Dans ces cas-là, quand on lui oppose les mômes, quand on les affiche en paravent pour le culpabiliser, du genre « Vous n'allez pas me faire ça, oui j'ai des dettes, mais j'ai quatre enfants à nourrir, vous n'allez pas nous faire ça... », en général ça le blesse, parce qu'il pense aux enfants qu'ils n'auront jamais avec Mathilde, alors plutôt que de l'émouvoir, ça le rend fou de rage. Sa crainte c'est qu'un jour il parte vraiment en vrille, non pas à cause d'une parole plus haute qu'une autre ni d'un mauvais geste, mais à cause d'une bassesse, d'une tentative dégueulasse d'apitoiement, qu'on cherche à l'émouvoir en lui opposant le tableau de la famille au complet, tout ce à quoi il n'aura jamais droit. De toute manière chaque fois qu'il se plante devant une porte, chaque fois qu'il appuie sur la sonnette, il s'attend à un os, mais d'expérience il campe maintenant dans un état constant de profonde vigilance, et quoi qu'il se passe, quoi qu'on lui dise ou oppose comme argument, il y a une chose à laquelle il veille par-dessus tout : éviter le troisième coup de sang.

Avant, il y avait un couple de tourterelles dans les hautes branches, aux beaux jours leurs roucoulements dominaient tout, ça se mélangeait aux gazouillis épars, aux sifflotements des merles, c'était rafraîchissant à entendre. Seulement, au retour des dernières vacances, Aurore avait trouvé des poignées de plumes beiges éparpillées au pied des arbres, et en levant les yeux elle était tombée sur ces deux oiseaux au noir intense, deux énormes corbeaux luisants comme du métal. Depuis ce jour-là il n'y a plus de roucoulements, plus de tourterelles, ils les ont fait fuir, « ou alors ils les ont bouffées »...

— Enfin Aurore, c'est jamais que des oiseaux... !

Quand on se confie à une amie, on attend d'elle qu'elle soit d'accord avec soi, qu'elle comprenne tout à demi-mot, mais ce n'est pas le cas d'Andréa. Andréa vit en Inde depuis trois ans. Prenant le prétexte que sa ligne de vêtements s'était plantée, elle a changé de vie pour s'installer dans la région de Madras, une vie soi-disant authentique, plus proche de la vraie vie. Elle ne vient que deux fois par an à Paris et quand elles se revoient, Aurore la trouve chaque fois un peu plus dingue, un peu plus illuminée, absolument plus à l'écoute.

— Vivre c'est se rapprocher de ce que l'on est, et toi Aurore tu es tout sauf une femme d'affaires, c'est beaucoup trop violent, je suis bien placée pour le savoir, le business c'est soit tu bouffes les autres, soit tu te fais bouffer...

En retournant au bureau, Aurore se dit qu'elle ferait mieux de ne plus parler à personne de ses histoires d'oiseaux, qu'on va finir par la croire folle. Pourtant ce soir encore il faudra traverser la cour, ouvrir les fenêtres, avec la trouille de les avoir juste là, même quand elle claque des mains ils ne partent pas, ce n'est pas normal de subir ça. En effectuant des recherches sur Internet, elle a lu qu'à Paris des espèces en remplacent d'autres, qu'à cause du changement climatique les oiseaux seront de plus en plus gros, on s'est déjà habitués aux mouettes et aux goélands, et maintenant c'est les corbeaux, tous ils ont fait fuir les moineaux et les hirondelles, à croire que la nature ne fait rien d'autre que ça : la démonstration de la loi du plus fort.

Sur un site scientifique elle a lu aussi que les corbeaux comptent parmi les animaux les plus intelligents, que leurs aptitudes dépasseraient même celles des primates, au point qu'ils sauraient user de ruses et de tromperies. Au Japon des observations ont montré qu'ils placent les noix les plus coriaces sur la chaussée et attendent qu'une voiture roule dessus pour récupérer les fruits parmi les coques éclatées. Cette malignité l'a affolée, à cause de l'image des noix broyées peut-être. Plus d'une fois elle a cherché sur des forums des astuces pour les faire fuir, tout ce qu'elle a trouvé ce sont des témoignages de contributeurs plus ou moins fantasques ou délirants, rapportant toutes sortes de superstitions qui disent que les corbeaux portent malheur, que ce n'est jamais bon d'en avoir près de chez soi, des croyances corroborées par des tas de récits mythologiques, ces oiseaux-là seraient sur terre pour trahir les hommes, d'ailleurs le premier animal relâché par Noé à la fin du déluge c'était bien un corbeau, un corbeau lancé en éclaireur mais jamais revenu pour dire que le monde était dégagé, trop occupé qu'il était à dévorer tous les cadavres recrachés par les eaux.

En ce moment tout cela résonne, tout cela lui parle bizarrement, depuis septembre tout l'inquiète. Déjà il y a les deux grosses commandes annulées des Galeries Lafayette, et ensuite cette livraison en Asie dont ils n'ont plus de nouvelles, mille deux cents robes, tailleurs et bustiers qui se sont volatilisés. Trois vraies tuiles qui occasionnent de lourdes pertes. Le mois prochain il n'y aura plus de trésorerie pour payer les salaires, et sa banque menace de ne plus suivre, comme le feraient toutes les autres d'ailleurs, les banques ça ne les intéresse plus de prêter de l'argent, au contraire aujourd'hui ce sont elles qui en cherchent, elles ont besoin de fonds propres pour jouer sur les marchés, si bien que, maintenant, quand elle réclame une rallonge à son banquier, elle a le sentiment de demander l'aumône. Mais le pire dans tout ça c'est le comportement de Fabian, Fabian qui reste si étrangement calme, parfois elle se demande s'il ne trouverait pas un intérêt quelconque à cette débandade. En plus d'être son associé, Fabian est un ami de toujours, ils se sont connus à Esmod et à l'époque ils s'étaient liés au point de tenter l'aventure ensemble en montant une société. Et c'est vrai que pendant huit ans tout a bien marché, avec lui en directeur commercial, et elle en styliste, huit ans de copilotage à assurer deux collections par an et à multiplier les points de vente, le parfait binôme. Mais ces derniers temps elle ne le sent plus, Fabian, elle ne le reconnaît plus, il s'est mis en tête de passer à la vitesse supérieure, parlant de gros volumes et d'allégement des coûts, convaincu que pour tenir sur le marché « il faut grossir, et vite... ». Depuis qu'il a fait ses deux voyages à Hong Kong et qu'il y a rencontré des gens, elle ne sait pas bien qui, son nouvel objectif c'est de s'adosser à un grand groupe et de gagner de nouveaux marchés, d'aller chercher la croissance ailleurs et de profiter du capital image pour diversifier les produits. Il lui a même parlé de créer des sacs, de tenter de le faire au moins, ou un parfum. Un peu comme Andréa, Fabian lui aussi est devenu tout autre, lui aussi a rudement changé au fil des ans.

Le secteur de la mode Aurore le connaît bien, elle sait ce qu'il faut d'opportunisme pour y réussir, que les belles intentions de départ doivent être sacrifiées pour assumer l'ambition d'être rentable. Dans la mode il ne suffit pas de confectionner de beaux modèles, il faut aussi savoir les vendre, se placer, manœuvrer pour entrer dans tel ou tel cercle, pactiser pour avoir des corners et de la presse. Les stylistes ne réussissent pas uniquement par leur talent mais également grâce au portefeuille de leurs relations et à l'entregent de leur attachée de presse, là-dessus elle n'a jamais été naïve,

« Plus tu dis aux gens que tu les aimes et plus ils feront mine de t'aimer... ». Seulement Fabian, à présent, ce n'est plus de la mode qu'il veut faire, mais du chiffre. Du coup elle doit aussi gérer les angoisses de leurs six employés, ils voient bien que quelque chose ne tourne plus rond entre eux et qu'elle-même est de plus en plus inquiète.

C'est pourquoi rentrer chez soi fait du bien, et les week-ends désormais elle les attend presque. Mais dimanche soir dernier, un des corbeaux était posé sur la balconnière tout près de la fenêtre de la salle de bains, à quelques centimètres, et n'en partait pas quand elle l'ouvrait. Soulevée d'une peur panique elle a craqué, elle a hurlé en tapant sur le carreau pour faire un maximum de bruit, mais le corbeau est allé se poser sur une branche à moins d'un mètre, la fixant sans plus bouger. Richard frappait 'de l'autre côté de la porte, lui demandant si tout allait bien. Oui, tout va bien, si ce n'est que depuis ce soir-là elle s'est juré que ces corbeaux elle les virerait, quitte à utiliser des effaroucheurs ou n'importe quoi, elle ne veut plus qu'ils soient là, elle se raccroche à ce projet, les virer, les virer comme si cela pouvait tout régler et tout faire rentrer dans l'ordre. Pourtant elle a un doute, même si elle les fait fuir, comment être sûre qu'ils ne reviendront pas, comment être sûre qu'ils seront partis pour de bon et que plus rien ne s'abîmera dans sa vie, comment s'en défaire à jamais autrement qu'en les tuant ?

Finalement chez Mme Salama il aura dû y retourner. La semaine dernière en la voyant sortir le vieux chéquier en vrac, il avait bien senti le coup venir, parce que cette série de chèques qu'elle lui avait signés et qu'il avait lui-même remplis, un à un, c'étaient bien des chèques en bois. En plus elle avait fait fort, son compte au Crédit mutuel était clôturé depuis deux ans. C'est pourquoi ce soir en ressortant de chez elle il est anéanti, écœuré d'avoir dû forcer le trait, d'avoir même poussé une gueulante face à la vieille femme qui faisait mine de ne pas comprendre, écœuré de l'avoir chahutée au point de lui demander à voir le fond des tiroirs de sa commode, pour qu'on en finisse, parce qu'il était sûr qu'il y aurait du cash dans ce meuble-là, sa propre grand-mère c'est là qu'elle les planquait, ses billets, sous le plastique de protection tout au bout des tiroirs. Et la mère Salama usait de la même astuce. Là-dessous elle avait même quatre billets de cinquante, seulement elle voulait les garder ses billets, elle avait besoin d'argent liquide pour aller à l'hôpital, les trajets en bus ça l'épuisait, trois fois par semaine elle s'offrait le taxi, du coup, Ludovic n'a plus osé y toucher à ses billets, ses billets ça devenait comme des tickets de transport pour aller voir le bonhomme, ce mari qui ne reviendrait plus vivre ici, qui ne remettrait plus jamais les pieds dans son doux pavillon, plus jamais, alors autant qu'ils durent les trajets en taxi, pendant des années si possible, la mère Salama elle en avait besoin de ses billets orange.

Face à ça Ludovic s'est laissé tomber de tout son poids dans le profond fauteuil devant la petite table, il a soupiré en se passant les mains sur le visage, pour tisser le lien il lui a même demandé un porto, et en désespoir de cause il a inversé les rôles, il a retourné la situation en la suppliant de l'aider.

— Henriette, là faut que vous m'aidiez, je vous en supplie faut que vous m'aidiez parce qu'on va avoir du mal. Henriette, dites-moi que vous avez un autre compte quelque part, je suis sûr que vous avez un petit livret de caisse d'épargne, ou un compte à la Poste, c'est obligé, je me trompe ou pas Henriette ?

C'est pour ça que ce soir en ressortant de chez elle, il a plus que jamais besoin de marcher. Alors, après la zone pavillonnaire, il trace sur une longue avenue de banlieue, une de ces grandes routes urbaines qui aboutissent toutes à un moment ou à un autre à une porte de Paris. Il se fait doubler par le bus qu'il devrait prendre, mais il continue à pied, il parcourt ces périmètres désolants qui ne brillent pas par leur envie de vivre, des immeubles sans boutiques, des usines désaffectées, des zones résidentielles disparates, d'un coup il se sent très loin de la vallée du Célé, très loin de sa vie d'avant, tout cela a-t-il bien lieu dans le même monde, il pense au silence de là-bas, à ces heures dehors sans croiser personne. Pour finir elle lui avait sorti le compte chèque postal, et il avait recommencé, dix chèques de soixante-dix euros cette fois, la pilule serait plus dure à avaler, il les avait remplis un à un et elle les avait signés, mais elle ne disait plus rien, comme si d'un coup elle venait de comprendre que ce serait plus simple de faire comme ça, qu'au moins on en parlerait plus de cette histoire, qu'elle avait pourtant bien d'autres drames dans la vie, mais qu'il fallait aussi régler celui-là. Quand il s'est levé pour partir, cette fois elle n'a pas voulu le raccompagner jusqu'à la porte, elle est restée assise et muette dans son salon, sans même un regard. Plus que jamais elle lui a fait penser à sa mère. Il se sentait sale de l'avoir saignée comme ça, la petite vieille, goutte à goutte, de sept cents euros, là tout en marchant vite il s'insulte, il se parle comme jamais personne ne lui parlera, c'est le seul avantage qu'il y a à dépasser les autres d'une tête et de les survoler d'un quintal, c'est qu'ils ne lui font jamais de remarques, même quand il les mérite. Le danger ce serait que ça devienne comme un passe-droit, de commencer à tout se permettre.

En traçant le long des grands axes, il se cale sur cette sensation dont il se gonflait avant les matchs. Quand on marche avec des crampons dans le couloir des vestiaires, on fait un bruit de métal, on se sent blindé, intouchable, pleinement concentré sur soi. Mais rien n'y fait, il y a toujours un regard qui le rattrape, une sensation de détresse exotique chez une femme en boubou, un vendeur de cours des halles qui lui lance une offre, une humanité tellement perdue dans ces villes sans contours qu'un simple sourire le désole ou le bouleverse. Paris est une des plus petites capitales du monde, encerclée et ronde, quasi parfaite, mais dès lors qu'on l'agglomère avec toutes les banlieues qui la contiennent, elle devient infinie, un océan de communes à perte de vue... C'est alors qu'après une heure de marche il monte dans un des bus qui le doublaient depuis le début, là-dedans ça joue bruyamment, ça s'invective, y a une violence dans la façon qu'ont ces mômes de se chahuter, une agressivité même pas préméditée, une envie de déflagrer que lui-même ressentait à leur âge, seulement il avait des endroits pour absorber les chocs, des sentiers de VTT, des routes désertes, des vallées à perte de vue, l'environnement ne souffrait pas de leurs crises d'adolescent. Tandis qu'ici on n'en finit pas de se gêner, les chocs on n'en finit pas de les répercuter. Debout dans ce bus il a du mal avec cette bande de scolaires qui foutent le bordel, c'est que l'espace les comprime, personne ne dit rien, y aurait que l'humour pour les désamorcer, la discussion, mais aujourd'hui il n'en a pas envie, même pas de les engueuler, pour qu'ils le prennent comme une provocation et que le ton monte, pourtant il le sait, il suffirait d'en choper un, de l'isoler du groupe, par exemple ce petit con devant lui qui fait de la barre fixe, qui se suspend et qui fout des coups de pied aux autres, sans que personne réagisse, ils lui tapent tous sur le système...

— T'arrêtes !

Ils le regardent comme s'il était fou, comme un vieux con qui joue les cow-boys, il sent que ça oscille, ils soutiennent son regard, ça en reste là.

À partir de maintenant il se raccroche à un objectif, retourner vers le fleuve, parce qu'il est complètement paumé dans cette métropole à laquelle il ne comprend rien, la Seine c'est son seul repère, l'unique faisceau de nature libre, et elle-même n'en finit pas de quitter Paris.

Quand on va d'une banlieue à une autre tout au long de la journée, passant d'un métro à un RER, puis d'un bus à un train, on se rend compte que pour de bon la ville est sans limites. Noisy succède à Paris, puis Nogent à Villemomble, à Gagny. Le plus simple ce serait de chaque fois repasser par Paris, l'axe centrifuge, le centre de tout. À force de vadrouiller comme ça, le soir il est saturé d'avenues et d'immeubles, de pavillons et de carrefours, si bien qu'il a besoin de rejoindre la Seine pour revenir dans son périmètre, à son point d'ancrage. La présence de ce fleuve juste à côté de chez lui lui donne le sentiment de ne pas être totalement coupé de l'ordre des choses. En ville, le fleuve c'est le seul élément de nature qui s'impose, qu'on ne dévie pas, qui décide de tout. En ville, le fleuve, tout part de lui et tout y retourne, comme une rivière à la campagne, c'est l'origine même des lieux de vie. Il y a aussi que le quartier de l'Arsenal est comme un monde à part en plein Paris, un monde fait de vieilles pierres et de rues tranquilles, sans cafés ni boutiques, le soir c'est aussi paisible qu'un bourg de province, il ne s'y

sent pas trop déplacé, comme si ce côté désuet désa-
morçait cette morgue chic qui rôde dans le centre de
Paris. Il a découvert qu'à Paris également on s'identifie
à un territoire, en général lié à une rue ou à une station
de métro, à Paris on dit qu'on vit dans tel ou tel
quartier, comme on le dirait d'un village. L'immeuble
où il habite est parfaitement rénové côté rue. Par contre,
dans les bâtiments en fond de cour, c'est une tout autre
ambiance, des façades défraîchies et des gouttières qui
fuient, des propriétaires qui s'essoufflent dans des escaliers abrupts, ici, c'est le monde des loyers de 1948. Au
deuxième étage il y a une Arménienne qui habite là
depuis le début de la Seconde Guerre mondiale, au-
dessus il y a une vieille fille de soixante-dix-huit ans qui
fait presque jeune à côté, et une petite bonne femme
qui vit avec deux chats. Au deuxième, il y a aussi une
femme tellement discrète qu'on ne sait jamais si elle est
là, et deux étudiants dans un studio, deux garçons de
vingt ans qui mettent la musique fort. De temps en
temps Ludovic les engueule pour tranquilliser les vieux,
surtout ceux du premier, un petit couple de nonagé-
naires pas trop en forme mais qui s'accrochent, qui se
tiennent en vie pour ne pas partir de chez eux.

Le plus frappant dans ce quartier c'est tous les loge-
ments vides, les fenêtres sans lumière, une vraie bizarrerie dans un Paris qui manque de place. Ainsi, dans
la partie rénovée de l'immeuble, il y a quatre grands
appartements, dont deux se louent à la semaine, mais
comme il n'y a ni climatisation ni ascenseur, ces
locations-là n'ont pas trop de succès, elles sont souvent
vides. De temps en temps des touristes s'y posent
quelques jours, on entend leurs valises à roulettes

quand ils s'installent ou repartent, des faux voisins qui disparaissent aussi vite qu'ils sont arrivés, puis plus rien pendant des semaines. Dans l'aile gauche, les appartements ne sont même pas loués, ils sont tous inhabités, leurs propriétaires surfent abstraitement sur le cours du mètre carré en attendant que le marché remonte, que la croissance reprenne. L'avantage, c'est que l'immeuble est calme. Pour le reste Ludovic ne se pose pas trop de questions, ces jeux d'investissement sur des mètres carrés qui valent dix fois le prix d'un hectare de terre grasse, ça le dépasse, comme pas mal de choses à Paris.

Dans son escalier les fenêtres ferment mal, les marches grincent. Il a fait un minimum de travaux pour rendre son appartement vivable, il a colmaté les tuyaux du chauffage central, posé une cabine de douche car l'ancienne était poreuse. Parfois tel ou tel de ses voisins de l'escalier C l'appelle à la rescousse, parce qu'ils ont bien vu qu'il bricolait, qu'il avait une boîte à outils et qu'il savait s'en servir, alors plus d'une fois il a joué les sauveurs, fixant un évier qui se descellait chez l'un, dégorgeant un siphon chez l'autre, chez la petite vieille d'à côté il a même changé toutes les prises, et pourtant toucher à l'électricité il a horreur de ça. Plus d'une fois il en a dépanné des voisins, sachant qu'à Paris toute panne se vit comme un drame, un simple lavabo bouché, une fuite d'eau, une porte qui ne s'ouvre plus, ici ça prend tout de suite une ampleur gigantesque, systématiquement ruineuse alors que ça fait partie du cours normal des choses, les choses tombent en panne, elles se réparent, ça va de soi, dans une ferme il faut en permanence réparer, bricoler, bidouiller, à la campagne il passait même son temps à ça.

Son petit deux-pièces il le loue six cents euros, ça lui paraît exorbitant, bien qu'en fait ce soit une aubaine. C'est son patron qui lui a trouvé. Travailler dans le recouvrement permet pas mal d'arrangements. Quand on lui demande ce qu'il fait, cependant, il dit être dans le conseil juridique. De toute façon il n'est pas d'une nature bavarde, surtout qu'il souffre d'un profond complexe à l'égard des Parisiens. Ils lui font sentir qu'il n'est pas d'ici. La banlieue, c'est pas mieux, même si à force il commence à la connaître, là-bas ce sont de tout autres codes, auxquels là non plus il ne comprend rien, il a juste très vite pigé que quand on le voit arriver on le prend souvent pour un flic, à cause de ses baskets. Plusieurs fois des filiformes au pantalon ras du cul se sont fait un jeu de le défier, simplement parce qu'ils étaient en groupe, ce qu'il a compris aussi du coup, c'est que l'effet de groupe est dévastateur et que dans les zones pavillonnaires, comme dans les cités, on a vite fait de repérer quelqu'un qui n'est pas d'ici, encore plus vite qu'à la campagne. Jamais il n'aurait imaginé que sur le parvis d'une grande cité un intrus se remarquait aussi vite que dans un hameau paumé, dans les deux cas c'est la même méfiance. Parfois quand il débarque dans une station de RER ou sur une dalle, il se sait aussi observé qu'un inconnu qui se baladerait le soir sur les rives du Célé. Il le sent bien, où qu'on aille on est d'ailleurs, et c'est sans fin qu'on n'est pas d'ici.

Il est vingt et une heures quand Aurore pousse la porte de l'immeuble. À cause d'une explication interminable avec l'experte-comptable, elle est partie tard du bureau, elle est épuisée, prête à replonger dans l'obscurité de sa cour, mais là elle est assaillie par toutes ces lumières allumées, le lampadaire au-dessus du porche, et l'autre au niveau de la grille, et même celui du fond, jamais toutes les minuteries ne se sont enclenchées en même temps. Le pire, pourtant, ce sont ces croassements qui enflent à mesure qu'elle avance dans le hall, des croassements déchaînés ce soir, ils semblent comme fous. « Quand les corbeaux se battent c'est signe de grands malheurs », prédisaient les Romains, ou les Grecs, elle ne sait plus, parce que là ça dépasse tout, ils sont plus excités que jamais, rendus dingues par le remue-ménage qui agite la cour. Elle repousse sèchement la grille du hall, révoltée par ce boucan, et elle tombe sur une scène improbable, les buissons au pied des arbres qui bougent en tous sens, il y a des bêtes qui fourragent là-dedans, elle entend des gémissements de bêtes affolées, des cris sinistres, ça en affole les lierres qui courent le long des troncs, ce qui décuple les croassements des corbeaux, c'est sans fin… Alors, sans hésiter, elle fonce et balance des grands coups de sac dans les feuilles, dépassant sa peur elle veut chasser ces bestioles enragées qui se battent là-dedans, mais c'est un homme qui se redresse au milieu des buissons, pour elle c'est aussi violent que si elle était tombée nez à nez avec un cambrioleur. Des feuilles lui masquent le visage, mais elle le reconnaît, c'est ce voisin qu'elle n'aime pas croiser, ce type qui la toise d'un sourire tout aussi glaçant que les corbeaux qui s'excitent là-haut.

— Qu'est-ce que vous foutez là ?

Plutôt que d'enchaîner sur le même ton, Ludovic reste d'un flegme total. Le calme c'est ce qu'on peut opposer de pire à quelqu'un qui vous agresse aussi rudement. Dans les arbres, les corbeaux hurlent de plus belle, excités par ces présences qui les dérangent, ils croassent plus hystériquement que jamais et sur un mode nettement plus aigu. Ludovic joue des épaules pour s'extraire des branchages serrés, un massif dense comme une haie vive, il en ressort avec du lierre et des branches accrochés à son pull, et juste avant d'enjamber le muret qui ceinture la petite jungle, il lève les mains pour exhiber sa prise, deux chats qu'il tient par la peau du cou, les pauvres bêtes pendent comme deux nuisibles fraîchement piégés, il les soulève bien haut et s'avance vers Aurore.

— Non mais ça va pas de les tenir comme ça ! Vous leur faites mal.

— Ne vous inquiétez pas pour eux.

Le couinement des chats, les cris du corbeau, et ce type qui piétine ses fleurs, c'en est trop pour qu'elle n'explose pas…

— Vous n'avez rien à faire là-dedans, c'est plein de fleurs que j'ai plantées...

— Mais je ne leur veux pas de mal à vos fleurs, je récupère juste les chats, c'est ceux de Mlle Mercier, la petite dame du troisième, elle en est malade d'avoir perdu ses chats, mais faut pas croire, c'est trouillard les chats.

Sans l'écouter Aurore inspecte les bords des massifs pour voir si ses jacinthes, ses pieds de persil, de sauge et de basilic ont résisté, elle est tellement énervée contre ce vandale qu'elle en tremble. Ludovic la regarde faire, tenant toujours les chats à bout de bras.

— Vous devriez aérer tout ça, faut pas repiquer des plantes si près des buis, ça asphyxie les racines, c'est toxique les buis, vous savez...

— Qu'est-ce que vous y connaissez ?

— Ce que je peux vous dire, c'est que vous devriez tailler, même les arbres, les branches touchent les toits là-haut, en cas de coup de vent je ne vous dis pas les dégâts...

— Vous êtes propriétaire ici ?

— Non, mais les arbres je connais bien.

Il lui a répondu avec le sourire agaçant du type qui ne se démonte pas, exaspérant d'assurance. Le plus révoltant pour Aurore, ce sont ces chats qui se tordent au bout de ses bras, cherchant à les griffer, deux pauvres bêtes emprisonnées dans les pognes de cette brute, et puis ces croassements là-haut qui n'arrêtent pas, des croassements aussi blessants que le sourire de cet homme, à croire que les deux ont quelque chose à voir. C'est la première fois qu'elle le voit de près ce voisin, elle comprend pourquoi jusque-là elle ne lui a jamais dit bonjour.

Ludovic lève la tête en direction des oiseaux et il lance comme si ce devait être une blague :

— Vous êtes en train de les énerver.

— Avant il n'y avait pas de corbeaux ici.

— Avant quoi ?

— Avant... On dirait que ça vous amuse de les exciter.

— Oh moi, vous savez, je suis l'ami de la nature. La preuve, dit-il en exhibant les chats, tout ce qui miaule, hurle, croasse, c'est la vie !

Aurore reprend ses sacs, révoltée d'endurer ce supplice dans sa cour, ces cris, ce type, ces miaulements, une cour parfaitement terrorisante ce soir.

— Tenez-les correctement, vous leur faites mal, je vous l'ai déjà dit.

— Ne vous tracassez pas pour eux, les chats je sais y faire...

— Vous savez toujours tout sur tout ?

— Moins que vous apparemment.

Aurore se détourne pour foncer vers l'escalier A, mais déjà il l'interroge :

— Vous êtes sûre que ce sont des corbeaux ? Moi je dirais plutôt que ce sont des corneilles. Mais bon, c'est pire les corneilles, c'est carnivore et ça attaque...

Aurore s'engouffre dans l'escalier allumé et avale les soixante-huit marches jusqu'à chez elle, soixante-huit marches en comptant les cinq premières du perron, soixante-huit marches qu'elle monte dans une totale colère, convaincue que cette fois elle n'est plus à l'abri de rien, cette fois c'est jusque dans sa cour que la violence la rattrape, le seul endroit où elle se sentait protégée jusque-là, elle se dit que finalement elle va la commander cette petite bombe lacrymogène qu'elle a vue sur Internet, cette fois elle a besoin d'un objet qui la rassure, quitte à en asperger les corbeaux eux-mêmes, comme tout ce qui l'agresse, cette fois elle est prête à les éradiquer, tous, à ne plus se défendre mais à attaquer.

Richard était rentré avant elle. À chaque fois il en retirait une fierté un peu agaçante. Aurore lâcha les sacs au pied du bar, comme pour se déprendre de cette folie qui l'avait submergée juste là dans sa cour. Avant d'ôter son manteau elle souffla un moment, histoire de couper avec ce dérèglement bestial. Les jumeaux jouaient avec Vâni. Le soir, même si Richard arrivait le premier, Vâni restait pour garder les enfants, elle attendait qu'Aurore soit rentrée. Aujourd'hui les jumeaux étaient tout excités, Victor leur demi-frère était là, un grand frère un peu absent, vautré dans le canapé à jouer avec cette tablette qu'ils cherchaient toujours à lui chiper. Une fois de plus Richard était en pleine conversation au téléphone avec son kit mains libres, de toute évidence personne ici n'avait rien entendu de ce qui se passait dehors. À cause de ce cordon tout mince qui se perdait dans ses cheveux, on aurait pu croire que Richard parlait tout seul. Il était souvent au téléphone, en anglais la plupart du temps, allant et venant comme s'il échangeait avec un interlocuteur qui était là dans la pièce, mais qu'il serait le seul à voir. Richard était donc bien là, en même temps

51

que parfaitement ailleurs. Son téléphone il le gardait toujours sur lui, souvent il oubliait de déchausser l'oreillette, ce qui instillait une agaçante ambiguïté, il était effectivement présent, mais très possiblement dans une autre sphère, absorbé par une réalité sans doute bien plus cruciale.

Sans interrompre sa conversation il s'approcha d'Aurore, lui fit une bise, puis il alla s'accroupir sur le tapis du salon, il devait discuter avec un correspondant aux États-Unis, vu l'heure ce devait plutôt être ça que l'Asie. Comme souvent il détaillait tel ou tel projet qu'ils étaient en train de couver, jonglait avec des millions de dollars alors qu'elle-même n'arrivait pas à obtenir une rallonge de sa banque. Américain d'origine, Richard parlait en anglais au téléphone, cela dit même s'il avait parlé en français ça n'aurait pas été plus clair, le jargon de son métier rendait ses propos incompréhensibles pour le néophyte, ses conversations étaient totalement hermétiques, truffées des tournures énigmatiques des business angels.

Vâni avait mis un dessin animé à la télé pour récupérer l'attention des deux petits, ils riaient en suivant vaguement l'action, mais ne cessaient d'aller embêter leur demi-frère qui les repoussait à chaque fois, tous ces bruits formaient une furieuse cacophonie, un mélange de langues, d'accents, de voix d'enfants, d'adultes et de bruitages de dessins animés, il y avait pourtant six pièces dans cet appartement mais il fallait qu'ils soient tous dans la même. Aurore avait toujours en tête ces croassements déchaînés dans la cour, sans doute qu'ils continuaient de l'autre côté des fenêtres, juste là. En ôtant son manteau elle jeta un œil dehors pour voir si les lumières étaient toujours allumées, elles ne l'étaient plus, l'autre malade avait dû dégager avec ses chats. Pour en être sûre elle ouvrit une fenêtre et se pencha, les branches des arbres étaient à moins de deux mètres, agitées par le vent, à portée de main. Les feuilles n'étaient pas encore tombées, les vernis du Japon les conservent loin dans l'automne et leur feuillage reste dense longtemps, passant juste du vert au jaune. Au moins les corbeaux ne hurlaient plus, les miaulements s'étaient tus, les lumières éteintes, le calme était revenu. En visant entre les branches, elle chercha des yeux les fenêtres allumées, elle n'avait jamais repéré où vivait ce type, c'était d'autant plus difficile à savoir que les fenêtres du haut étaient cachées par les arbres, et les rares qu'on apercevait plus bas avaient des stores ou des rideaux, ça donnait l'impression d'un monde au temps arrêté, sinistre. Elle eut froid et se dépêcha de refermer. Elle craignait que cet homme soit en train de l'observer, comme ça dans le noir, depuis chez lui, elle lança un regard par le carreau mais ne vit rien, rien à part les branches agitées par le vent, et la nuit coagulée au-delà, elle se dit que ce type avait obligatoirement une fenêtre sur la cour, mais laquelle ? Richard arriva dans son dos.

— Tu es sûre que ça va ?

— Tu m'as fait peur, mentit-elle.

Ils se firent un baiser du bout des lèvres, tendre et machinal, Richard tout de même lui souriait, de ce beau sourire avec lequel il savait tout conquérir, puis il s'en retourna dans le salon et récupéra son interlocuteur à l'autre bout du fil.

Vâni partit tout juste après vingt et une heures, fâchée d'être en retard, mais n'osant le dire. Ils passèrent tous les cinq à table. Richard était beau, il avait souvent le front plissé, la mine concentrée de celui qui ne lâche jamais vraiment le bureau, par séquence il partait dans ses pensées, même sans téléphoner il décrochait, il était tellement avide de projets, toujours fixé sur une idée ou un coup de fil à donner, en un sens c'était légitime puisque sa boîte n'arrêtait pas de gagner des positions, il affichait cette arrogance tranquille des ingénieurs américains qui semblent faits pour réussir, cette belle décontraction anglo-saxonne qu'Aurore avait toujours admirée chez lui. Tout en mangeant il posait des questions aux enfants, il les écoutait tout en jetant un œil à ses messages, elle enviait l'agilité avec laquelle il passait d'un sujet à un autre, elle enviait surtout le calme qu'il affichait en toutes circonstances, Richard ne s'énervait jamais, au point qu'elle se demandait si ce n'était pas ça le vrai ressort de son succès, tout simplement ne jamais s'énerver. Il avait trente-neuf ans, et depuis qu'il était vice-président de Foundproject il en retirait une sorte d'éclat assez déconcertant, plus il prenait des responsabilités et plus il rayonnait d'un genre d'aisance, jusque dans la fluidité de ses gestes. Aurore était la première à se réjouir de sa réussite, pourtant elle savait que vivre avec un homme qui n'en finit pas de grimper, un homme sans cesse aspiré vers de plus hautes fonctions et qui rêvait de vivre entre la France et les États-Unis, tout ça l'amènerait un jour à la regarder de haut. Et c'est vrai que depuis quelques mois déjà, elle sentait que Richard n'avait plus le même empressement à lui répondre au téléphone, à la rappeler, parfois le soir il lui avouait n'avoir même pas remarqué le texto qu'elle lui avait pourtant envoyé le midi, son message s'était perdu dans le flux dont il se disait inondé, ce n'était qu'un détail, mais réaliser que l'être avec lequel on vit ne remarque plus vos textos, ça blesse.

C'est bon signe d'être assiégé de demandes, mille fois plus enviable que d'être demandeur, Aurore était bien placée pour le savoir. Cette entreprise que Richard avait fondée avec ses partenaires venait de fusionner avec un groupe américain, ils comptaient parmi les leaders de l'hébergement de start-up en Europe, cet homme avec qui elle vivait depuis huit ans c'était donc bien le même homme, mais mille fois plus sollicité. Pour autant il jouait toujours aussi pleinement son rôle de père, d'autant que ce soir son premier fils était là, ce soir il avait trois enfants à table, une vraie famille, il débordait d'une fierté paternelle d'autant plus intense qu'elle devenait rare. Dans un monde où chacun tremble pour son avenir, où la peur se rapproche chaque jour un peu plus, Richard était miraculeux, contaminant de succès, le danger c'était que les sollicitations dont il était l'objet ne le changent, la semaine dernière il était parti deux jours pour une convention, la semaine prochaine ce serait trois jours à San Francisco. Sans jamais en parler, Aurore avait cette intuition solidement ancrée que Richard lui était fidèle, un bel homme pourtant, avec du pouvoir, un homme au sourire clair et à la gaîté permanente, un homme impossible à prendre en défaut.

Ce soir, elle eut envie de lui parler, de lui demander ce qu'il ferait à sa place, face à des commandes qui s'évaporent et à des retards de paiement qui s'accumulent, mais surtout ce qu'il ferait si son associé se mettait à ne plus lui parler... Seulement, si elle s'ouvrait sur ses doutes, elle les affolerait tous, toute sa petite famille, et du coup Richard n'aurait plus que cette image d'elle, celle d'une femme qui a des problèmes, d'une mère qui perd pied. Elle ne pouvait pas lui parler. Il était de ces hommes qui ont besoin d'être entourés de gens qui réussissent, et elle savait que si elle trahissait la moindre faiblesse, si elle se plantait, il ne la verrait sûrement plus de la même façon.

— Tu sais toi quelle est la différence entre un corbeau et une corneille ?

— Aurore tu vas recommencer avec tes...

— Tu le sais ou pas ?

À force il s'était comme enfermé dans le rôle. À force de jouer la carte du gars placide qui se contrôle, du type posé et fiable, il se sentait obligé de l'être. Mais c'est épuisant de passer pour un mec bien. Cet homme qu'il s'efforçait d'être il savait bien qu'il n'existait pas. Surtout pas en ce moment. Paris le perturbait. Depuis qu'il vivait ici, des coups d'épaule il n'arrêtait pas d'en donner, comme ça, mine de rien dans les couloirs. Ses journées à Paris le tendaient comme un ressort, au point que parfois en rentrant le soir il était tout près de péter un câble, de flanquer des coups pour de vrai. Ce boulot un peu limite, ce monde qu'il y avait partout et tout le temps, ces véhicules et ces piétons en tous sens, cette permanence de la friction, des tensions, tout ça le tendait comme un ressort. C'est pourquoi prendre l'air lui faisait du bien.

La vallée du Célé, il y retournait toutes les cinq semaines, il faisait les six cents kilomètres et y passait deux ou trois jours, jamais plus. S'il y allait c'était surtout pour voir sa mère. Lui au moins il s'en occupait de sa mère. Les autres n'avaient pas le temps, sa sœur et ses neveux, son beau-frère, apparemment ils n'avaient pas le temps, c'est vrai qu'ils travaillaient soixante-douze heures par semaine, étaient toujours sous la pression des banques, des cours du veau, de la météo, et de ces tas de paperasses en retard, d'année en année c'était de plus en plus difficile de tenir une ferme, plus personne n'avait le temps de s'occuper de la mère. D'autant qu'il y a encore deux ans, c'était elle qui leur préparait à manger, elle faisait tout à la maison. En revenant de dehors ils n'avaient plus qu'à mettre les pieds sous la table, les repas comme les lits étaient faits, mais maintenant qu'elle en était incapable, la mère, elle devenait une charge pour eux, une de plus, un poids mort. C'est pourquoi Ludo continuait d'aller là-bas le plus possible, pour ne pas perdre le contact, une famille c'est comme un jardin, si on n'y fout pas les pieds ça se met à pousser à tire-larigot, ça meurt d'abandon.

Quant à la façon dont ils faisaient tourner la ferme, il ne disait rien, il les laissait se coller des crédits pour un tracteur neuf et une étable aux normes, ce n'est pas ce qu'il aurait fait, mais eux assuraient qu'ils n'avaient pas le choix. Quand on est exploitant on exploite, on ne cultive plus. En les voyant procéder il y avait pas mal de choses qui le dérangeaient, seulement il s'obligeait à ne pas faire de remarques, aucun reproche à propos de cette ferme qui aurait dû être la sienne. Une famille, c'est une embarcation fragile, surtout dans une ferme paumée, à cinq kilomètres du premier village, une ferme isolée où les générations se côtoient, il faut bien qu'il y en ait un qui, mine de rien, tempère et répartisse les charges, qui garde un peu de recul, sans quoi chacun y va de son avis et on ne s'en sort plus. Malgré les six cents kilomètres, à Saint-Sauveur il ne dormait que deux nuits, jamais plus, histoire de ne pas peser, il prenait sur lui, jusque-là il y était arrivé. Maintenant, le soir il se couchait plus tard qu'eux. Une fois que tout le monde était au lit, il restait seul et il sortait fumer dans la cour, dehors c'était toujours la même partition, le chat-huant et les grillons, aujourd'hui il n'y avait pas de lune donc pas de décor, mais mentalement il le visualisait, sur vingt kilomètres à la ronde il connaissait tous les chemins, tous les recoins, une drôle de sensation tout de même, de maîtriser au millimètre près tout son environnement, alors qu'à Paris il distinguait à peine les appartements d'en face, celui de la belle énervée, la brune revêche qu'il voyait fumer le soir dans la cour, à marcher en cercle autour des arbres, un peu comme il le faisait là. À minuit passé, ils étaient tous couchés depuis long-temps. Du temps où il vivait là, il se couchait plus tôt, il ne traînait pas devant la télé ni quoi que ce soit d'autre, avant il se couchait avec une réelle impatience du lendemain, avec une réelle envie de repasser vite du côté du matin. Il ne faisait plus rien comme eux.

À chaque fois qu'il revenait, il sentait sa mère de plus en plus absente, de plus en plus enfermée dans son monde, éternellement assise dans le salon avec des attitudes de montre arrêtée. À chaque fois il l'emmenait faire un tour, il n'y avait qu'avec lui qu'elle acceptait encore de marcher dans la cour, et même au-delà. La mère, elle n'avait toujours pas vraiment compris que Ludovic n'était plus là, qu'il ne vivait plus à Saint-Sauveur. Quand elle le voyait réapparaître dans l'encadrement de la porte, elle levait la tête et le regardait comme s'il était juste parti depuis le matin, comme s'il travaillait toujours là. Elle lui demandait ce qu'il avait fait de sa matinée, alors qu'elle ne l'avait pas vu depuis des semaines.

Elle perdait la tête, c'est ce qu'on disait là-bas, qu'elle perdait la tête, son présent à elle était une journée sans contours où les pendules patinaient. Pourtant, il y avait bien une horloge en elle qui continuait de tourner, c'est celle qui régissait le rythme des saisons et des travaux. À croire que cette forme-là du temps était profondément ancrée en elle, une sorte d'instinct irréductible qui faisait qu'elle savait précisément quand il fallait semer, rentrer les bêtes, remettre du foin et se préparer à l'orage.

Quand il l'emmenait se promener, ils traversaient le pont, puis ils marchaient tous deux le long de la rivière, elle s'accrochait à son bras et il l'emmenait comme ça pendant plus d'une heure, pas vite mais assez loin, sur leurs terres. Le domaine de la ferme occupait tout le fond de la vallée, plus de quarante-cinq hectares, toute une bande de terre fertile et sinueuse qui épousait le cours du Célé. De part et d'autre, deux formations rocheuses élevaient le relief à plus de cent mètres de haut, deux contreforts qui encadraient la vallée étroite et dessinaient un vrai canyon. L'été, le versant ouest leur volait le soleil deux heures plus tôt que les autres. Le matin, par contre, comme la montagne à l'est était plus basse et plus large, le soleil montait pile dans l'axe, l'aube ici se levait aux mêmes heures qu'elle se levait ailleurs, mais le soir tombait plus tôt.

Le but, à chaque promenade, c'était de pousser jusqu'à l'ancienne carderie. La vieille bâtisse tenait toujours debout. Elle était immense, abandonnée depuis cinquante ans. À l'époque la mère l'avait rachetée uniquement pour les terres, et depuis cinquante ans on se disait qu'on ferait quelque chose de ces bâtiments, à un moment ils y avaient stocké du foin et du bois. Avec Mathilde, Ludovic s'était juré qu'un jour ils y ouvriraient un gîte, le tourisme vert c'est quelque chose qui marche par ici, un genre de gîte rural avec location de canoës pour aller sur la rivière. Ils étaient nombreux à vouloir s'y mettre dans la région, au tourisme vert, du coup ils étaient nombreux aussi à vouloir leur racheter l'ancienne carderie, seulement la mère ne voulait pas. Ludovic se disait toujours qu'il le réaliserait ce projet qu'ils avaient avec Mathilde, même si c'était mal parti et que ce serait un travail féroce, il y a comme ça des projets qu'on garde en soi et qui aident à vivre.

En retournant à la ferme après une vraie longue marche, il la soutenait carrément sa mère, il la portait presque, elle était comme une poupée démantibulée qui pèse de tout son poids. L'aisselle calée sur l'avant-bras de son fils elle s'agrippait, dans ses phrases muettes personne ne savait ce qu'elle se racontait. C'est peut-être pour ça qu'elle l'avait fait si solide son fils, pour s'y suspendre comme une marionnette.

En rentrant, toujours rivée au bras de son fils, Gisèle chaussait maladroitement ses chaussons. Ce matin, ils avaient marché plus d'une heure, fait tout le tour de la carderie, alors qu'en temps normal, avec sa fille ou son gendre, elle voulait à peine faire deux trois pas dans la cour. Depuis deux ans, elle passait ses journées dans son fauteuil à regarder par les fenêtres, elle fixait le dehors comme une télé allumée. C'est quelque chose, quand même, de passer comme ça des journées entières évaporées dans son silence. Parfois elle se mettait à parler, elle disait qu'une vache s'était sauvée, ou elle ressuscitait Dieu sait qui, le père Tauriac qui était le premier voisin à la ronde, à trois kilomètres malgré tout, ou le facteur à mobylette, celui qui avait toujours une cigarette au bec et qui ne venait plus depuis trente-cinq ans. L'après-midi en général ils lui allumaient la télé. Ils lui allumaient à partir du journal de treize heures, ça l'attirait le journal de treize heures, c'était un peu comme de partir en balade hors du canton, là où l'exotisme est fait des mêmes fleurs qu'ici, mais avec d'autres toitures, d'autres paysages. Seulement, à la fin du journal, toujours elle pivotait et son regard se reperdait du côté des vraies fenêtres. Faut dire que dans la grande pièce il y en avait six des fenêtres, de là on voyait tout le domaine de la ferme, sauf au sud parce qu'il y avait le mur de la cuisine et la cheminée, on voyait les champs cultivés à l'ouest, les cultures maraîchères à l'est, on voyait un peu du côté de la rivière aussi, et les roches hautes en levant la tête. Il n'y avait qu'au sud, donc, du côté de l'étable qu'on ne voyait pas, mais aux bruits on devinait tout. Des vaches ils n'en avaient plus qu'une quinzaine, le soir elles rentraient d'elles-mêmes, dociles, comme dressées, comme si Ludovic était toujours là et qu'elles lui obéissaient, alors que ça faisait deux ans qu'il avait quitté tout ça, deux ans qu'il avait laissé sa place avec l'amertume de ceux qui quittent leur pays. Sa mère, c'était rude de la voir se taire, mais quand elle se mettait à parler, c'était encore plus poignant.

— Heureusement que t'es là tu sais, parce que ta sœur et Gilles ils ont beau être courageux, sans toi, ils ne s'en sortiraient pas.

— Maman, mais qu'est-ce que tu racontes... Il y a papa, il les aide bien, non ?

— Heureusement que t'es là.

C'est là que Ludo bloquait chaque fois, ne sachant jamais s'il devait se montrer infantilisant, reprendre sa mère comme un môme qui ne comprend plus rien à rien, lui redire pour la centième fois qu'il ne vivait plus ici, que sa sœur et son beau-frère ne s'en sortaient pas si mal, lui redire aussi que le père malgré ses quatre-vingt-deux ans se levait avec le jour et s'occupait des veaux et des légumes, et maniait toujours le tracteur comme personne. En la voyant déraisonner il ne savait pas quelle attitude adopter, est-ce qu'il devait la peiner, lui dire qu'il repartait le lendemain, qu'il habitait à Paris, lui répéter que de toute façon ici il n'y avait plus de quoi les faire vivre tous, que plus le temps passait plus les revenus baissaient, il était fini le temps des fermes à l'ancienne où on faisait un peu de tout, mais comment lui faire entendre que ces schémas, qui marchaient depuis des millénaires, aujourd'hui ne marchaient plus ? Elle ne pourrait pas le comprendre.

Mais là où sa mère lui faisait le plus de mal, c'est quand elle lui demandait des nouvelles de Mathilde, et « Pourquoi on ne voit plus Mathilde ? », « Elle est fâchée Mathilde ? », elle qui depuis trois ans reposait au cimetière.

Coincée dans ce dîner interminable, Aurore ne s'en sortait pas, elle avait le sentiment d'être piégée au milieu de tous ces hommes qui parlent fort. Dès l'apéritif elle s'était dit qu'elle n'y arriverait pas. Elle loucha sur son téléphone, pas d'appel, pas de message, elle se sentait loin, très loin de chez elle, à trois heures de train, plus une heure de car, une heure d'autoroute à longer les complexes pétrochimiques de la vallée du Rhône, une heure à voir défiler des sites industriels aux panaches de fumées étranges, des usines pas si fantomatiques que cela puisqu'elles fumaient encore, mais dans un climat de fin d'époque. Ce soir plus que jamais elle se sentait paumée, larguée dans le froid pluvieux du plein centre-ville d'Annonay.

Son TGV était parti ce matin à sept heures de Paris gare de Lyon, elle s'était levée à cinq. C'est tout le problème de vouloir faire des modèles « couture » avec des nouvelles fibres, d'associer le raffinement des croquis stylés à des tissus techniques, il faut donner de sa personne et être vigilant. Pour garder un œil sur tout, elle tenait à faire fabriquer au plus près de Paris,

uniquement en France, sur cette règle elle ne transi-
gerait pas. Plus qu'une affaire de principe elle voulait
garder la main sur ses lignes de production, tout suivre
de A à Z, ne pas attendre trois semaines pour que les
marchandises arrivent par conteneurs depuis l'autre
bout du monde. Il y a surtout qu'humainement elle
ne concevait pas de confier ses modèles en production
à des gamines surexploitées qui travaillent soixante-dix
heures par semaine. Fabian aurait beau lui sortir tous
les chiffres possibles, elle ne lâcherait jamais sur son
intention de départ, fabriquer en France. Jusque-là il
l'avait toujours suivie, il était d'accord sur tout, mais
depuis six mois il tentait le double jeu avec un nouveau
partenaire, un distributeur qui avait un pied en Europe
et un autre en Asie, et qui l'avait convaincu qu'il était
vital de délocaliser. Si bien que maintenant Fabian la
laissait se débrouiller seule lors de ses déplacements,
attendant sans doute qu'elle se plante, qu'elle aille à
la faute. Comme là, ce soir, à ce dîner au milieu de
spécialistes des fibres high-tech, de commerciaux habitués à travailler à la tonne avec des équipementiers de
sport ou des fabricants de vêtements industriels, de
professionnels ayant une expertise unique dans la fabrication des toiles de parapentes et des combinaisons de
ski, des couvertures de survie, mais ne sachant pas tisser
de fins bustiers ou des gilets cache-cœur. Pourtant c'est
ce qu'elle voulait, innover toujours, innover par le
choix des matières inédites, oser de nouvelles fibres.
Eux de leur côté, ils y trouveraient leur compte, de
travailler sur des petits modèles, de confectionner des
pièces fines et élégantes à partir de leurs polyesters
ultramodernes, c'était un challenge et ça les changerait

de leurs grosses commandes mécaniques, de leurs productions par dizaines de milliers de pièces, d'une certaine façon ce serait une performance de réaliser des modèles précieux et délicats, d'ailleurs depuis ce midi ils l'écoutaient, ils la respectaient, elle sentait bien qu'ils étaient prêts à travailler avec elle. Pas une seconde elle n'avait douté de leur motivation, seulement plus la journée avançait, et plus elle avait l'impression que ce ne serait pas aussi simple, malgré leur bonne volonté pas mal de choses leur échappaient, déjà ils visualisaient mal les imprimés qu'elle avait en tête, les découpes, et puis il y avait surtout qu'ils étaient six hommes autour d'elle à cette table, seule leur comptable était une femme, mais bien plus rugueuse qu'eux encore, bien plus méfiante et plus hermétique. En subissant ce dîner qui n'en finissait pas, Aurore se disait qu'ils étaient bruyants, qu'ils parlaient fort, à la limite tout ça c'était dû à leur activité, ces gens-là fabriquaient des kilomètres de fibres certes infimes, mais sur des machines tellement monstrueuses et tonitruantes qu'eux-mêmes le devenaient un peu. Toute la journée elle n'avait vu que ça, des métiers à tisser qui pèsent des tonnes et font des bruits de marteau-pilon, c'était hallucinant de voir comment à partir d'un fil de quelques microns se mettait en œuvre, sur plus de quarante mille mètres carrés de hangars, une chaîne de production colossale et assourdissante, drainant des bobines de plus de deux mètres de hauteur depuis des autoclaves fumants, l'illustration parfaite du paradoxe qui était le leur, concilier le lourd et le léger, faire de l'hyperrésistant en tissant de l'infime. En tant que styliste c'est ce qui l'intéressait.

Alors, après toute une journée à avoir essayé de se faire entendre, ce soir elle devait encore lutter contre le bruit, à table trois conversations se mélangeaient, des rires explosaient, elle se répétait qu'elle n'y arriverait pas, plus que jamais elle ressentait l'incompréhension de tout styliste face à ses industriels, cette bonne volonté qu'il faut pour que les deux se rejoignent. Par moments ça l'épuisait de devoir tout rendre concret, c'est si facile à dessiner un modèle sur une feuille blanche, c'est si docile une robe tant que ce n'est qu'un croquis sur le papier, ce n'est qu'après que les ennuis commencent, surtout maintenant qu'elle devait tout affronter seule, choisir avec certitude, ne pas se tromper, négocier les devis avec chaque fournisseur, monter au front avec chaque client, ce serait comme ça jusqu'à ce qu'elle craque, qu'elle s'effondre ou qu'elle dise à Fabian, « OK, tu prends le relais, on fabrique en Bulgarie, en Chine, où tu veux mais je n'en peux plus... ». La rançon de son indépendance, c'était cette pression concrète qui pesait physiquement sur ses épaules, sa marque reposait essentiellement sur elle, et depuis six mois qu'elle endurait ça toute seule, la création, la fabrication, tous les problèmes, il y avait des soirs où elle n'en pouvait plus.

— Et pourquoi vous ne voudriez pas plutôt leur donner des idées, à eux ?

— Pardon ?

— Oui, vous fourmillez d'idées, madame Dessage, vous devriez leur en proposer.

— Je ne vous comprends pas, à qui ?

— Eh bien, aux fabricants de combinaisons de ski ! Ou à Airtex : une toile de parapente avec des motifs d'Aurore Dessage, ce serait une sacrée valeur ajoutée, si ça trouve ce serait encore plus léger !

Ça les fit rire. Tout l'après-midi elle leur avait parlé de petits tailleurs en sergé stretch, et eux ils la renvoyaient à leur cœur de cible, des clients qui leur passaient des commandes au kilomètre, l'essence de leur business. S'ils se sentaient si forts, c'est que la fibre technique portait à elle seule tout le secteur du textile en France et qu'elle triomphait à l'exportation, ce qui n'était plus le cas des usines classiques qui elles avaient toutes fermées.

Avant le dessert ils voulurent du fromage. Ils firent tourner le lourd plateau achalandé, elle avait l'impression que tout concourait à lui faire comprendre qu'elle n'avait rien à faire là, que tout l'accusait, qu'elle aurait plutôt dû être à la maison, déjà parce que ce soir Richard était à Londres, et aussi parce que Vâni aime de moins en moins rester à l'appartement au-delà de vingt heures, elle ne voulait plus passer la nuit seule avec les enfants, sous prétexte qu'elle avait peur dans ce vieil immeuble à moitié vide en plein Paris, elle tremblait dans ces vieilles pierres, à cause des cambrioleurs, des fantômes, c'était encore pire depuis qu'elle avait vu les corbeaux, elle disait que ce n'était pas bon de dormir près du nid des corbeaux, « Au Sri Lanka on ne les aime pas, les "corbeaux de jungle" avec leurs pattes longues comme le bec, on les considère comme une peste… ». Elle affolerait tout l'immeuble si on l'entendait, il n'y avait que Richard qui arrivait à rire des sornettes de la baby-sitter, il la relançait sur le sujet, sachant qu'à chaque fois elle en rajouterait, « C'est pourtant vrai qu'il apporte les maladies, vous verrez quand les petits auront la diarrhée... ».

Hier, entre les angoisses de la baby-sitter, son associé qui se défilait et Richard qui découchait, Aurore avait dû se montrer ferme pour ne pas annuler ce déplacement, pour trouver la force de légitimer son bon droit. Son travail n'était pas moins important que celui de Richard, d'une certaine façon elle était bien plus indispensable. Lui, il évoluait dans un grand groupe, le genre de structure où les pouvoirs sont dilués au milieu des collaborateurs, alors qu'elle, avec six personnes qui dépendaient très directement d'elle, tout reposait sur ses épaules. Chaque fois qu'elle visitait une usine elle était obligée de partir vingt-quatre heures, mais c'était primordial de visiter les fournisseurs, de voir les tissus sur place, de tout bien expliquer aux fabricants, pour être sûre de se faire comprendre.

Après le dessert il fallut encore prendre un café et des eaux-de-vie. Ils l'avaient mise en bout de table, à côté des ingénieurs et du directeur général, et même s'ils la traitaient comme un client important, ils savaient pertinemment qu'elle leur proposait de travailler sur des volumes infimes. Alors pour tirer les prix elle devait les convaincre, là maintenant, avec un alcool de poire à la main, elle tentait de les persuader que ce serait une fierté pour eux d'afficher des modèles « couture » dans leur catalogue, ça les rehausserait au rang de fournisseurs d'articles de prestige, dans l'affaire, eux aussi y trouveraient leur compte. Seulement ils étaient intraitables au niveau des coûts, même après deux heures à table ils restaient fermes, ils lui parlaient comme ils le faisaient à longueur d'année avec des clients passant des commandes au kilomètre, ses arguments ne portaient pas. Plus les pousse-cafés s'éternisaient et plus ils prenaient l'ascendant. Elle avait le sentiment que leurs rires la dominaient, c'était cette même sensation qui l'assaillait depuis deux mois, cette impression d'être surplombée, et ça l'affolait, même ce soir, au milieu de cette table, elle avait du mal à camoufler son malaise, on est si petit au regard d'une peur qui n'en finit pas de croître en nous. Parfois, pour peu de prendre du recul elle sentait bien que tout en elle était fragile, sa société, ses jumeaux, son couple, son couple avec ce mari qui voyageait de plus en plus, Richard qui se hissait toujours plus haut dans la hiérarchie au point de devenir inaccessible, et elle qui ramait pour faire tourner sa boîte, elle qui ramait pour sortir des salaires et se faire payer des clients, parce qu'elle rame pour remotiver un associé tout en redoutant qu'il lui prépare un sale coup, elle rame pour rassurer les autres tout en continuant de créer des modèles et de tirer sur les coûts, avoir une marque c'est une belle aventure, mais sans plus la moindre légèreté.

Elle sortit fumer une cigarette sur le perron, le regard perdu dans cette grande place plongée dans le noir. Le givre illuminait le sol. En dehors des rares voitures du restaurant le parking était totalement vide. Là, en plus d'attraper froid, lui vint l'intuition que quelque chose se déréglait dans sa vie, qu'elle passait d'une époque à l'autre, une mauvaise fortune qui prenait soudain les traits de ce décor sinistre. Oui, depuis la rentrée quelque chose s'inversait, comme s'il fallait payer pour ces années où tout s'était enchaîné idéalement. Elle repensa aux chats pendus aux mains de ce colosse, au sourire insupportable de cet homme, sûr de sa force, comme eux tous là, le souvenir de ce type se mélangea à ces visions d'usines qui lui avaient pilonné le moral toute la journée, comme si à l'avenir sa vie ne serait faite que de trajets désolants, d'humiliations, de parkings vides et de villes désertes, avec chaque fois des gens qui lui parlent de chiffres, de chômage, d'avenir angoissant...

— Madame Dessage, on y va... ?

Son hôtel était loin. Après qu'ils l'eurent déposée devant, dans ce centre-ville déprimant où les boutiques abandonnées étaient comme autant de dents creuses, elle fuma d'abord une cigarette, puis elle se dirigea vers la porte sans lumière, mais ne retrouva plus le code d'entrée. Et pas de gardien de nuit, personne qui répondait au téléphone. Elle dut demander aux soiffards qui traînaient dans un bistro fermé de lui trouver le numéro du patron de l'hôtel, ou de n'importe qui connaissant ce foutu code. Si bien que là, maintenant, en se posant enfin dans sa chambre, après la peur qu'elle avait eue à l'idée de passer la nuit dehors, elle eut tout d'un coup l'envie d'appeler quelqu'un, elle ne savait pas qui, une voix à l'autre bout du fil qui simplement lui réponde, une voix qui la rassure, une voix qui sache trouver les mots, même à minuit passé, une voix qui lui ferait ce don insensé de tout écouter, et qui à distance saurait l'apaiser, lui dire qu'elle allait bien dormir malgré ce lit froid. Elle songea à appeler Richard, mais ce soir il était à ce showcase qu'ils sponsorisaient, elle ne se sentait pas de débarquer dans sa sphère par un coup de fil, pour se plaindre, lui demander

de l'aide, depuis Londres qu'est-ce qu'il pourrait faire
pour elle ? Parfois, à des petits carrefours inattendus
de la vie, on découvre que depuis un bon bout de temps
déjà on avance sur un fil, depuis des années on est
parti sur sa lancée, sans l'assurance qu'il y ait vraiment
quelque chose de solide en dessous, ni quelqu'un, pas
uniquement du vide, et alors on réalise qu'on en fait
plus pour les autres qu'ils n'en font pour nous, que
ce sont eux qui attendent tout de nous, dans ce
domaine les enfants sont voraces, avides, toujours en
demande et sans la moindre reconnaissance, les enfants
après tout c'est normal de les porter, mais elle pensa
aussi à tous les autres, tous ceux face auxquels elle ne
devait jamais montrer ses failles, parce qu'ils s'y seraient
engouffrés, ils ne lui auraient pas fait de cadeaux.
Ils sont rares ceux qui donnent vraiment, ceux qui
écoutent vraiment.

Ce soir, Aurore était encore la dernière à partir du bureau. Avant d'y aller, elle voulut encore imprimer les devis de l'usine d'Annonay, seulement quand elle se rendit dans le local de la bureautique pour les récupérer, elle s'aperçut qu'aucune page n'était sortie de l'imprimante, les voyants clignotaient tous au rouge. En soulevant le capot elle vit une feuille coincée tout au fond, maculée d'encre. Elle tira dessus. Sur le fragment déchiré, une unique ligne était imprimée, en travers on lisait une portion de phrase : « suggère d'avancer dans la négociation confidentielle dans le cadre de la prepack cession afin que la période de DB ne dépasse pas deux mois et que les repreneurs se... »

Sous l'acronyme DB, Aurore pensa tout de suite à dépôt de bilan, de même qu'elle pensa tout de suite à Fabian. Mais de dépôt de bilan il n'en avait jamais été question, et de négociations avec des repreneurs encore moins. Elle était perplexe face à ce bout de papier, ne sachant pas bien si c'était effectivement Fabian qui l'avait tapé, peut-être même que ça n'avait rien à voir avec la société. Elle referma le capot, mais en attendant que l'imprimante se réinitialise dans des cliquetis étranges, elle chercha sur son smartphone la définition de « prepack cession », et là, dès la première occurrence, sans s'affoler elle redouta de comprendre.

Avec Fabian, voilà quinze jours qu'ils ne s'étaient pas dit un mot. La semaine dernière il n'était pas là, et celle d'avant ils se faisaient la gueule. Et maintenant, si ce bout de papier les concernait réellement, ce serait pire qu'une trahison. Le plus abject c'était ce « s » à repreneurs, cela signifierait qu'il s'était allié avec on ne sait qui pour monter une opération et que depuis des semaines, voire des mois, il tramait un deal dans son dos, elle ne voulait pas y croire. Comment s'y prendrait-il pour la doubler sans qu'elle s'en rende compte, et d'abord, est-ce que ça se pouvait vraiment de mystifier sa cogérante, elle n'en savait rien, dans le monde des affaires beaucoup de choses la dépassaient, depuis le début elle faisait confiance, ne lisait jamais complète-ment les contrats, et surtout ça n'avait jamais été son rôle.

Une fois dans le métro, elle retrouva la même sen-sation de perdition totale qui l'avait envahie dans sa chambre d'hôtel à Annonay, cette sensation de parfait abandon. Trois jours après, ce sentiment de rejet ne l'avait pas quittée. Une fois encore elle aurait aimé qu'on la rassure, appeler quelqu'un, qui que ce soit, mais elle ne voulait affoler personne. D'autant que c'est humiliant d'appeler au secours, et sous-entendre que sa propre boîte lui échappait, qu'elle n'en maîtrisait pas tout, ce serait presque déshonorant. Heureusement qu'il y avait tout ce monde autour d'elle, toutes ces présences. Vivre à Paris la rassurait, elle avait la certitude d'être au centre de tout, ici, l'assurance d'être en permanence entourée de vies autres, d'entendre parler toutes les langues, de voir des êtres venus du monde entier, des touristes mus par le seul désir de visiter la ville, à pied, à vélo, en autocar et même en rickshaw, elle se sentait vivante au milieu de ce brassage d'étrangers émerveillés, et de tous les autres qui avaient fait le choix de vivre ici, qui en avaient rêvé de ce Paris, qui s'y étaient accrochés comme à un espoir, ce Paris idéal créé par l'illusion d'une attraction universelle, et pour elle c'était vital de se sentir au centre de toutes ces énergies. En termes de mode, Paris est vraiment le centre du monde, c'est de là que tout part, malgré les crises et les peurs, Paris sera toujours l'emblème de la création, le berceau de la haute couture, elle se sentait portée par cette effervescence, à l'idée de savoir que les plus grands couturiers, joailliers et maroquiniers venaient ici pour présenter leurs nouvelles collections, que c'est à Paris qu'on voyait les défilés les plus prestigieux, les plus belles Fashion Weeks, cette vitalité la consolidait.

Pourtant ce soir c'était toujours la peur qui dominait, la peur de ne plus pouvoir créer ses collections, un jour, de ne plus faire de défilés, de vivre cette impossibilité comme un bannissement. Sa marque avait déjà connu des problèmes, mais cette fois ça venait de l'intérieur. Elle ressortit ce bout de papier de sa poche. Déposer le bilan elle ne l'envisageait pas, perdre cette marque qui porte son nom ce serait perdre son identité, elle ne s'imaginait pas dire à ses six employés qu'elle n'y arrivait pas, qu'ils n'y arrivaient plus, les planter tous après leur avoir mille fois demandé de travailler tard, dire les yeux dans les yeux à Aïcha, Laura, Saïd, Sandrine, Maeva et Ricardo, que cette fois on arrêtait tout, on en restait là, les lâcher tous, elle ne le pourrait pas...

Dans le métro bondé, elle se dit qu'elle devait absolument parler à Fabian, et qu'elle devait le faire maintenant. Elle laissa sonner, deux fois de suite, au troisième appel elle bascula directement sur sa messagerie. Laisser un message, ç'aurait été lui donner un coup d'avance, or elle voulait le surprendre, lui parler de but en blanc de ce bout de papier étrange, pour voir sa réaction. Ce qu'elle voyait, c'est que de toute évidence il n'y aurait plus jamais l'euphorie des débuts, les nuits blanches les veilles de défilés, des nuits entières à bosser, mais dans l'allégresse et la musique. Ce qui l'affolait, c'était de songer à l'énergie qu'elle aurait mise pour créer une marque qui porte son nom, aujourd'hui elle n'aurait plus la force de refaire tout le parcours, pour monter une boîte en France il fallait être soit fou, soit particulièrement bien entouré. Entourée elle l'était tant qu'elle était porteuse de promesses, mais elle l'avait constaté mille fois autour d'elle, si on se plante on ne se relève pas, à Paris l'échec est une peine à vie.

Ce n'est jamais facile de regarder les choses en face, pourtant ce qu'elle ne se cachait pas, c'est que d'ici à décembre la banque risquait de ne plus la suivre, il restait deux mois pour rattraper le retard et boucler l'exercice, sans quoi ils iraient au défaut de payement.

Un coup de frein projeta les passagers debout les uns contre les autres. Elle s'agrippa à la barre. La rame était bourrée de monde et avançait lentement, il devait y avoir une manif ou la visite d'un chef d'État, deux hommes parlaient d'une alerte au colis suspect sur la ligne 4, d'autres disaient que c'était sur la 2, ils disaient ça comme si ç'avait été un avatar, un simple inconvénient, une bombe. Le résultat c'est que tout le monde se reportait sur la ligne 1, tout le monde se poussait, se compactait, des corps la collaient sans qu'elle distingue leur visage, elle sentit qu'elle n'allait pas tarder à être en sueur. Par chance la ligne 1 est automatique, efficace, inhumaine mais efficace. Il n'y a pas de conducteur et donc, pas de temps mort, un arrêt, un bip, un départ, c'est d'une productivité radicale, pareille aux cycles millimétrés d'une unité de production, elle repensa à ces métiers à tisser géants dont elle ressentait encore le fracas, c'était comme si elle avait été dedans. À chaque arrêt, la station recyclait ses voyageurs, des flots de retardataires dégorgés par les couloirs, tous se mélangeaient, ça venait de partout, ça se bousculait et ça se comprimait, une foule pas heureuse, plus que jamais elle eut un sentiment de perdition. Elle avait le dos en sueur, les jambes qui flanchaient, ça la prit comme une fièvre, l'accès irrationnel de l'abandon. Richard avait bien lâché sa précédente femme pour s'installer avec elle, du jour au lendemain, depuis huit ans elle éprouvait la culpabilité de cette séparation, comme si elle était responsable du chagrin de l'autre, elle se dit qu'un jour Richard lui ferait la même chose, à moins que ce ne soit plus sournois, qu'il se détache millimètre par millimètre, en étant de moins en moins là, de plus en plus absorbé par sa carrière.

La rame arriva à Saint-Paul, et là elle se laissa porter par l'escalator, elle se laissa hisser comme au sortir de l'enfer, elle retourna vers l'air libre sans même monter une marche, sans plus d'énergie, le chemisier déboutonné, assaillie de pensées toxiques.

En rentrant elle fit le tour des fenêtres depuis la cour, très peu étaient allumées, certaines étouffaient une lumière derrière de lourds rideaux, seules les siennes scintillaient tout en haut, les six, sans stores ni voilages. Les corbeaux n'étaient pas là, alors elle goûta au silence en faisant quelques pas sur les pavés moussus, sans rien y voir elle se pencha vers ses jacinthes qu'elle avait plantées au printemps, ses hortensias vieux de trois ans, elle repéra tout ce que ce type avait saccagé. Elle se pencha vers les buissons, elle chercha ses pieds de basilic pour voir s'ils avaient tenu le coup, la sauge s'était redressée, le persil était massacré, et d'un coup ils jaillirent comme des assiettes au ball-trap, le premier fusa en hurlant à dix centimètres de son oreille, le second gicla en battant de ses grandes ailes et la heurta en s'éjectant du taillis, la sensation de ces ailes c'était répugnant, elle en bascula à la renverse, d'autant que ce soir elle les avait vraiment crus partis... Ou alors ils le faisaient exprès, ils se jouaient d'elle, cette fois elle était à terre, les fesses sur les pavés glacés de sa cour, tellement choquée qu'elle en tremblait.

— Alors ça va mieux… ?

Piquée d'avoir été surprise elle ne lui répondit pas, continuant de faire comme s'il n'était pas là.

Il y a surtout qu'elle ne supportait pas le ton que prenait cet homme, lui demandant de ses nouvelles comme s'ils se connaissaient. Ce matin tout la mettait en retard, tout l'irritait, rien que là, dans le local des boîtes aux lettres, elle avait voulu scotcher un mot pour qu'il soit vu de tous, mais l'adhésif n'adhérait pas sur le vieux plâtre, elle avait dû le coller sur le panneau au fond, au-dessus des poubelles, ce qui l'avait obligée à le réécrire sur un papier plus grand et à se contorsionner pour le fixer, ce qui avait ajouté à son retard. Dans son dos, l'homme lui parlait des chats, jurant qu'ils ne se sauveraient plus, sous-entendant probablement qu'il les avait mâtés, jouant les matamores. En se retournant elle le découvrit dans l'encadrement de la porte, il était en blazer, sans pour autant arriver à être élégant, il lui parlait avec le ton faussement jovial du voisin qui se veut courtois, elle se pencha vers sa boîte aux lettres, lui passa devant sans vraiment le regarder, mais ce blazer noir sur un tee-shirt blanc, avec ces baskets, ça faisait plouc.

— À propos, je voulais vous dire, je les ai repérés vos ennemis là-haut...

Là-dessus elle se redressa, lui jeta un regard sans rien lui dire mais avec une intensité qu'il ne put comprendre, une intensité où se mêlaient l'étonnement et la gratitude, en même temps qu'une irrépressible aversion pour ce blazer noir et ces baskets. Et pourtant elle avait la sensation inouïe d'avoir été entendue. Finalement elle ne savait pas quoi lui dire à ce type, mais c'est lui qui enchaîna, tout en fouillant comme elle dans sa boîte aux lettres.

— C'est des saloperies, ces bêtes-là, ça fait le vide, et le pire c'est qu'une fois installés on ne peut plus s'en défaire...

— Il paraît, oui.

Aurore sortit une masse de papiers, des publicités, des cartons de premiers secours.

— Surtout pour vous, c'est jamais bon de les avoir en face...

— Qu'est-ce que vous en savez...

— Vous n'habitez pas au troisième ?

— Non, qu'est-ce que vous en savez des corbeaux ?

— Mon père nous les faisait tirer. Ça bouffe tout ces bêtes-là, et si vous en tuez un, les autres viennent le bouffer, ils se bouffent entre eux, c'est des charognes...

Tout en lui parlant il modelait une boule avec les prospectus qu'il venait de retirer de la boîte, Aurore voyait ses grandes mains façonner cette balle, ces mêmes mains au bout desquelles les chats pendaient l'autre soir, s'y superposait une vision de corbeaux se fouillant les entrailles, décidément tout chez cet homme la mettait mal à l'aise, alors même qu'il lui faisait un grand sourire.

— C'est quoi, votre mot là-bas ?

— Mon beau-fils fête son anniversaire, ils seront nombreux, c'est uniquement pour ne pas avoir d'histoires avec les voisins.

Avec ce même sourire agaçant il lui répondit :

— Les voisins ? Ici il n'y a que des sourds et des appartements vides, ça ne risque pas de les gêner...

— Eh bien, disons que c'est pour vous prévenir, vous.

— Alors là, vous en faites pas pour moi... Rien me gêne !

Il catapulta sa boule de papiers compactés dans la poubelle entrouverte et partit en lui disant juste au revoir. Aurore patienta dans le local pour le laisser prendre de l'avance. Dans le métro elle entendait encore cette affirmation, « Rien me gêne », est-ce que ça se peut de dire cela, « Rien me gêne », d'autant qu'il l'avait proféré avec une assurance réelle, une sincérité qui amenait à croire qu'il n'était vraiment gêné par rien, importuné par personne, qu'il ne se plaignait pas, elle imaginait cela, tout en sachant que ça ne se pouvait pas, que tout homme souffre, tout homme cache ses peurs et ses faiblesses, c'est seulement que chez celui-là rien ne transparaissait, ou bien il était réellement solide, comme blindé. Elle revoyait son sourire, un sourire armé d'un brin de provocation, un sourire en plus de ce gabarit, cet homme prenait toute la place, elle le revoyait planté devant elle, dans l'encadrement de la porte, lui masquant la lumière.

« Rien me gêne. » Derrière ça, elle avait entendu, « Rien ne m'atteint, rien ne me touche, rien ne me fait peur ». Du coup elle se trouvait ridicule avec toutes ses frayeurs, celle d'être en retard déjà, d'affronter encore une fois l'experte-comptable qui pointerait les cellules rouges sur ses tableaux Excel, de plus en plus de cellules rouges, mais elle devrait surtout affronter Fabian en face, lui faire jurer qu'il n'avait rien à voir avec ce papier, ou alors faire comme si elle n'avait rien vu et espionner sa boîte mail, attendre de voir jusqu'où il serait capable de la trahir. À la pause elle devrait aussi les rassurer tous à l'atelier, parce qu'ils se rendaient bien compte que la prochaine collection fondait comme neige au soleil, qu'il n'y aurait pas de défilé au printemps prochain et que d'ici deux semaines ils n'auraient plus rien à faire… Ce matin elle allait au-devant de mille épreuves, sans parler des petites peurs de la vie courante, l'angoisse qu'elle avait par moments qu'il arrive quelque chose à ses enfants, le stress à cause de son beau-fils qui faisait une irruption chaotique dans l'adolescence et planquait du shit dans ses placards, et des crises d'asthme d'Iris depuis les vacances, toute frêle gamine de six ans dont la pâleur du visage d'ange évoquait moins la grâce que la fragilité, toutes ces peurs que la mère se devait de ne pas communiquer à la chef d'entreprise, et encore moins aux autres, elles étaient pourtant là ces peurs, tapies au fond d'elle-même, jour après jour elles l'accompagnaient…

« Rien me gêne », cette expression lui revenait en tête et ça l'énervait, d'autant que sur le chemin du métro tout la gênait, la pluie, ces piétons qui se gênaient eux-mêmes avec leurs parapluies, les flux de

voitures coagulées et les scooters qui déboulaient, et
ensuite, dans le métro, tout la gênait encore bien plus,
ces gens mouillés qui se serraient, ces corps frôlés de
trop près, l'humidité poisseuse d'une pâle humanité
répandant son odeur de chien mouillé, ce matin tout
était moche, tout était très loin de l'enchantement parisien, ce matin tout le monde empestait le linge mal
séché, elle avait la sensation très forte qu'ils étaient tous
sales, et tristes, de plus en plus abîmés par cette fin
d'octobre.

« Rien me gêne », c'était peut-être la marque d'une
indifférence souveraine, possible que cet homme soit
réellement impressionné par rien, parce qu'il se foutait
de tout, qu'il était d'un égoïsme total, seul au monde,
depuis qu'il habitait là on ne lui voyait pas de femme,
pas d'amis, est-ce qu'il vivait seul vraiment, elle n'en
savait rien, jusque-là elle n'y prêtait aucune attention
à ce type, il n'existait pas, elle se doutait qu'il devait
habiter en haut de l'immeuble en fond de cour, avec
toutes ces feuilles qu'il y avait entre eux, d'une certaine
façon elle en était protégée, ces arbres l'isolaient de la
façade d'en face.

Dans les jours qui suivirent, elle se surprit plusieurs
fois à essayer de regarder les fenêtres de l'autre côté de
la cour. À mesure que les feuilles tombaient on voyait
peu à peu au travers des branches, la nuit on distinguait
s'il y avait de la lumière ou pas. À une des fenêtres il
y avait une balconnière avec des géraniums, elle imaginait mal cet homme planter des géraniums blancs
dans une jardinière de vingt centimètres carrés. Un
soir, alors qu'ils lapaient leur tisane, elle demanda de

but en blanc à Richard s'il connaissait le gars qui habitait dans l'immeuble d'en face, le grand baraqué...

— Pourquoi tu me parles de ce type ?

— Comme ça, pour savoir, tu lui as déjà parlé ?

— Oui, bonjour-bonsoir. « That's a big guy », comme on dit. Mais il est bizarre.

— Bizarre, pourquoi ?

— Parce que tout est bizarre dans l'escalier C, si ça se trouve il squatte chez une petite vieille, ou alors il l'a tuée...

— Arrête, je te parle sérieusement...

— Mais moi aussi je suis sérieux, tu vois pas qu'avec leurs caves et leurs greniers pourris, c'est à cause d'eux qu'on se ramasse toutes les souris et les oiseaux du quartier, je suis sûr qu'il y a même des rats, le gars du syndic me l'a dit, si dans l'escalier C les gens ont des chats, c'est pas parce qu'ils aiment les animaux, c'est juste parce que les chats ça tue les souris... C'est l'ancien monde là-bas.

Là où ce ne fut plus pareil c'est quand elle se surprit à le guetter. Plusieurs jours de suite, en relevant le courrier dans le petit local, elle s'attarda quelques secondes, croyant entendre des pas dans l'escalier C, elle avait envie qu'il lui dise comment ils faisaient quand ils étaient mômes, pour les tuer ces corbeaux, puisqu'on pouvait les tuer, puisqu'il avait évoqué cette idée radicale, même si ça lui semblait inenvisageable et que d'avance cette conversation l'écœurait. Ce matin, en ouvrant sa boîte elle crut entendre des pas, alors elle temporisa en examinant son courrier sur place, d'autant qu'aujourd'hui il y avait deux ombres dans son planning, le rendez-vous à la banque, dans la matinée, au sujet des dettes sociales, et ensuite le déjeuner avec les employés, deux échéances dont elle savait d'avance qu'elle ne sortirait pas intacte. Elle aurait juste voulu revoir cet homme que rien ne gêne, ne serait-ce que pour se sentir armée pour la journée, pouvoir faire face lors de ses deux réunions avec la même assurance, le même détachement que cet homme que rien ne gêne. Elle aurait juste voulu revoir ce sourire exaspérant, rien que pour ressentir l'affirmation de cet être singulièrement posé, cet homme paratonnerre dont l'allure suggérait qu'il ne redoutait rien. Mais il n'apparaissait pas.

En sortant du local, elle ouvrit lentement son parapluie. L'automne n'en finissait pas de se durcir, elle lui faisait mal cette pluie qui enfermait les corps, interdisant toute aisance, cette pluie qui plonge Paris dans des bouchons insolubles et complique tout. Les pas dans l'escalier C se précisèrent, elle avança vers le milieu de la cour, ce n'était pas lui, mais un livreur de FedEx qui s'était trompé d'escalier et lui remit un pli, du coup ça la renvoya à sa journée, à ses dossiers, à ses réunions, elle cala son grand sac sur son épaule et traversa la cour, elle passa dans le hall sans refermer son parapluie, à cause du sol qui glissait elle n'avait pas d'appuis pour tirer la porte cochère si lourde, mais voilà que pour une fois elle s'ouvrit toute seule cette porte, et il surgit devant elle, au retour d'un footing. En la voyant il s'écarta pour lui laisser le passage, il lui offrit la rue sous les trombes d'eau, avec ce même sourire un peu violent, elle le regarda sans trahir la moindre surprise, simplement elle n'en revenait pas qu'il aille courir sous cette flotte, avec un short et un K-Way dont il n'avait même pas relevé la capuche, il avait le visage trempé mais ça ne le gênait pas, encore une fois ça ne le gênait pas.

Elle lui en voulait presque de ne pas souffrir de cette pluie, en un sens il ne pouvait pas du tout la comprendre, un homme qui se lance tête nue le matin sous une pluie diluvienne, c'était tout le contraire de ce qu'elle était, elle, avec son parapluie ouvert et ses chaussures qui dérapaient. Pourtant sur le moment, elle eut envie de le serrer fort, de prendre un peu de sa force, de le serrer, c'est tout. Pour ne rien en montrer elle lui concéda un merci le plus neutre possible, arbora un air glacial avant de lui passer devant. Et là il eut cette phrase, dans son dos, deux mots à la possible ironie, « Bon courage… ».

Elle se retourna pour voir s'il la regardait partir, il était déjà rentré, elle pensa à ces matchs que Richard et les enfants regardaient à la télé, des hommes qui se disputent une balle sous la pluie, des immatures massifs et jambes nues qui chahutent dans la boue. Et ce K-Way au motif arc-en-ciel, sans le détailler elle avait eu le temps d'apercevoir ça, un arc-en-ciel sur un K-Way noir, cet homme se trimbalait sous l'eau avec un arc-en-ciel sur le torse, jambes et tête nues. Elle se dit que ce type semblait s'affranchir de tout, de la pluie, du froid, de tout ce monde, un être libre peut-être, ou parfaitement égoïste. Autour d'elle, ils marchaient tous tête basse dans le froid humide, au fond de leurs vêtements cachés sous de grands parapluies, alors que lui il avait juste besoin d'un short et d'un K-Way. Au milieu de ce ballet de gens pressés qui se croisaient en tous sens, elle eut l'image de tout un tas de choses superflues qui plombaient sa vie, des mesquineries et des menaces qui l'entouraient, l'image de cet homme la fascinait, simplement en rayonnant d'une densité minérale, naturelle, brute.

À chaque fois il n'en revenait pas de cet air qu'elle prenait, de cette distance qu'elle gardait, il se disait qu'elle ne l'aimait pas, ou alors qu'il lui faisait peur, il savait que parfois il pouvait faire peur, en même temps ce n'était pas désagréable de jouer avec cette intimidation. Il s'était retenu de la regarder partir, il voyait bien qu'elle se méfiait de lui, qu'au moment où ils s'étaient croisés elle s'était tenue un peu en retrait. Sans être parano il se dit que cette femme était sur la défensive, tandis que lui, il n'attendait rien d'elle, n'en escomptait rien, s'il lui parlait c'était juste par provocation, pour la mettre mal à l'aise en la fixant dans les yeux, il n'avait pas oublié le soir où elle lui avait gueulé dessus, ce qu'il pensait avant tout c'est qu'elle manquait de confiance en elle, à moins qu'elle ne s'applique juste à bien lui faire sentir qu'elle habitait dans la partie chic de l'immeuble, qu'elle était de l'escalier A avec ses appartements à deux millions d'euros. Pas de l'escalier C.

S'il ne s'était pas retourné c'est aussi qu'il en avait marre de se faire piéger par ce réflexe citadin. Depuis qu'il vivait à Paris il se surprenait souvent à suivre les femmes des yeux, à contempler des jambes qui arpentaient les trottoirs, à fixer une passagère assise dans le bus, sans intention, mais le regard aimanté. Il en était écœuré de cette envie de regarder, fatigué de toutes ces présences, c'est pas naturel de vivre en permanence sous le regard des autres, dans la vallée il ne souffrait pas de ces curiosités, d'autant que ce n'était même pas de la curiosité, à Paris on ne regarde rien d'autre que ce que l'on convoite, le reste on ne le voit pas, on l'ignore, comme on feint de ne pas voir les musiciens qui jouent dans le métro, le bataillon de Tziganes qui braillent dans les couloirs de Concorde, qui hurlent plus fort que leurs instruments, tout le monde leur passe devant comme devant une affiche, et ces mutiques qui font la manche, qui mendient ne serait-ce qu'un regard, personne ne les voit non plus. Mais lui il regardait, il regardait même ceux qu'il ne fallait pas voir, les insistants, les déréglés, les allumés qui plantent leurs yeux dans vos yeux et vous fixent en attendant une réaction, ça le grisait ces provocations... Dans le métro on pourrait se battre pour un regard.

Une fois douché et habillé, c'était à son tour d'être un acteur du décor, il marcha vers la station Saint-Paul sous une pluie tenace. Derrière l'arrêt de bus, face à l'église, la jeune Roumaine était adossée à la vitre, assise sur son carton, pas franchement à l'abri, elle planquait son môme sous son imperméable, le tissu ramené comme une tente de fortune, Yanna ou Ileana, le jour où il lui avait demandé son prénom c'était l'été, il lui avait fait répéter plusieurs fois, elle dessinait des lettres dans sa paume avec son index, mais il ne comprenait pas, peut-être même qu'elle ne savait pas l'écrire son prénom. Au niveau de la conversation ils en étaient restés là, alors tous les matins il lui disait « Bonjour, Yanna », non pas parce qu'elle lui plaisait, encore moins par charité, mais parce qu'elle était là. Il ne lui donnait pas d'argent, une poignée de main seulement, et encore pas tous les jours, sans quoi ça aurait été sans fin. Elle était pourtant belle cette fille, ses yeux noirs éclataient dans l'ombre de ses pommettes, elle était belle avec son petit sourire trempé, mais personne ne la voyait, il les haïssait tous de faire semblant, ç'aurait été un chat ils se seraient baissés pour le caresser, l'appeler, mais cette fille jamais il n'avait vu quiconque lui parler, ni lui sourire, ni la regarder, comme cette voisine qui le toisait, cette bourgeoise qui se croyait des droits avec ses quinze malheureux mètres carrés de jardin, alors que lui il en avait des hectares de terre. Il se dit qu'un jour il lui flanquerait les jetons à cette crâneuse, lui faire peur un bon coup, rien que par jeu.

Avant de descendre dans le métro il alla boire un café et acheter un paquet de cigarettes comme chaque jour.

— Bonjour !

Ce matin encore pas de réponse. Il s'approcha du bar, mais au moment de commander un café serré, pour une fois c'est une autre phrase qu'il prononça, sans le faire exprès.

— Je t'ai dit bonjour alors tu me dis bonjour. OK ?

Le serveur interloqué se tourna vers les autres consommateurs comme s'il voulait les prendre à témoin. Le patron qui était au bout du bar, vers la caisse, se rapprocha d'eux.

— Vous voulez ?

— Quand je rentre je dis bonjour, alors on me dit bonjour !

— Bonjour. Et avec ça ?

— Un café serré.

Il sentit le malaise autour de lui, même dans la salle, un silence gêné où se détachait une chanson nerveuse de Coldplay. Il aurait aimé l'avaler d'un trait ce café mais il était bouillant, il se retrouva un peu con, il n'en revenait pas de s'être emporté, c'est cette bourgeoise qui l'avait énervé, sans s'en rendre compte. Il s'envoya le café d'un trait, et le verre d'eau aussitôt après pour soulager la brûlure, il claqua une pièce d'un euro sur le comptoir et tourna les talons.

Quand il poussa la porte le garçon lui dit au revoir, bien fort, sans doute pour se foutre de sa gueule, mais peut-être pas, il se retourna vers lui, il se dit qu'un jour il allait péter les plombs, un jour il en attraperait un au hasard, n'importe lequel, le premier venu, et celui-là prendrait pour les autres.

Quand il était à Saint-Sauveur, il allait toujours faire un tour du côté des vignes pour voir ce que devenait le domaine de Mathilde, il aurait été repris par un gars du Bordelais, qui cultivait ses vignes tout autrement et qui avait retapé tous les bâtiments à coups de pognon. C'est à ce genre de claque qu'il s'apercevait que le temps avait sacrément passé, à ces chapitres irrémédiablement fermés. L'autre claque qu'il se prenait, c'est quand il retrouvait sa mère, avant d'aller là-bas il se demandait chaque fois où elle en serait, est-ce qu'elle pourrait encore sortir, est-ce qu'ils feraient leur tour du côté de la rivière ? Au pire il se disait qu'il louerait un fauteuil, il y en avait dans la vitrine de la pharmacie en ville, jusque-là il ne les avait jamais remarqués. Sa mère, du temps où elle pétait le feu, ce n'était pourtant pas une sainte, et même s'il avait toujours été le chouchou, qu'aux yeux de sa mère c'était lui le plus grand, le plus fort, il n'avait pas oublié qu'elle pouvait être rude, parce qu'elle était dure comme femme, elle bossait seize heures par jour aussi bien dehors que dedans et ça la rendait dure, rugueuse comme une pierre de meule, fallait pas s'y frotter à la mère. Il n'avait pas oublié qu'elle n'avait jamais aimé Mathilde, parce que Mathilde venait des vignes, les propriétaires de terres à vigne c'étaient des gens à part, ils possédaient de grands domaines qu'ils arrosaient de produits, ils s'habillaient en cosmonautes pour les pulvériser, au printemps certains louaient même un avion pour les épandre, une heure de monomoteur pour arroser les plants de toutes leurs saloperies, d'ailleurs c'est bien de ça qu'elle serait morte, Mathilde, même s'il ne fallait pas le dire, pas plus dans les grands domaines que dans les fermes, au moins ils avaient ce tabou-là en commun, pourtant tout le monde le voyait bien que les phytosanitaires tuaient les abeilles, alors pourquoi pas des humains.

Si sa mère n'aimait pas Mathilde c'est aussi parce que Ludovic avait fait le choix de travailler sur son domaine, à croire que le vin ça l'excitait davantage que la polyculture à l'ancienne, mais pour satisfaire tout le monde il venait tous les jours à la ferme, pendant quatre ans il aura fait deux journées en une, fallait être fou pour faire ça, fallait être faible aussi, c'est pourquoi en son for intérieur il savait bien qu'il n'était pas si balèze que ça, la vérité c'est qu'il ne voulait fâcher personne. Entre la ferme et le domaine il n'y avait que huit kilomètres, malgré ça c'étaient deux mondes totalement différents, deux mondes voisins qui ne communiquaient pas. Sa chance c'était que les ouvriers le respectaient, la famille de Mathilde également, il leur en avait remontré plus d'une fois en taillant des heures d'affilée, en enchaînant les rangs sans même se poser une minute dans la camionnette, c'était dur pourtant, d'autant qu'être grand n'est pas un avantage pour travailler la vigne, l'hiver tout se passe à soixante centimètres du sol, il s'était flingué le dos en travaillant sous la pluie, dans le froid, et en passant des heures dans ces petits tracteurs de cinquante chevaux sans cabine, sans coupe-vent ni pare-brise. Il aurait pu se contenter de jouer les chefs d'équipe ou aller au chai, seulement il se serait senti minable à se comporter en pistonné. Vigneron c'est peut-être plus noble qu'agriculteur, mais il s'en foutait, c'est juste qu'il aimait Mathilde et que travailler avec elle lui permettait, avant tout, d'être avec elle.

En parcourant les vignes il repensa à ces tensions, à ces non-dits, il les aurait presque regrettés, ces conflits. Et même s'ils n'étaient pas mariés, Mathilde était sa femme. Il repensa à ces mois maudits, à ce long tunnel qu'est la maladie. Quand on perd cette bataille-là, ça veut bien dire qu'on n'est pas si fort que ça. Du cancer de sa femme il ne dirait jamais rien, et à qui en parler d'ailleurs ? Il gardait juste en tête ces petites marches qu'ils faisaient tous les deux dans les couloirs de l'hôpital, de la chambre jusqu'à la machine à café, à la fin elle avait du mal à se lever, ça lui sem-blait surhumain de se forcer à marcher sur deux cents mètres, mais elle le faisait, jusqu'au jour où il était allé seul lui chercher le gobelet de café tout chaud qu'elle aimait court et sucré, jusqu'au jour où elle n'a même plus parlé de boire de café, jusqu'au jour où elle n'avait même plus parlé. Plus jamais il ne se croirait fort, il ferait juste semblant, il laisserait parler les apparences, le mètre quatre-vingt-quinze et les cent deux kilos, ce corps dans lequel il se cache. Il savait aussi qu'il n'aimerait plus, qu'il n'en serait plus capable, que plus jamais il ne prendrait ce risque. Même si ce manque d'amour c'était comme un gouffre en lui, c'était comme un lac qui se serait vidé par le fond, et toute cette force vitale qu'on trouve à aimer, à désirer, à embrasser l'autre, à y penser, il savait bien que maintenant il faudrait faire sans, jusque-là il avait fait sans, et ce n'était pas à Paris qu'il rencontrerait quelqu'un.

Le soir, ses neveux rentrèrent de l'école, et ils dînèrent tous les sept ensemble, ce fut un moment heureux. Ils lui laissaient toujours la place en bout de table, d'ailleurs ils la lui laissaient tous les soirs, même quand il n'était pas là. Ses deux neveux étaient **fascinés parce** qu'il habitait à Paris, à huit et onze ans ils rêvaient d'aller le voir là-bas, d'y passer au moins un week-end, alors il leur disait qu'il n'avait qu'un lit, qu'ils devraient dormir par terre ou camper dans la cour, car c'était tout petit chez lui. Et eux ils croyaient qu'il plaisantait... Cet oncle pour eux c'était le plus fort, donc même à Paris ils comprenaient mal qu'il ne vive pas dans une maison immense. Leurs parents expédiaient toujours l'affaire en leur disant qu'ils avaient bien le temps d'y aller à Paris, qu'il y avait une grande Fnac à Limoges ou à Toulouse.

— Vous savez bien que chez votre oncle il n'y a pas de place, arrêtez de l'embêter avec ça...

— Dis oh, je vis pas non plus dans un placard, ils viennent bien quand ils veulent, on se tassera c'est tout.

Chaque fois qu'il restait deux jours à la ferme, il sentait bien qu'il les mettait tous mal à l'aise. Sa sœur était gênée de se préparer, mine de rien, à prendre la succession, de révéler ainsi au grand jour que son mari avait pris la place de son propre frère, l'héritier naturel. Quant au père, il avait surtout envie qu'il n'y ait pas d'histoires, même si Ludo lui manquait un peu, ne serait-ce que parce que Gilles ne chassait pas, que ce gendre ne voulait pas entendre parler de chasse, et que ses petits-fils, à vrai dire, ils s'en foutaient pas mal de la ferme, eux ils rêvaient de la grande ville, mais le père ne disait rien, il n'avait pas envie qu'il y ait d'histoires.

Ludovic non plus ne faisait aucune remarque, même s'il s'était bien aperçu que le toit du hangar fuyait, que la fosse était sale, que les ornières le long du chemin s'élargissaient, que les haies étaient trop hautes, des tas de petites négligences qu'il aurait déjà réparées depuis longtemps s'il avait toujours vécu là. À la fin du dîner, Ludovic sortit fumer dehors avec Gilles. Comme toujours ils allèrent vers le hangar, Ludovic jeta un regard en coin au matériel en faisant parler le beau-frère, il lui posa frontalement des questions dont il attendait des réponses franches, il cherchait à savoir si tout allait bien, s'ils se payaient un peu en fin de mois, il essaya de voir en quoi il pourrait aider, filer un conseil sans en avoir l'air. Ludovic, c'est sûr, personne ne le bousculait, déjà parce qu'il était costaud, et ensuite, parce que depuis la mort de sa femme on le ménageait comme un blessé. Le père les rejoignit pour leur dire qu'il allait se coucher, à vingt et une heures lui, tous les soirs, il allait se coucher. Ludovic lui donna des petits coups sur l'épaule, comme un boxeur chahute son challenger.

— Mais dis-moi, t'es encore solide, le vieux !

— Quatre-vingt-quatre... On verra quand t'en auras la moitié...

— Oh mais je les ai, papa, je les ai même dépassés...

Entre eux ça avait toujours été nerveux, surtout quand Ludovic travaillait ici et qu'il amenait des idées neuves, alors que le père continuait de faire à sa façon, plus d'une fois ils s'étaient engueulés, mais ça faisait partie de leur fonctionnement, la fluidité venait justement de ce qu'ils se disaient les choses, leurs deux franchises étaient directes, plus d'une fois ils s'étaient empoignés, mais par les mots seulement. Et là, même à leur âge, quand Ludovic parlait avec son père, ils avaient ce besoin de se provoquer, de se prendre, de se toucher, Ludovic mimait des coups de boxeur et son père fermait les épaules, se contractant pour parer. La distance avait mis un peu de gêne entre eux, le fait de ne pas se voir pendant des semaines ça distendait le lien, alors il fallait vite le combler, ce vide, restaurer de la complicité, entre eux ça passait par le corps, se taquiner, mettre un geste au bout des mots, et de l'humour en tout.

— Dis-moi le vieux, tu me prêtes la clé du placard ?

— Qu'est-ce que tu veux encore faire comme connerie ?

— Je t'emprunte un petit .22.

— Tu vas quand même pas faire un carton à cette heure ?

— Non, je te l'emprunte, c'est tout ! T'as toujours un silencieux ?

— Eh bé quoi encore... C'est pour un règlement de compte ?

— Tout juste.

— Dis, si c'est avec ton beau-frère que tu veux régler tes comptes, tu l'as là à moins de deux mètres, pas besoin de viser, je te le tiens si tu veux…

Pour prolonger la blague le père attrapa Gilles pour l'immobiliser.

Gilles se dégagea de l'étreinte serrée de son beau-père, cet humour ne lui plaisait pas, il leur dit qu'il allait se coucher et s'en retourna à la ferme, les plantant là tous les deux. Au moment de pousser la porte, il leur jeta un œil, ils s'amusaient comme deux mômes. Chaque fois qu'il voyait Ludovic aussi complice avec son père, il se sentait comme un fils usurpé, un beau-frère encombrant, il avait le sentiment de gêner, ou d'avoir pris une place. Pourtant Ludovic ne lui avait jamais fait de reproche. Ce Ludovic, c'était difficile de ne pas l'aimer, à cause de sa manière involontaire d'en imposer, et aussi de cette impression qu'il donnait d'être un gars fiable, mais en même temps on ne pouvait s'empêcher de s'en méfier, malgré lui il avait quelque chose d'inquiétant, comme cette lubie de foutre une carabine en pleine nuit dans son coffre, et de monter demain à Paris avec.

C'était rare qu'ils se retrouvent tous dans la grande salle mais cet après-midi il y avait urgence. Aïcha venait de recevoir un coup de fil de l'usine de Troyes lui annonçant qu'une série entière était défectueuse. En sortie de chaîne, les trois cents modèles n'étaient pas dans les cotes, trois cents robes tubulaires bizarrement distendues et lâches en bout de fabrication. Fabian ne se privait pas d'en rajouter, faisant tout pour culpabiliser Aurore devant les autres. Il avait beau jeu de jouer les Cassandre à présent, parce que ces jerseys dès le départ, il avait dit qu'il valait mieux les faire fabriquer dans l'usine du Piémont ou dans celle de Bulgarie, toutes deux équipées de machines Stoll dernier modèle avec modélisation informatique, alors qu'Aurore se démerde maintenant avec son usine française prétendument infaillible, « Ton usine de bigleux, je te l'avais bien dit que ce serait la cata, dans leur staff il n'y en a pas un de moins quarante ans ! ».

Pas le temps de s'arrêter sur ses états d'âme, Aurore devait agir vite. En même temps elle trouvait étrange que l'usine ait attendu lundi dix-sept heures pour les prévenir, pourquoi avoir laissé passer tout le week-end, ces robes ils ne les avaient tout de même pas toutes fabriquées aujourd'hui, quelque chose ne collait pas. Elle devait rebondir, trouver tout de suite une solution pour éviter que ces trois cents modèles ne restent en rade, les Galeries Lafayette les voulaient pour février mais Fabian avait réussi à négocier une livraison en novembre, histoire de gagner trois mois de paiement, cette commande c'est Fabian qui l'avait décrochée et depuis six mois il en était fier, alors là devant les couturières il avait beau jeu de culpabiliser Aurore, lui assénant qu'en plus de la styliste elle était avant tout la patronne, et pour une commande de cette importance elle aurait dû être à l'usine au moment de lancer la production, quitte à passer la journée là-bas pour tout bien vérifier. Il ne se privait pas d'en rajouter, il tenait là la preuve que l'obstination d'Aurore à ne pas délocaliser pour pouvoir suivre la production d'un bout à l'autre, ça n'évitait pas les plantages, n'est-ce pas... Du coup il plastronnait au milieu des employés déconfits, il jouait au dirigeant lucide, au gérant sensé, rejetant Aurore dans le rôle de la styliste dépassée. Plutôt que d'endurer ça, de les avoir tous sous le nez, Aurore sortit de la salle de réunion et alla s'enfermer dans son bureau pour rappeler l'usine.

Cette usine elle l'avait repérée il y a deux ans, jusque-là elle n'avait travaillé qu'une fois avec eux, pour des polos tout simples, mais elle était sûre de cette équipe, leurs donneurs d'ordre étaient prestigieux, leurs métiers à tricoter pilotés par informatique, et s'il est vrai que le personnel n'était pas très jeune, bizarrement ça la rassurait, elle trouvait ça réconfortant de voir ces tricoteuses penchées sur leurs machines, sans cesse à contrôler les aiguilles, ces femmes avec leur blouse, à l'ancienne. Seulement la réalité c'est qu'aujourd'hui ils avaient foiré ses trois cents pièces, autant dire toute la commande, un manque à gagner de quarante mille euros, tout ça à cause de quelques microns, ils n'avaient pas tissé avec le bon calibre, le fil était trop fin, si bien que les jerseys étaient lâches, elle les voyait là dans la petite vidéo en pièce jointe, tous les modèles avaient pris deux tailles et n'avaient plus aucune tenue. Ce genre d'accident ça n'arrive jamais normalement, d'autant qu'elle leur avait envoyé le prototype par DHL, ce prototype ils l'avaient eu sous les yeux quand ils avaient démarré la fabrication, avec les cotes et les références, il avait suffi d'une simple erreur humaine pour tout foutre en l'air, elle ne voulait pas y croire. Puis elle se dit que l'erreur venait peut-être d'elle, parce que les 4 % d'élasthanne, s'ils les avaient tissés dans des machines ultramodernes ou à jet d'air, les fils auraient peut-être moins souffert en tension, mais ça Sandrine ou Aïcha auraient pu l'anticiper, et même leur programmeur là-bas. Ou peut-être pas. Elle ne savait plus. Tout ce qu'il y a de sûr, c'est qu'elle aurait dû être sur place au moment de lancer la production, c'était la seule certitude à dégager de tout ça, si elle avait été là-bas, elle aurait tout de suite vu que quelque chose n'allait pas. Ou alors c'étaient eux tous, c'était le monde autour d'elle qui ne comprenait plus ce qu'elle voulait, oui c'était ça, elle ne se faisait plus comprendre de personne, visiblement personne n'avait compris que ces jerseys-là devaient être serrés, nerveux, tendus, elle ce qu'elle voulait c'étaient des robes

105

ardentes qui épousent le corps, qui soulignent les formes, qui enserrent fermement et qui tiennent les hanches et le buste, et surtout pas un tissu flottant et lâche. Oui c'était ça, elle ne se faisait plus comprendre, signe qu'elle n'était pas franchement une patronne, elle n'avait pas la méfiance obsessionnelle qu'il fallait. Mille fois déjà elle l'avait ressentie cette appréhension-là, de ne pas être à la hauteur, jusque-là elle l'avait toujours cachée, ça ne s'était jamais vu. Aujourd'hui c'était différent. Elle avait l'impression que tout le monde ne voyait que ça d'elle, et que la vérité c'est qu'elle n'assurait pas.

La seule façon de rattraper le coup c'était d'aller à l'usine. Elle regarda les horaires de train tout en biffant les trois rendez-vous qu'elle avait demain, dont le déjeuner avec la banque. Quand elle appela Volker à l'usine pour lui dire qu'elle serait là le lendemain, elle se força, elle savait qu'elle devait les culpabiliser eux, leur dire que dès les simulations ils auraient dû se rendre compte que ça ne ressemblait pas au prototype. Volker lui rétorqua froidement qu'elle aurait dû prendre un autre fil, ou être sur place, lui aussi campait dans son rôle en la culpabilisant, d'autant qu'il n'était absolument pas disposé à s'asseoir sur la facture.

— Madame Dessage, je vous avais dit de venir ou de nous envoyer quelqu'un...

— Mais, mais pourquoi ne m'avoir prévenue que maintenant, un lundi à dix-sept heures ?

— On a vous appelée vendredi, le contremaître a même appelé chez vous, c'est à vous de voir comment circule l'information dans votre équipe, c'est pas mes oignons.

Parfois il n'y a plus que soi pour se réconforter. Là dans son bureau, la tête entre les mains, elle s'efforçait de se convaincre qu'elle avait raison, se tenant à elle-même ces encouragements que plus personne ne lui donnait. Depuis toujours, son projet c'était de faire du haut de gamme, de travailler sur des faibles volumes et de tout faire fabriquer en France. Jamais ailleurs. Les seules concessions auxquelles elle avait jamais consenti, c'était de faire faire au Portugal et en Italie les imprimés et le cuir. Là-dessus elle était sûre d'avoir raison, elle savait anticiper le marché, il y a longtemps déjà elle avait senti que la tendance irait à la mode éthique, même si cela coûterait plus cher, fabriquer proprement et humainement, pour elle ça relevait du parti pris. Dans le cadre de ses premiers jobs elle était allée trois fois en Chine, et elle s'était juré de ne plus jamais revoir les faubourgs de Shenzhen ou de Canton, de ne pas ajouter d'ammoniaque dans les canaux de Shaoxing, pas plus qu'elle ne voulait exploiter des gamines du Bengladesh ou de Bulgarie, des ouvrières payées encore moins cher qu'en Chine et prêtes à travailler trois cents heures par mois, elle ne voulait pas dessiner une robe tout en sachant que des mômes de quinze ans risqueraient leur vie pour lui donner forme, moralement ce n'était pas concevable.

Elle n'arrivait plus à ressortir de son bureau, elle n'avait pas envie de recroiser Fabian. Elle l'entendait qui parlait dans les couloirs, pour une fois il était bien là, presque gai, comme si cette catastrophe l'amusait. Mais là où ça devint insupportable c'est quand elle l'entendit rire à l'étage du dessous, dans l'atelier, au beau milieu des autres il riait, à croire que depuis des mois il n'attendait que ça, qu'elle se plante, il riait parce qu'il venait de la coincer aux yeux de tous, sans s'en rendre compte elle était tombée dans son piège, voilà des mois qu'il espérait que ça se produise, la faute lourde, cette fois au moins il avait du concret, cette fois il avait les mains libres pour ficeler son coup, si ça se trouve, il était prêt à la virer en lui faisant le procès pour incompétence ou faute professionnelle, histoire de prendre le contrôle de la boîte et de la mener où il voulait... Elle n'en pouvait plus de ce rire, alors elle sortit de son bureau et descendit à l'étage du dessous.

— Dis-moi, lança-t-elle à Fabian, ça t'amuse que je me plante, hein, en plus tu le savais depuis vendredi, ils t'ont appelé, depuis vendredi tu le savais qu'il y avait une tuile, alors à quoi tu joues, hein, vas-y dis-le puisqu'on est tous là, c'est quoi le coup fourré que t'as en tête, de nous virer tous... ?

Fabian recula, choqué de la voir dans cet état-là, il se ressaisit, arbora un air dégagé et d'un geste ample il les prit tous à témoin.

— Comme vous le voyez, votre patronne est un modèle de sang-froid !

Il la manipulait. Cette fois elle en était sûre, il avait tout organisé pour que tout le monde soit là quand l'usine appellerait, elle allait même jusqu'à se demander s'il n'avait pas modifié les références pour que la catastrophe arrive, elle ne pouvait pas y croire, mais elle y pensa, depuis l'épisode des revolvers en Turquie plus rien ne l'étonnait, ce jour-là Fabian s'était senti tellement minable devant elle, tellement humilié, que peut-être qu'il ne pensait plus qu'à une chose, prendre sa revanche. Tout ça était insupportable. Elle remonta chercher ses affaires et quitta le bureau, direction chez elle, et comme un taxi passait, elle sauta dedans, elle mettrait trois fois plus de temps qu'en métro mais aujourd'hui elle avait besoin d'être assise, d'être guidée.

Elle se revit il y a deux ans avec Fabian, dans un taxi comme celui-là, roulant vers l'aéroport. C'est à cette époque qu'il s'était mis en tête de délocaliser pour limiter les coûts, à ce moment-là tout allait encore bien entre eux, ils restaient complices, amis, alors il l'avait convaincue de faire un essai, en bonneterie par exemple. Aurore avait joué le jeu, et c'est comme ça qu'en plein été ils étaient partis deux jours pour visiter une usine dans la banlieue d'Istanbul. Fabian avait tout programmé, à commencer par un rendez-vous avec la famille Dorümek, un grand fabricant, avec de magnifiques locaux remplis de machines neuves et d'ouvriers qualifiés, plus de mille employés. Dans l'équipe, trois des cadres ne parlaient pas trop mal français, ils étaient disponibles et souriants, et c'est vrai qu'en visitant les chaînes de production tout semblait idéal, ça avait l'air spacieux, propre, professionnel, et même si de toute évidence les cadences étaient soutenues, rien n'évoquait le mal-être ou la surexploitation. Pour achever de la convaincre, Fabian avait proposé de leur donner quelques pièces de la prochaine collection à fabriquer, juste pour voir. Aurore était prête à se montrer conciliante. Elle se disait que Fabian avait peut-être raison de penser au chiffre, d'être obnubilé par l'impératif d'avoir de fortes marges pour convaincre de nouveaux investisseurs. Va pour la Turquie, en un sens il avait gagné, parce qu'une fois la visite de l'usine terminée, elle était prête à signer pour les jerseys.

Ensuite, il avait naturellement été question de prendre un verre dans le grand bureau du patron, histoire d'évoquer l'avenir. La climatisation était poussée à fond dans cette immense pièce, si bien que toutes les fenêtres étaient fermées, et comme ils avaient tous envie de fumer une cigarette ou un cigare avec l'immanquable champagne, ils étaient sortis sur le gigantesque toit-terrasse qui dominait le Bosphore, il faisait très chaud sur cette terrasse, évidemment il n'y avait plus de climatisation, alors leurs hôtes avaient ôté leur veste l'un après l'autre, et là, une fois qu'ils furent tous en chemise, Aurore et Fabian avaient réalisé que tous ces chefs d'atelier, ces trois hommes charmants qui depuis le matin les guidaient et leur faisaient serrer la main de telle ou telle ouvrière, ces doux hôtes accueillants se baladaient tous avec un revolver à la ceinture, ici c'était l'usage, du moins c'est ce qu'ils avaient répondu quand Aurore leur avait posé la question, totalement choquée, « Pourquoi des revolvers ? ».

Ils ne comprenaient pas son effarement. Les armes, c'était histoire de dissuader toute intention de vol. Parfois, il y avait des problèmes, il arrivait que des employées chapardent des pièces par-ci par-là, « Mais plus maintenant... » avaient-ils dit en exhibant leur calibre.

Ça avait jeté un froid. En se consultant d'un regard, Aurore et Fabian s'étaient renvoyé la même stupéfaction, le même malaise, ça ne leur plaisait pas d'être entourés par tous ces hommes armés, et Fabian, qui avait tout fait pour organiser la visite, était lui-même glacé par la vision de ces calibres, d'autant que les autres cadres qui venaient de les rejoindre, avec qui ils avaient pris le petit déjeuner et le repas de midi, eux aussi étaient armés, sans s'en rendre compte depuis ce matin ils étaient entourés d'hommes armés, ils avaient ressenti ça comme une trahison.

Au retour Fabian s'était senti coupable, humilié, on l'avait pris pour un con. Aurore avait beau jeu de lui renvoyer, « Eh bien, c'est ça que tu veux qu'on devienne, les complices de ces salauds-là, parce qu'en Inde, en Chine, ce sera pire, faut que tu le saches, fabriquer à ces coûts-là c'est passer par des exploiteurs, tu le sais aussi bien que moi, quand on décide de fabriquer à moins 60 % c'est qu'on passe un pacte avec le diable, tu le sais, un pacte qui peut mener jusqu'à la mort, alors sans moi ! ».

Après l'épisode turc, Fabian la ramenait moins avec son obsession de fabriquer à l'étranger, mais souterrainement il ne lâchait pas l'affaire, en un sens depuis deux ans il façonnait sa revanche. Mais de là à planter une commande entière pour l'amener, elle, à la faute lourde, jamais elle n'aurait cru un jour devoir envisager ça. De retour d'Istanbul ils avaient de nouveau pris un taxi pour rentrer de l'aéroport, mais cette fois il pleuvait. Comme là, ce soir. Du fond de son sac elle ressortit ce bout de papier qu'elle ne réussissait toujours pas à jeter, *prepack cession*, c'était peut-être bien ça le piège qu'il lui tendait, et en même temps elle ne se voyait pas lui demander frontalement, « Dis-moi, Fabian, c'est bien une lame que t'es en train de me planter dans le dos, t'as bien en tête de livrer la boîte à des repreneurs, pas vrai... ? ». Elle préférait le laisser venir, attendre qu'il sorte du bois.

Le soir au dîner, pour une fois elle eut envie de se livrer, elle voulait qu'ils comprennent que pour elle ce n'était pas aussi facile qu'elle le laissait croire. Ses enfants étaient en âge d'entendre ce genre de choses maintenant, elle voulait qu'ils comprennent pourquoi certains soirs leur mère était à bout, pourquoi elle rentrait souvent épuisée. Les enfants n'osaient rien dire, même son beau-fils, et Richard pour toute réponse eut simplement ce geste, un geste pire qu'une phrase, un geste qui signifiait, « Te prends pas la tête avec ça », un geste d'une condescendance glaciale qui la blessa profondément, un geste qui sous-entendait que de toute façon sa situation à lui les mettait tous à l'abri, qu'en gros elle n'avait pas à se tracasser pour sa petite marque de vêtements et ses six employés.

Elle se reprocha tout de suite de s'être confiée. En même temps elle devait bien leur expliquer pourquoi il fallait qu'elle parte à Troyes, demain, qu'elle y reste sans doute pour dormir, elle avait aussi envie qu'on la plaigne un peu pour une fois, d'un autre côté elle savait que si elle avait été une bonne patronne elle y serait déjà à

Troyes, seulement elle n'avait pas voulu les planter, eux quatre autour de la table, partir sans les prévenir, auquel cas, en plus du reste, elle aurait été une mauvaise mère et une mauvaise épouse. Toujours est-il que demain soir ils devraient faire sans elle. Richard et les trois enfants la regardaient comme si elle se noyait dans un verre d'eau, ces quatre êtres-là, les plus proches qui soient, malgré tout l'amour qu'ils lui portaient, n'arrivaient pas une seconde à la comprendre, encore moins à se mettre à sa place, c'était dur de découvrir ça.

Avant de se coucher elle fit une bise à Richard, vautré de tout son long sur le canapé, en lui demandant de baisser le son du match de basket qu'il regardait, et sans chercher à entamer la conversation elle lui demanda juste s'il avait déjà entendu parler de prepack cession. Au milieu des hurlements du public et des cornes de supporteurs il lui répondit que oui, vaguement, c'était une nouvelle procédure, un genre de go-fast pour reprendre une boîte en virant le manager avec l'aval du tribunal de commerce, un truc de voyous, « De toute façon en France toutes vos lois sont bizarres... ».

L'évidence de sa réponse l'intrigua, elle voulut savoir si une petite entreprise comme la sienne pourrait être concernée par ce type de procédure, et qui pourrait l'engager ?

— Pour faire ça il faut être très malin, ou alors un bel enfoiré. Mais c'est encore mieux d'être les deux.

De toute la nuit elle ne ferma pas l'œil, mais au matin elle décida de ne pas paniquer, au contraire, au point d'ailleurs qu'elle prendrait le train de onze heures seulement, pas celui de huit. Richard accompagna les enfants à l'école, en un sens il fit sa B. A. Vâni n'arriverait qu'en début d'après-midi. C'était rare qu'Aurore soit toute seule chez elle le matin, elle redécouvrait cette liberté d'avoir deux heures pour elle, elle n'alla pas jusqu'à se recoucher, ou à se poser sur le grand canapé blanc, simplement elle prit son temps. Aujourd'hui elle faisait durer le plaisir, d'habitude tout s'enchaînait à la va-vite, mais là sa douche se transforma en bain, vingt bonnes minutes sans radio, sans bruit, sans personne qui frappe à la porte, le comble du luxe. Il y avait tellement de buée qu'en sortant de l'eau elle fut obligée d'entrouvrir la fenêtre pour résorber la brume qui envahissait la salle de bains, on n'y voyait plus rien dans ce brouillard, le miroir était perdu dans des vapeurs de hammam.

Une serviette enroulée autour de la taille, elle étira au maximum l'intime rituel, où prédominait l'application d'huile d'amande douce, elle vérifia ses ongles, se brossa posément les cheveux, un long brossage qu'elle vit comme un mirage d'enfance, pendant ce temps-là dans son dos la fenêtre était restée entrebâillée, la condensation s'était évanouie, l'air glacial avait refroidi la pièce. Son train était dans une heure. Elle appellerait un taxi. Elle n'était pas sûre d'avoir rassemblé tout le dossier, le bon de commande où figuraient les références, ça risquait d'être tendu là-bas, elle devrait se montrer ferme. Si elle se déplaçait, ce n'était pas pour entendre leurs explications mais pour rattraper le coup, ils se débrouilleraient comme ils voudraient, mais elle récupérerait ces robes, au pire ils les reprendraient une par une en faisant des retouches et des ourlets à la main, quitte à réquisitionner des couturières, mais elle se jura qu'elle ressusciterait ses robes.

Rattrapée par cette journée dans laquelle elle s'apprêtait à se lancer, elle en avait complètement oublié la fenêtre ouverte dans son dos, elle était en train de prendre froid. Elle la referma dans un réflexe urgent, mais se ravisa aussitôt. Saisie d'un doute elle la rouvrit, et là elle n'en revint pas de ce qu'elle entendit. Elle passa la tête au-dehors, un long silence, puis encore des roucoulements, c'était bien le *croucrou* docile et lent des tourterelles qu'elle entendait là. Et pas les corbeaux.

C'était incroyable, déjà parce qu'on était mi-novembre, mais surtout parce que depuis trois mois il avait disparu, ce chant familier. Et pourtant c'était bien le chant des tourterelles qui résonnait de nouveau dans la cour, ce bruit apaisant et tendre qu'elle avait perdu depuis des mois, c'était le signe qu'elles étaient revenues. Malgré le froid Aurore ouvrit en grand et se pencha pour jeter un coup d'œil dans les arbres, les hautes branches la dominaient, largement étendues au-dessus de l'espace clos. Dans cet enchevêtrement de branches et de rameaux plus ou moins dépouillés elle chercha les tourterelles, redoutant toujours de retomber sur les deux spectres noirs, mais non, c'étaient bien deux tourterelles qu'elle voyait là, posées sur une branche, côte à côte, à peine secouées de petits mouvements rapides de la tête, comme si elles se réappropriaient timidement le territoire.

Elle resta un moment à les observer, sa serviette humide enroulée autour du corps, elle grelottait mais elle était tellement soulagée qu'elles soient revenues, elle y vit comme un augure, un assentiment du destin qui l'aurait presque rendue gaie à l'amorce de cette journée compliquée.

Cette fois elle n'était plus en avance du tout. En descendant l'escalier elle inspecta scrupuleusement les arbres par la fenêtre de chaque palier pour voir si les corbeaux n'étaient pas planqués en dessous, à guetter. Dans la cour, elle fit le tour des buissons, elle regardait en l'air comme un môme qui cherche son cerf-volant, et elle aperçut les deux oiseaux couleur crème, elle en ressentit une réelle joie. Elle était à deux doigts d'oublier qu'elle avait un train à prendre.

Dans le local elle ouvrit sa boîte aux lettres à la va-vite, passa une main à l'aveugle dans le métal froid, mais elle la ressortit d'un coup comme si elle l'extirpait d'un nid de serpents, horrifiée par ce qu'elle venait de sentir du bout des doigts. Elle se baissa pour lancer un coup d'œil à l'intérieur, voir quelle était cette texture atroce, sa main tremblait encore de ce qu'elle avait senti, et là elle tomba sur un paquet de plumes noires, un bouquet compact de plumes épaisses et dures, nouées par un ruban rouge. Il n'y avait ni mot ni message, dans un mouvement d'effroi elle en déduisit que c'était ce type qui essayait de la provoquer, ou d'insinuer une menace.

Elle attrapa le plumeau du bout des doigts, c'étaient bien des plumes de corbeaux agencées en trophée et liées par un ruban, elle redouta d'y voir autre chose qu'une menace, il l'aurait fait pour s'excuser, ou pire lui déclarer sa flamme, ce qui serait terriblement gênant, surtout de la part de quelqu'un habitant juste là dans l'immeuble d'en face.

Dans le train, comme elle n'avait pas acheté de journal et que son téléphone ne captait pas, elle sortit ce curieux plumeau de son sac. Finalement elle l'avait pris avec elle, elle l'examina, dubitative. Elle aurait plutôt dû être requise par le rendez-vous crucial qui l'attendait, rassembler ce qu'il fallait de colère pour affronter ce fabricant qui la plongeait en pleine galère, faire un effort pour se dire qu'elle était dans son bon droit. Parfois, on en vient facilement à douter de soi, surtout quand il s'agit de s'imposer, de s'imposer fermement. Elle regarda le paysage, se demandant où elle trouverait la force de se montrer dure, de les contraindre à tout reprendre illico, est-ce qu'elle réussirait à leur dire avec ce qu'il fallait de persuasion qu'ils auraient dû la rappeler plus tôt, et à leur demander avec fermeté pourquoi ils n'avaient pas eu le moindre doute sur le calibre du fil ? Depuis hier elle tentait d'imaginer quel stratagème ils avaient en tête pour lui faire porter le chapeau. Pour se défausser il leur suffirait de dire qu'elle n'avait qu'à être là, le jour de la mise en production, c'est ce qu'ils diraient. Paumée dans ce vieil Intercités désert, elle se sentait plus seule que jamais, machinalement elle promenait les plumes le long de son visage, elle jouait distraitement avec ce plumeau fait du trophée de ses ennemis, des ennemis déloyaux là aussi, mais vaincus ceux-là, liquidés, au moins elle était sûre d'une chose, ce type les avait tués, ce qui lui semblait à la fois atroce et doux. C'était irrationnel, elle ne connaissait pas cet homme, mais il persistait en elle à l'état de présence, au moins autant que les corbeaux. Elle refusait de penser à lui, lui défendant le droit d'exister en elle, et pourtant il l'intriguait. Il y a des êtres comme ça, qu'on ressent fortement, et même si on ne les connaît pas, même si ça se passe mal, d'instinct on se sent liés à eux. Peut-être que ça existait ça, un homme qui donne du courage, un inconnu qui vous soutient quand les

vôtres ne pensent même plus à le faire et que soi-même
on ne veut pas leur demander. Ce serait inimaginable
d'en faire un allié, encore moins un ami, ni quoi que
ce soit d'autre, et pourtant cet être la rassurait, là sur
le moment, sa présence l'accompagnait. Elle le revit
l'autre matin poussant la porte, apparaissant en face
d'elle, il existait totalement, il occupait tout l'espace.
Il procurait cette sensation inexplicable qu'avec lui rien
ne pouvait être grave, que tout s'arrangerait. Elle regardait défiler le décor rythmé par les poteaux des caté-
naires, convaincue qu'elle se sentirait plus forte s'il était
près d'elle, les corbeaux eux-mêmes avaient l'air de le
craindre, l'autre soir ils étaient totalement affolés quand
il fouillait sous les arbres. C'était peut-être le genre de
type toujours prêt à rendre service, sur cette base-là
elle pourrait le connaître, l'approcher. Seulement se lier
de près ou de loin avec un homme qui habitait dans
son immeuble, qui vivait là juste de l'autre côté de la
cour, ça ne se pouvait pas, pour des tas de raisons ça
ne pouvait pas.

En roulant le scalp entre ses doigts elle voulut y
voir un signe. Depuis des mois ces êtres de malheur, ces
odieux corbeaux qui avaient fini par l'obséder, voilà
qu'elle les tenait dans ses mains, maintenant elle faisait
ce qu'elle voulait de l'objet de son effroi, ils ne lui feraient
plus jamais peur ces oiseaux funestes, au contraire, elle
en jouait de cette peur à présent, comme elle aurait dû
arriver à le faire de tout un tas de choses dans sa vie.

L'ambiance était tendue. Ils s'étonnaient de ce plumeau noir qu'elle manipulait comme on le ferait d'un éventail ou d'un stylo, mais personne n'osa rien lui dire.

Pour aller voir les stocks, Volker la fit passer par l'usine. Ils n'étaient plus que tous les deux, le contremaître ne voulait pas interférer. Aurore savait que Volker faisait exprès de passer par ces ateliers immenses, comme si tous ces métiers en marche, ces équipements qui tournaient à plein régime devaient l'impressionner en quoi que ce soit. De sa part c'était une démonstration de force, il lui mettait sous le nez toutes les machines tonitruantes pour bien lui faire sentir que c'étaient eux les plus forts, qu'elle ne soutenait pas la comparaison, elle avec ses récriminations de petite cliente.

Ils poussèrent une double porte en fer, elle le suivit dans un dédale de couloirs et d'escaliers où il faisait froid, il marchait devant elle sans un mot, et là dans ce long couloir elle essayait de rassembler tous ses rôles, à partir de maintenant elle devait être la patronne coriace, en même temps que la styliste déboussolée, mais aussi la mère qui s'inquiétait de savoir si elle rentrerait ce soir ou demain, tout autant que la femme qui ne savait plus si Richard dormait à Paris ou pas cette nuit, et la cliente lésée, et la fabricante inquiète, elle était toutes ces femmes à la fois, seulement quand elle eut face à elle les trois cents robes emballées, les trois cents pièces déjà conditionnées sous film, vitrifiées dans ce packaging qu'elle avait elle-même conçu avec son nom en lettrines nacrées, elle redevint Aurore Dessage, elle redevint une marque, une marque au bord de l'asphyxie.

Face à l'ampleur du désastre elle réprima un mouvement de panique. Elle attrapa un paquet au hasard, en sortit une robe qu'elle libéra de son emballage, elle la laissa pendre au bout de ses doigts, c'était désespérant, la matière était lâche, sans tenue, devant cette robe qu'elle avait rêvée sur le papier, elle crut se reconnaître, ça faisait un mal fou de se dire que les trois cents étaient dans cet état, ça la blessait au plus intime. Alors sans forcer sa colère, elle laissa monter ce qu'il faut d'exaspération pour se donner une allure martiale, et les yeux dans les yeux elle lança froidement à Volker que c'était à lui de récupérer le coup, que dès maintenant il devait stopper net ses autres productions et mobiliser ses équipes, et même payer des bataillons d'heures supplémentaires s'il le fallait mais elle ne partirait pas d'ici tant qu'ils n'auraient pas commencé à reprendre ces robes une par une, oui toutes, rabattre les mailles ou refaire des bords-côtes, techniquement on pouvait tout récupérer. Là face à face elle trouva la ressource de lui balancer que c'était à lui de tout prendre en charge, qu'il se débrouille, qu'il demande à ses ouvrières ou à n'importe quel atelier de réinsertion de se mettre au boulot afin de tout déballer, de tout déplier, de tout découdre et de rattraper une par une à la main toutes les robes, voilà ce qu'elle exigeait de lui, rappelant qu'elle lui avait envoyé des mails d'explication, des croquis et un prototype par DHL pour qu'ils l'aient sous les yeux, c'était à eux de s'assurer que tout coïncide, s'ils avaient fait leur boulot correctement avec le programmeur, ils auraient tout de suite vu que quelque chose n'allait pas, et plutôt que de lancer la fabrication de toutes les pièces ils auraient arrêté la production et cherché d'où venait le souci et surtout se seraient demandé s'il ne fallait pas changer de fil, ou l'appeler, l'appeler avant de tout enclencher.

Volker accusait le coup. Il ne s'attendait pas à ça, qu'elle lui sorte cette idée de reprendre les pièces une par une. Le sentant déstabilisé, Aurore enfonça le clou, la main crispée sur ce trophée de corbeaux vaincus elle lui cracha toute cette colère qui montait en elle depuis trois mois, cette douleur de voir trop de gens qui ne la respectaient plus, qui s'éloignaient, sa vie était à l'unisson de ses enfants qui grandissaient, qui commençaient à vouloir aller seuls à l'école, et de Richard qui évoquait de plus en plus sérieusement la possibilité de se partager entre Paris et les États-Unis, de se louer un appartement là-bas, quinze jours par mois, comme si Paris était trop petit pour son destin grandiose, et puis il en avait marre du système social français, même si le jour où il avait été hélitreuillé jusqu'aux urgences après une chute de varappe, sans carte bleue ni rien, il avait été très surpris qu'on le prenne en charge et qu'on le répare, qu'on lui plâtre la jambe, ce jour-là il trouvait ça génial la France, seulement il ne cessait de changer d'avis, grisé par cette latitude totale de ceux pour qui tout est possible, d'investir des dizaines de milliers d'euros sur un inconnu comme de déménager en vingt-quatre heures, mine de rien il ne l'aidait pas trop ce mari, il n'était pas trop équilibrant cet homme qui n'en finirait jamais de grandir, sans parler de Fabian qui la trahissait, et d'Aïcha, une des couturières, et de tous les autres qui ne s'excusaient même plus le matin quand ils arrivaient en retard, et de Gaëlle l'attachée de presse qui disait qu'elle bosserait mieux de chez elle, elle voyait bien qu'autour d'elle tous se détachaient ou prenaient du champ, elle se dit que ça devait être comme ça que le monde se met petit à petit à vous échapper, un par un les autres se détachent, ils vous quittent, et un beau jour on se retrouve seule, sans plus le moindre pouvoir sur rien, sans plus aucune autorité sur le cours des choses.

Au fond du hangar, Volker passait des coups de fil, il avait compris qu'elle ne partirait pas avant d'avoir trouvé une solution, elle devrait sans doute rester ici cette nuit, se taper des heures de boulot avec eux, affronter le P.-D.G. pour le dîner, puisque soudainement il était dans les parages, alors que tout à l'heure il était soi-disant à l'étranger, qu'importe, elle avait pris ses affaires pour dormir, elle ne partirait de Troyes que demain, elle ferait tout pour leur coller la pression, avec un peu de chance dès cet après-midi ils commenceraient à déballer les robes, et à leur redonner forme, à ressusciter une à une ces palettes de robes désespérées.

II

C'était la première fois qu'elle mettait les pieds dans cet escalier. Elle était surprise de le découvrir aussi étroit et sombre, si différent du sien. Les marches étaient si resserrées qu'on y calait difficilement le pied. Le jour commençait de tomber mais elle n'alluma pas. Au premier étage elle jeta un œil par la fenêtre. La cour vue sous cet angle était tout autre, bien différente de celle qu'on voyait depuis chez elle, un simple changement de perspective et tout s'en trouve métamorphosé. En face, elle aperçut cette partie de l'immeuble où elle habitait, une façade blanche et ample, une construction de pierres de taille rénovées, en parfait état, alors que de ce côté-ci les fenêtres étaient petites, les marches sans âge, le parquet craquait. Ce qui l'étonnait le plus c'était de découvrir un environnement radicalement différent à quelques mètres de chez elle, à Paris on visite plus facilement l'autre bout du monde que l'escalier d'en face. De là elle voyait ses fenêtres, tout était éteint.

Son train était arrivé gare de l'Est à dix-sept heures. Après vingt-quatre heures passées à Troyes, vingt-quatre heures d'intense activité et de stress, elle se sentait légère, épuisée mais légère. En poussant la porte cochère elle avait retrouvé les tourterelles, les deux oiseaux beige rosé étaient posés sur une branche, près du tronc. Pendant le trajet du retour, elle se demandait si elles seraient toujours là, si elle n'avait pas rêvé, si cet homme avait réellement tué les corbeaux, et pourquoi il l'avait fait. Elle s'était promis de passer le voir en rentrant, en même temps ça lui faisait un peu peur, pour commettre un acte aussi radical que de tuer des oiseaux en plein Paris, il faut être fou. Pourtant elle ne pouvait pas s'empêcher d'admirer ce crime.

Au milieu de l'escalier, elle se pencha pour regarder l'intérieur de l'arbre, elle eut un vertige, elle n'avait quasiment pas dormi de la nuit mais elle avait eu gain de cause, dès cinq heures ce matin des ouvrières avaient rembauché pour reprendre les robes une à une et les retailler, une à une elles seraient reprises à la machine, il y en aurait pour trois jours mais ces robes revivraient.

Les carreaux au troisième étage étaient sales, elle eut de la difficulté à ouvrir la fenêtre à cause de l'humidité, elle tira un grand coup et les battants se libérèrent dans un grincement affolant. Elle se pencha au-dehors. Le dernier étage ici était un peu moins haut qu'en face, à travers les branches elle distingua les pans de son appartement, elle devina le salon, la cuisine, les arbres faisaient écran devant la salle de bains, c'était la première fois qu'elle voyait son chez-elle depuis l'extérieur, la première fois qu'elle se retrouvait spectatrice de son petit monde, visiblement Vâni n'avait pas encore ramené les enfants de l'école, Victor n'était pas rentré, il n'y avait personne, elle ressentit l'envie d'y être, de profiter de cette paix pour se poser seule sur le canapé, ou prendre un bain, elle reviendrait remercier ce type une autre fois, elle attendrait de le recroiser, ce n'était pas urgent, surtout qu'elle n'était pas très à l'aise, là, maintenant qu'elle était à quelques mètres de chez lui elle ne se sentait plus d'y aller, elle avait peur. Les deux tourterelles étaient juste là, elle nota qu'ici aussi les branches venaient près de l'immeuble, certaines le touchaient. Quand elle voulut refermer cette fenêtre le vieux bois émit des gémissements de bête blessée, même en la claquant un bon coup elle ne fermait plus, les deux battants ne rentraient plus dans le châssis, alors elle claqua plus fort, rien à faire, elle se sentit prise au piège de cette foutue cage d'escalier...

— Qu'est-ce que vous faites ?

À sa droite, au milieu du couloir, une vieille femme la regardait par sa porte entrebâillée.

— Pardon, j'habite en face, de l'autre côté de la cour, je suis Mme Dessage, vous me reconnaissez, on se croise parfois.

— Peut-être, j'ai entendu des bruits alors... Vous cherchez quelqu'un ?

Aurore s'approcha de la petite dame, qui n'avait toujours pas retiré la chaîne de sécurité, elle la pria de l'excuser, lui répéta qu'elle habitait en face et qu'elle était juste montée pour voir les tourterelles de plus près... Là-dessus la dame ouvrit sa porte, gagnée par une soudaine gaîté.

— Oui, vous avez vu... Il les a fait partir !

— Qui ça ?

— Les corbeaux, ma foi ! Quelle horreur, mes chats devenaient fous à cause d'eux.

Aurore était soulagée d'avoir trouvé le parfait prétexte pour justifier sa présence ici, et d'apprendre que quelqu'un d'autre qu'elle souffrait de ces oiseaux maléfiques, mais à son soulagement se mêla un soupçon de déception, elle se dit que si ce type avait tué les corbeaux, en fait c'était pour la vieille dame et ses chats.

— C'est bien le grand monsieur qui les a... ?

— Oui, Ludovic, moi je l'appelle Ludo, heureusement qu'on l'a.

Aurore repensa à ce scalp de plumes là dans son sac, à ce signe qu'il lui avait adressé, ou alors il voulait juste frimer, se vanter de les avoir tués.

— Écoutez, quand vous le verrez vous pourrez lui dire merci de ma part, le remercier...

— Très bien, mais le remercier de quoi donc ?

— Il comprendra.

— Bon, de toute façon il me rapporte le pain tous les soirs, alors c'est sûr que je le verrai, mais dites, vous êtes bien la jeune femme qui habite en face avec les enfants, faut que je vous dise, parfois ils se penchent par votre Velux là-haut, dans le toit, un soir ils essayaient même de grimper sur l'arbre...

Aurore réagit en mère, une mère qui s'affole en visualisant la scène, Iris et Noé qui en douce montent sur le toit, suivant leur demi-frère...

— Vous êtes sûre ? Depuis quelle fenêtre vous les voyez... ?

— Entrez, je vais vous montrer.

Cette vieille dame avait plein de choses à dire, Aurore avait noté son nom au-dessus de la sonnette, Mlle Mercier, un nom qu'elle voyait depuis toujours sur une des boîtes aux lettres, sans savoir que c'était elle. Tout en l'écoutant, elle songeait que ces derniers temps elle la croisait de moins en moins cette petite dame pas bien rapide, pas plus dans la rue que dans la cour, à cause de l'hiver sans doute, ou de cet escalier trop raide, pour elle ce devait être un vrai calvaire de monter ces trois étages de marches abruptes. Les deux chats de l'autre soir étaient couchés l'un contre l'autre dans une sorte de panier coussin, ils n'en bougeaient pas, ils levaient parfois la tête et regardaient Aurore d'un mouvement fainéant, puis se rendormaient. Elle se demandait si cette femme avait des enfants, des amis, mais elle comprit vite qu'elle était seule au monde, seule avec cette télé calée sur une chaîne info, sans le son, ses seules visites c'étaient les aides à domicile deux fois par jour, et Ludovic justement. Aurore se sentit coupable, coupable de ne jamais lui avoir parlé à cette femme, au-delà d'un bonjour-bonsoir, de ne s'être

131

jamais posé la question de savoir à quel étage elle vivait, qui elle était. En même temps elle était bavarde, elle avait trop de choses à lui dire, elle se plaignait de tous ces appartements vides ou loués à des touristes, elle se plaignait de ces propriétaires qui n'étaient jamais là, cet immeuble était devenu triste, « Avant c'était vivant ici, des enfants jouaient dans la cour, il y avait du monde mais maintenant c'est triste ». Mais pour elle le pire c'étaient ces locations à la journée, parce que « Ces appartements, soit ils sont occupés et il y a du bruit, soit ils sont vides pendant des semaines et là c'est d'un silence... ».

— Ça devrait être interdit de louer comme à l'hôtel, vous vous rendez compte, c'est pas des vrais voisins, c'est pas des vrais gens, et en plus, en ce moment, y en a même pas !

— Mais mademoiselle Mercier, c'est par périodes, et dites-vous que les gens viennent du bout du monde pour visiter Paris, c'est plutôt bon signe !

— Ah bon, mais vous n'allez pas faire ça, vous aussi, louer à des touristes ?

— Non, moi j'habite là avec mon mari et mes enfants, on est là tout le temps !

Aurore sentait tout le désarroi de cette femme à qui le monde échappait, ce monde qui s'agitait en direct dans son dos à la télé, qui résonnait jusque dans son immeuble, un monde qui changeait sans elle...

— Vous vivez ici depuis longtemps ?

La petite dame ne put s'empêcher de pouffer, avant de répondre dans un sourire :

— Vous pensez, je suis née ici. En 1934 !

Aurore fit rapidement le calcul, n'en revenant pas que ce soit possible d'habiter le même appartement depuis tout ce temps, c'était proprement inimaginable d'être sédentaire à ce point, et triste, mais à cet instant, on frappa une série de petits coups rythmés à la porte, le visage de la petite dame s'illumina.

— Qu'est-ce que je vous disais...

Mlle Mercier alla ouvrir, sans mettre la chaîne cette fois. Ludovic était sur le palier, il aperçut tout de suite Aurore, mais se pencha pour faire deux bises à la petite dame, il lui donna sa demi-baguette, les deux chats étaient déjà dans ses jambes à se frotter la tête contre ses chaussures, à naviguer autour de ses chevilles, il ne s'en souciait pas des chats, n'eut pas le moindre geste pour eux.

— Je vois que vous avez de la visite, ma petite Odette, j'vais pas vous déranger...

Aurore se rapprocha de la porte pour venir lui serrer la main, ne sachant trop quoi dire, mais c'est lui qui enchaîna, toujours avec ce sourire que rien ne déstabilisait.

— Alors, vous avez trouvé mon petit cadeau ?

— Oui, justement, je voulais vous remercier, en passant...

Elle minimisa la chose, comme s'il s'agissait d'un simple clin d'œil qu'il lui avait fait, oubliant presque pour quelle raison il les avait tués, ces corbeaux, ni pour faire plaisir à qui. Puis, avec une pointe d'écœurement elle lui lança :

— Je peux vous demander quelque chose, comment vous vous y êtes pris ?

Toujours depuis le palier, Ludovic feignit l'humour pour lui répondre.

— Oh là, il y a des âmes sensibles ici, je ne voudrais effaroucher personne...

Et là, de haut, il regarda les chats qui se frottaient contre lui.

Elle retrouvait cet aplomb irritant de ceux qui se croient supérieurs. Elle n'aimait pas ce ton qu'il adoptait trop facilement, celui de l'homme s'exprimant systématiquement au second degré, prenant tout sous l'angle de l'humour.

— Mais vous les avez tués ou pas ?

— Oui, et c'est même pour vous que je l'ai fait, quand j'ai vu à quel point ils vous pourrissaient la vie, je me suis dit que je ne pouvais pas vous laisser souffrir comme ça...

À présent, elle ne savait plus si elle devait le trouver franc, sincère, possiblement bienveillant.

— Ah bon, intervint la petite dame, mais moi je croyais que c'était pour mes chats que t'avais viré ces sales bêtes...

— Petite Odette, vos chats ils savent bien se défendre tout seuls...

Aurore sentait une profonde connivence entre ces deux-là. La vieille dame fit entrer le gaillard, elle s'accrochait à son bras comme si c'était un proche, admirative et égayée par ce faux fils providentiel, ce voisin facile. Ludovic entraîna la petite dame vers la fenêtre, Aurore les suivit, il leur expliqua d'où il les avait tirés, où ils étaient tombés, comment il s'était débrouillé pour tuer l'un sans que l'autre se sauve, c'était assez cru, il dit qu'il chassait, à la campagne avant il chassait, ne se doutant pas que ça puisse choquer, il balançait ses vérités avec une franchise

déconcertante, il ne bluffait pas, ne cherchait à ména-
ger personne, au contraire peut-être.

— Mais, vous voulez dire avec un vrai fusil ?

— Non, une carabine.

Aurore se rendit compte de nouveau qu'il était terriblement loin d'elle, un homme qui pensait naturel
de tirer sur des oiseaux, que ça ne gênait même pas.
Il parlait de cette cour comme d'un domaine, d'une
forêt dont il aurait été le garde-chasse, quand il faisait
un geste pour la désigner on avait l'impression qu'il
embrassait une contrée tout entière.

— Bon, écoutez, je ne sais pas comment vous
remercier.

— Eh bien, en me disant merci.

Ludovic n'était pas mécontent de lui forcer la main
à cette femme, de l'amener à lui dire merci, face à face.

Aurore s'avança et serra la main à Ludovic, qui
lui-même la lui serra fermement. Par la fenêtre, elle
s'aperçut que maintenant il y avait de la lumière chez
elle, les enfants étaient rentrés du sport, elle avait le regard
aimanté par ce spectacle insolite, ce tableau de son
quotidien dont elle était spectatrice pour la première fois,
son appartement qui s'animait sans qu'elle y soit, pour
le coup tout devenait étonnant vu d'ici, sa maison qui
reprenait vie en face, cette main qui ne lâchait pas la
sienne, mais qu'elle avait oubliée déjà. Ludovic se
retourna pour regarder dans la même direction qu'elle.

— Je comprends, ça doit vous faire bizarre...

— Oui.

Ludovic était planté devant elle, en un sens il la
gênait, il s'effaça en lui disant de s'approcher de la
fenêtre, elle découvrit qu'on voyait tout chez elle,

d'autant plus avec toutes les lumières allumées, et encore, là il restait des feuilles aux arbres, mais bientôt il n'y en aurait plus, et pour de vrai on verrait tout. Elle avait six fenêtres sur cour, plus les trois Velux du haut, elle se demanda s'il arrivait à cet homme de les observer, est-ce qu'il l'avait déjà espionnée, elle lui lança un coup d'œil, lui aussi avait le regard fixé sur l'autre côté.

— C'est vrai que l'hiver, d'ici, on voit drôlement bien en face... Ça a l'air de vous étonner !

Aurore répondit juste que ça lui faisait bizarre, elle avait du mal à détacher ses yeux de son appartement, c'était réellement captivant, elle aurait bien aimé attendre que Richard rentre, ou de s'y voir elle-même rentrer par le couloir... Soudain, ce fut plus fort qu'elle, elle ne put s'empêcher de poser la question à Ludovic.

— Et de chez vous, on voit aussi ?

— Moi j'ai les deux troncs d'arbre pile dans l'axe, alors il faut que je me penche, mais oui je vois un peu chez vous, en contrebas, en même temps je ne regarde pas...

Aurore s'en voulut de sa question, elle s'écarta de la fenêtre, pas Ludovic qui bougeait la tête pour essayer de suivre les deux enfants allant et venant à l'intérieur de ce grand appartement, elle s'interrogea, quel genre d'emprise il voulait avoir sur elle, qu'est-ce qu'il pouvait bien attendre d'elle, rien peut-être.

— Ça a l'air grand chez vous.

— Bon, il faut que j'y aille.

Elle leur dit cela comme si elle avait des kilomètres à faire, qu'elle habitait très loin, qu'elle n'était absolument pas d'ici, pas du tout de cette partie-là de l'immeuble en tout cas, elle avait juste envie de repartir pour se retrouver là-bas, de l'autre côté, où c'était vivant et propre. Elle les salua tous les deux, Mlle Mercier lui fit promettre de revenir, Aurore acquiesça sans conviction, pas trop sûre d'elle-même, ni d'avoir envie de le faire. Elle serra la main à Ludovic pour prendre congé mais il lui dit alors qu'il avait quelque chose à lui montrer dans la cour, il redescendit donc avec elle, sans saluer la petite Odette. Aurore tenait fermement la rampe de l'escalier pour ne pas se faire piéger par ces marches traîtresses. Ludovic lui avait conseillé de bien se cramponner, c'est peut-être pour ça qu'il lui était passé devant.

Quand elle se retrouva avec lui dans la cour elle se sentit fautive, comme s'il y avait quelque chose de répréhensible à être là avec cet homme, comme si elle avait peur qu'on les surprenne. Ludovic s'avança près des buissons, mais avant de s'engager dedans, il se retourna vers elle et la regarda d'un air grave.

— Ce que je vais vous montrer là, il n'y a que vous et moi qui devons en être au courant, personne d'autre ne doit le savoir, parce que c'est interdit, oui, sérieusement je pourrais avoir des problèmes si ça se savait.

Il lui demanda de le suivre dans cette infime forêt, Aurore frissonnait comme dans un jeu d'enfants en emboîtant le pas à ce type qui s'enfonçait devant elle entre les buissons serrés, elle avait presque envie de le remercier pour ce grand bond qu'il lui faisait faire du côté de l'enfance, elle trouvait cet air grave qu'il avait soudain pris parfaitement dérisoire, mais touchant, en même temps elle avait un peu peur de découvrir ce qu'il allait lui montrer, ils ne firent pas plus de trois mètres dans ce fouillis de lauriers-tins de rhododen- drons et de sureaux, mais ça lui sembla aussi profond qu'une jungle. Là, au cœur de ces buissons, ils étaient tous deux cachés par les feuillages, comme sortis du monde, surtout que maintenant il faisait presque nuit et que la minuterie n'allait pas tarder à s'éteindre. Ludovic désigna à Aurore deux petites couronnes de plumes accrochées aux arbres, puis il pointa du doigt la terre humide et meuble, l'air toujours grave il lui dit que les corneilles étaient là-dessous, déjà parce qu'il ne voulait pas les foutre à la poubelle, et surtout parce que ça dissuaderait les autres de revenir dans cet arbre, ça servirait de repoussoir à leurs congénères, ces plumes visibles leur feraient penser à une attaque de prédateurs. Aurore ne répondit pas. L'idée de savoir ces deux oiseaux sous ses pieds la dégoûta, en même temps elle leva la tête, elle aperçut les deux tourterelles, légères et miraculeuses, à l'opposé des corbeaux noirs sous terre, et entre les deux il y avait le visage de cet homme, à mi-chemin entre ces deux symboles, un homme aussi fort que cet arbre sur lequel il avait posé une main, il ne paraissait pas vraiment mesurer à quel point il l'avait touchée, Aurore était toujours aussi étonnée que ce type l'ait intuitivement devancée, qu'il l'ait comprise sans qu'elle lui parle, ce parfait inconnu lui devenait instantanément proche, le seul d'entre tous à l'écouter véritablement ces derniers temps, le seul à l'entendre, elle aurait voulu le remercier, le bénir pour son intui- tion, mais environnée de cette nature humide et froide, dans cette posture insolite, cette situation totalement incommodante, les mots ne lui venaient pas, surtout elle avait peur qu'on les surprenne, puis la minuterie s'éteignit, on n'y voyait plus rien, elle ne savait toujours pas quoi dire, pourtant elle aurait voulu le remercier cet homme car lui au moins il avait su devancer ses peurs, il n'y avait pas plus beau cadeau qu'on puisse lui faire en ces temps de morgue et d'autosuffisance généralisées, parce qu'il n'y a pas de plus vive complicité que de deviner l'autre, alors plutôt que de trouver les mots, cet homme, elle le prit à pleins bras, comme elle l'aurait fait de cet arbre, dans le même mouvement seul un mot lui revint malgré elle, et plusieurs fois, « Merci », elle le lui dit à l'oreille et le répéta avec une intensité que sans doute il ne comprenait pas, « Merci, merci, merci… », la force de ce torse qu'elle entourait et auquel elle se raccrochait la pénétra, ce corps puissant et chaud, elle n'avait rien ressenti d'aussi humain depuis des années, Ludovic ne se posa pas la question de savoir quoi faire, il éprouva un étourdissement total en sentant ce parfum, ces cheveux doux au jojoba, et ce corps de femme qu'il sentait contre le sien, il était abasourdi de le tenir entre ses bras, c'était comme être embrasé par une liqueur trop forte et il se laissa submerger par une force qui lui volait les mots, comme si des années de manque total de tendresse trouvaient là une résolution miraculeuse, il la tenait aussi fort qu'elle le tenait, il la serrait maintenant autant qu'elle le serrait, se disant qu'il ne la relâcherait pas avant qu'elle-même ne se déprenne, mais elle plongea en lui plus encore, elle libéra son sac qu'elle avait toujours à l'épaule, elle le laissa tomber sur cette terre humide et recouverte de feuilles mortes, elle le sentait solide cet homme, et alors que, pour elle, en ce moment, tout devenait épreuve, elle trouvait là une amarre, un point de stabilité dans ce présent mouvant où tout lui échappait. Ludovic se demandait s'il devait l'embrasser, il en avait une envie folle, mais ne voulait pas l'affoler, abîmer quoi que ce soit de ce mouvement fulgurant, c'était rare qu'il se fasse surprendre, il était aussi incrédule que dépassé...

Quand d'un coup on s'embrasse, c'est que vraiment on n'en peut plus de cette distance, même collés l'un à l'autre on a la sensation d'être encore trop loin, pas assez en osmose, de là vient l'envie de se fondre, de ne plus laisser d'espace. C'est elle qui prit l'initiative, il avait des lèvres tellement charnues et douces qu'elle n'eut même pas le temps de se demander ce qu'elle faisait, elle n'eut pas le moindre mouvement de recul tellement elle les voulait encore ses lèvres, elle se plaqua contre l'arbre, elle était éperdument exaucée, cette cour qui depuis des années lui donnait de l'énergie, cette enclave de sérénité, voilà qu'elle allait jusqu'au bout de cette promesse, pour une fois elle était au cœur même de ce refuge qui la protégeait du monde, il faisait nuit maintenant, et dans l'obscurité, sous ces feuillages, tout était plus sombre encore, parfaitement caché. Elle sentit les mains de cet homme qui lui saisissaient la nuque, puis les seins, comme s'il allait la soulever de terre, elle ouvrit les yeux juste pour prendre la mesure du mirage, affolée une seconde par ce qui se passait, elle avait encore le choix de la lucidité, de décider de tout arrêter, mais elle repensa au mouvement de l'âme de cet homme, à ce plumeau dont elle s'était caressé le visage, ce plumeau comme une

140

prémonition à cette étreinte totale. En étant aussi massif il aurait pu lui faire mal, mais il contrôlait ses gestes, elle se sentait le jouet d'une force, surprise, hébétée, là dans les bras de cet homme à la puissance conquise, elle se sentait légère, à deux doigts de l'interdit suprême, embrasser un homme, juste en bas de chez elle, faire ce grand pied de nez à sa vie et à tout ce qui la dédaignait. Mais ça sortit d'elle, sans qu'elle n'y puisse rien, elle s'entendit dire, « C'est pas possible... C'est pas possible... ».

Ludovic se recula alors qu'elle aurait aimé qu'il insiste. Mais s'il avait insisté elle l'aurait détesté, alors que là en ayant cette délicatesse, en respectant son mouvement de recul, elle le désira plus encore. Ils se regardèrent longuement sans trop se voir, à un moment la lumière du hall s'alluma, puis celle de la porte, puis celle de la cour, Aurore plongea sa tête dans le cou de Ludovic pour se dissimuler plus encore qu'ils ne l'étaient déjà, enfouis sous ces branchages il ne fallait plus bouger, et là c'est le jeu qui reprit le dessus, elle retrouva toute la saveur et le danger des parties de cache-cache. Des bruits de pas allaient vers le local des boîtes aux lettres, puis il y eut le bruit familier de la porte en fer que l'on ouvre, celui de la minuterie qu'on relance, et après les pas se dirigèrent par là-bas, vers l'escalier C ou B, Aurore savait juste que ce n'était pas Richard, ce n'était pas son pas, et surtout il n'allait jamais dans le local des boîtes aux lettres. Elle ne pouvait plus se détacher de son compagnon de jeu, Ludovic qui ne bougeait plus, ne faisait plus un bruit, elle porta ses mains sur ses fesses et tomba sur deux rondeurs fermes et définitives, musclées à en tendre le jean, elle le tenait à pleine main ce grand gamin plus imposant qu'un homme, cet égal de l'arbre, elle ne pouvait plus le lâcher. Tout en haut, soudain, elle entendit Iris qui criait après son frère, ses enfants surprenants dont pour quelques minutes encore elle était très loin.

C'était rare qu'elle ait l'occasion de prendre un bain avant le dîner, mais là, en glissant sa clé dans la serrure, elle se dit qu'elle ne pouvait pas faire autrement que de s'abolir un long moment dans la baignoire, de se laver de tout parfum. Quand ils la virent apparaître tout au bout du couloir, Iris et Noé se mirent à courir vers elle, on aurait dit qu'ils flottaient littéralement depuis le canapé jusque dans ses bras, elle les enlaça tous les deux en se baissant sur ses talons, une étreinte qui lui parut irréelle et douce, légère après les bras de cet homme, elle retrouvait le parfum de ses enfants, elle les serra comme si elle ne les avait pas vus depuis un an, sans honte ni malaise, elle se sentit passer de l'ardeur minérale de cet homme à la tendresse suprême dans un surprenant prolongement, elle ferma les yeux pour déjouer toute culpabilité, débordée soudain par le scrupule immense de ce qu'elle venait de faire là en bas. En les tenant tous deux contre elle, elle eut envie de demander pardon, pardon pour ce bonheur dont elle atterrissait tout juste, pardon pour ce désir dont elle était encore tout encombrée, ce désir dont elle était encore soulevée, une ivresse pour laquelle Iris tout comme Noé n'étaient absolument pour rien.

Enfermée dans la salle de bains, cette fois elle faisait le plus de buée possible, porte et fenêtre fermées, seule dans la pièce elle se fabriquait son nuage de condensation, elle en était complètement enveloppée. Déjà elle se posait la question de savoir comment réagir si elle croisait de nouveau cet homme, comment faire pour ne plus le voir alors qu'il habitait juste là, à l'autre bout de ces branches qu'on devinait à la fenêtre, comment faire pour ne pas le revoir cet homme qui avait libéré sa cour et l'avait débarrassée de toutes menaces, et d'ailleurs est-ce que ce serait réellement possible de ne pas le revoir, parce que justement il ne faudrait pas le revoir cet homme, pour des tas de raisons, ne serait-ce que parce qu'il habitait là, à une de ces fenêtres en face, une donnée qui, à elle seule, rendait cette histoire totalement folle, dangereuse et impossible.

Quand elle repensa à la scène elle les revit, elle et lui, comme deux mômes cachés dans les feuillages, c'était il y a quelques minutes à peine et cela lui parut atroce et doux. Elle l'avait oubliée, cette simplicité toute bête de se prendre à pleins bras, de tomber littéralement l'un dans l'autre, c'était un mouvement de l'enfance qui remontait en elle, l'attirance coupable et irrésistible pour le petit copain d'école, la griserie adolescente de l'incartade. Si elle avait pu s'endormir là tout de suite dans son bain, il n'y aurait plus eu à réfléchir, tout serait passé. Elle aurait voulu être loin, très loin, aussi fort qu'elle se sentait bien. À l'autre bout de l'appartement, dans le salon, elle entendait Victor son beau-fils, il était rentré et demandait déjà à Iris et Noé de lui foutre la paix, elle le savait, petit à petit, une à une, toutes ces choses-là allaient la rattraper, petit à petit tout allait redevenir normal, elle allait retrouver le cours d'une soirée, avec Vâni qui d'ici peu partirait, le dîner qui serait à préparer, Richard qui rentrerait, descendant tout juste de sa moto-taxi, frais, énergique et gai comme un adulte né du jour, Richard dont d'avance elle savait qu'en une parole, un regard, un baiser sur le bout des lèvres, il lui insufflerait une fois encore la tonalité de leur vie, la partition d'un couple pleinement réalisé, d'une vie gagnée sur tous les tableaux, avec toujours plus de choses à faire devant soi et de surface à conquérir...

Elle aurait voulu être sortie de cette baignoire avant son retour, il lui avait peut-être laissé un SMS ou un message pour lui dire à quelle heure il arriverait, pour lui demander si elle avait acheté le pain, si elle était bien rentrée, peut-être même pas. Pour une fois c'était elle qui n'aurait pas vu son SMS, et c'était très bien. Elle resta les yeux fermés dans cette eau amoureuse, chaude, d'avance elle voyait ce qu'elle ferait en sortant de son bain, elle passerait la main sur le miroir pour effacer la buée avec la crainte de se regarder en face, elle se retournerait pour entrouvrir la fenêtre, elle jetterait un regard prudent dehors, essayant de voir ce que pouvait bien faire l'autre en ce moment même, juste là en face, ce qu'il avait dans la tête. Pour le savoir, ç'aurait été simple, il aurait presque suffi de couper quelques branches qui gênaient la vue et de parler fort en direction de l'une des fenêtres là-bas.

Elle rouvrit les yeux, se redressa d'un bond dans l'émail glissant, une vague se souleva, qui claqua en débordant salement, bon sang ce n'était pas possible ce qu'elle avait fait, embrasser cet homme sans savoir qui il était vraiment, elle s'affola en y repensant, au cœur de ce nuage de buée elle se mit à paniquer, là au sein même de cette vie qu'elle s'était patiemment construite avec Richard et ses enfants, elle se dit qu'elle venait de faire une énorme erreur, de s'être ainsi offerte à cet inconnu, c'était pire que d'avoir ouvert la porte à un prédateur, elle eut cette image, c'était comme si la présence de ce type s'était substituée aux corbeaux, sachant que lui, il prendrait encore bien plus de place qu'eux, qu'il serait sans doute bien plus menaçant, bien plus envahissant, que dès lors il ne la lâcherait pas.

Les autres existent aussi quand ils ne sont pas là. Elle ne savait absolument plus quoi penser de cet homme, en quelques heures il avait pris une place folle, elle aurait aimé s'en défaire, effacer cette présence qui insistait en elle au point d'en faire le siège et de littéralement l'obséder, ce qui l'inquiétait follement.

Ce matin-là en sortant dans la cour elle eut peur de le croiser, peur de tomber sur lui par hasard, elle fit l'impasse sur le local des boîtes aux lettres et ne traîna pas dans la cour, elle voulait vite être dehors, dans la rue, loin de cette éventuelle présence. Le croiser, ce serait affronter une situation insurmontable. Elle ne comprenait pas ce qui lui avait pris la veille au soir, la fatigue du voyage sans doute, et puis cette sensation de dépaysement total qu'elle avait ressentie en s'aventurant dans l'autre escalier, cette impression générale d'être très loin de chez elle, à deux pas. Quelle connerie. Pour se rassurer elle se jura que si elle le croisait elle ferait comme s'il n'était pas là, de toute façon dans cet immeuble tous les voisins n'étaient que des fantômes, de lointaines éventualités, elle se rassura en se disant ça.

Pour aller jusqu'au métro en étant sûre de ne rencontrer personne, elle passa par la petite rue derrière l'église Saint-Paul, la fameuse petite rue où il n'y avait ni voitures ni passants et qui donnait plus loin sur une autre rue à peine plus animée, avant de rejoindre le boulevard où la foule affluait. Soudain elle entendit des croassements stridents aux résonances démesurées, ça venait du petit square plongé dans le froid humide qu'elle était en train de longer, de cette nature éteinte qui survivait là-dedans, en jetant un œil elle aperçut une demi-douzaine de corbeaux juchés sur le dossier d'un banc, elle prit peur à l'idée que ceux-là aussi se mettent en tête de venir la tourmenter, qu'ils foncent dans sa cour pendant qu'elle ne serait pas là, ou qu'ils la suivent, à moins qu'au contraire ils se soient repliés dans ce pauvre square de crainte de fréquenter son immeuble, cet homme lui avait dit que quand ils sentent la dépouille de leurs frères enterrés, les corbeaux ne reviennent pas, ils sont effarouchés à jamais.

De nouveau elle plongea dans cette frayeur intacte, la hantise d'avoir encore à affronter ça, de se faire rattraper par cette faune effrayante. Les petits yeux de ces masses noires aux reflets métalliques la regardèrent passer comme s'ils avaient un compte à régler, on les dit intelligents alors peut-être qu'ils avaient compris, qu'ils savaient que dans cette ville c'était elle leur pire ennemi. Elle déboucha sur l'avenue comme on revient à la civilisation, les bruits de la circulation dominaient tout, elle se faufila entre les flux de passants téléguidés, en ordre, et suivit ceux qui allaient vers le métro. Elle s'engouffra dans les escaliers, aspirée par le courant d'air géant qu'il y avait maintenant dans les accès du métro, un gigantesque courant d'air, seule garantie d'irriguer tout le réseau d'un oxygène respirable.

Ce qu'elle avait toujours sous-estimé en elle, ce qu'elle s'efforçait toujours de taire, c'était ce profond besoin d'être rassurée. Être rassurée, dans le fond elle n'attendait que ça, comme eux tous sans doute, ces hommes et ces femmes qui montaient en même temps qu'elle dans la rame et qui semblaient tous se raccrocher à leur sac, sac à dos ou en bandoulière pour les hommes, sac à main pour les femmes, tout le monde allait en s'agrippant visiblement à quelque chose de précieux, de hautement personnel, c'était un peu de son chez-soi que chacun trimballait, le viatique pour traverser sa journée, ils s'y tenaient comme à un parent. Une fois dans la rame, debout ou assis, beaucoup baissèrent le nez sur leur portable, toujours bien ancrés à leur sac, ce matin-là elle se dit qu'ils étaient tous comme elle, elle les voyait comme autant de mômes qui cherchaient à se rassurer.

Ce besoin-là, au fil de la journée, elle crut bien le déceler chez tous ceux de l'équipe. Déjà elle dut les tranquilliser tous, un à un, au sujet des trois cents robes, l'erreur était rattrapée, mais il y avait tout le reste, la comptable, la banquière, Fabian de nouveau absent, toutes ces questions qu'ils lui posaient, seulement pour les apaiser, encore aurait-il fallu qu'elle le soit elle-même. La journée fut âpre, sans gaîté. Le soir après le dîner, Richard lui demanda ce qu'elle avait, affirmant qu'elle était bizarre, qu'elle ne disait pas un mot depuis deux jours. Après cet aller-retour et cette nuit blanche à Troyes, elle avait passé l'après-midi à essayer de négocier avec la banquière, quelle humiliation c'était de quémander sans cesse des rallonges et de sentir que l'interlocuteur en face ne les accordera pas, qu'on ne le rassure pas, justement. Tout l'inquiétait. Elle avait beau jeu de lui répondre qu'elle était épuisée. Elle l'était. En toute fin de soirée, alors qu'ils se préparaient chacun une boisson chaude dans un mug rapporté des États-Unis, avant de se coucher, Richard s'approcha d'elle comme s'il allait réellement lui parler, mais il lui redit juste que ces temps-ci il la trouvait absente, il lui posa deux-trois questions au sujet de son travail, il lui demanda si on lui avait reparlé de cette histoire de prepack cession, ce qu'il en était de cette embrouille, elle redouta le moment où lui viendrait l'horripilant réflexe de jouer les conseilleurs, avec ce ton supérieur qu'il prenait quand il surplombait les autres de sa propre réussite. Et c'est ce qu'il fit, disant qu'il avait réfléchi, elle devait s'adosser à de nouveaux investisseurs, mais ce ne serait pas facile, il lançait ça avec la condescendance d'un pilier de la high-tech, ramenant toujours tout à des chiffres, le textile en France c'était pour lui une industrie morte, un secteur qui passe d'un million de personnes à moins de cinq mille en deux décennies c'est un secteur fini, la seule solution c'était le marché de niche. Il administrait ses raisonnements statistiques avec l'aplomb de ceux qui façonnent les nouvelles valeurs, ça aurait dû la rassurer que Richard recommence à lui parler, qu'il aborde le sujet en lui proposant de l'aide, mais au contraire, ça l'inquiéta plus que tout, elle n'y voyait que de la pitié, elle n'avait pas besoin de ça. Ce soir il avait plus que jamais l'accent américain.

— Tu sais, Aurore, je n'ai pas de conseil à te donner mais je crois que toi, tu ne cultives pas assez tes relations, tu sais, les relations dans la vie c'est la base de tout, tu n'as pas assez d'amis, Aurore, parce que l'amitié c'est la base dans le business, l'amitié ça sert à ça !

Il était minuit mais le téléphone de Richard se mit à sonner, il n'y accorda pas d'attention, signe que rien n'était plus important que cette conversation qu'ils avaient là tous les deux, mais au deuxième appel, finalement il décrocha et d'un sourire il bascula à l'autre bout du monde, dans une tout autre langue, en un clin d'œil il s'évapora vers Singapour ou Londres, impossible de savoir. Aurore marcha jusqu'à la fenêtre. Sans le vouloir, plusieurs fois dans la soirée elle avait eu le réflexe de jeter un œil dehors. La nuit, les carreaux faisaient miroir, et pourtant, plusieurs fois elle avait ouvert la fenêtre pour sonder le silence de la cour, regarder l'immeuble en face, mais elle n'avait rien vu à travers les arbres, les fenêtres de l'autre bâtiment étaient en partie masquées par les branches, ou éteintes, tous rideaux tirés. Malgré tout, maintenant, elle avait l'impression d'être observée, sans qu'elle-même ne voie rien. En fait elle trouvait paniquant de savoir que cet homme de l'autre côté avait un fusil, elle se rassurait en se disant que ce n'était pas un fou ni un malade, mais tout de même, sans être malveillant, à présent c'est lui qui la hantait. C'en devenait terriblement gênant. Obsédant.

Elle n'avait jamais voulu de rideaux, elle voulait que chez elle la lumière envahisse tout, et même quand il faisait nuit ça ne la gênait pas, si bien qu'ici tout était transparent, en dehors des petits rideaux de la salle de bains tout était transparent. Mais à cet instant, elle se dit que ce week-end elle irait peut-être au marché Saint-Pierre acheter du tissu, ce n'était pas pour se cacher qu'elle ressentait cette soudaine envie de rideaux, mais juste pour qu'on ne voie pas trop en elle.

En arrêt sur le palier il tendait l'oreille. De l'autre côté de la porte ça hurlait, avant même qu'il sonne ça gueulait déjà. Il se posta là deux minutes pour renifler l'ambiance, d'avance il ressentait le vacarme propre aux jeunes parents dépassés par leurs mômes, deux ou trois enfants qui visiblement les submergeaient de leur indiscipline et de leur désordre, dans un appartement sûrement pas très grand, au milieu d'une barre d'immeubles des années 1970, une construction ancienne mais propre de banlieue moyenne, dans une ville aux syllabes étrangement toniques, Bondy. Avant de monter dans les étages, Ludovic avait jeté un œil aux palissades tout au bout des parkings, des murs antibruit qui couraient tout le long des immeubles, ce qui n'empêchait pas d'entendre la rumeur assommante de l'autoroute qui bourdonnait juste derrière. Possible qu'en montant dans les étages le bruit soit moins étouffé, bien plus présent encore, bien plus abrutissant, un bruit de fond auquel devait s'ajouter la vue surplombante sur les coulées de voitures, et les effluves d'essence, le genre d'enfer qui à la longue rend fou.

Justement, ceux qu'il venait voir habitaient au dernier étage.

Avant de sonner il essaya d'évaluer. De toute évidence ils étaient plusieurs à se crier dessus, les injures des adultes s'ajoutaient aux pleurs des mômes, et d'expérience il le savait, ce n'était jamais bon d'arriver sur les braises d'une engueulade, surtout quand il s'agissait d'un couple, parce qu'un couple qui s'engueule c'est une grenade prête à éclater au visage de celui qui s'interpose, ça explose à la gueule du premier venu. C'est dangereux de s'interposer dans un conflit de couple, surtout si les deux ont bu, il l'avait fait un soir place Wilson, à Toulouse, et il savait qu'il ne le ferait jamais plus.

Son coup de sonnette eut l'effet d'une douche froide. C'est la jeune femme qui vint lui ouvrir. C'était souvent les femmes qui lui ouvraient, ce sont elles qui vont au-devant des choses, pas trop les hommes. Il demanda à parler à M. Jaddar, en restant bien à l'extérieur, sur le paillasson. Au fond du couloir, il vit trois petites têtes, les mômes, l'air interdit, qui le dévisageaient. Il ne leur fit pas le petit coucou qui dédramatise, il voulait figer l'ambiance, les réfrigérer tous en réprimant toute attitude sympa. La jeune femme ne lui proposa pas d'entrer, mais quand il aperçut la tête du gars au-dessus de celles de ses enfants, alors là il entra dans le couloir et avança en tendant la main au type, d'emblée il se présenta et lui parla de la salle de sport Musculator, des deux clients qui le mandataient, Sonia et Mathéo.

— Vous n'allez pas venir nous faire chier jusqu'à la maison avec ces histoires !

La jeune femme dans son dos donna tout de suite le ton. Ludovic nota que le gars n'avait pas bronché, visiblement il s'était fait surprendre, il ne s'attendait pas à ce que cette histoire de matériel non fourni le rattrape chez lui, là, en cette fin d'après-midi, sans prévenir.

— Madame, est-ce que vous travaillez avec monsieur Jaddar ? Non, alors, si vous le permettez, c'est au responsable de Fitness Furniture que je veux parler, c'est lui que je suis venu voir, pas votre mari ni votre ami, et vous, monsieur, si je viens chez vous c'est uniquement parce que vous n'avez pas de bureau, et en plus au registre du commerce il n'y a même pas l'adresse de votre domicile, alors j'ai dû mener ma petite enquête mais je vous ai retrouvé.

Sentant les ennuis venir le type se gratta la tête, mais c'est la fille qui s'enflamma de nouveau.

— Vous n'avez pas le droit d'entrer comme ça chez les gens.

— Écoutez, on va parler clairement, je suis là dans le cadre d'une démarche commerciale, mandaté par deux clients, donc on va dire que quand j'entre chez vous, c'est un peu comme si j'entrais dans un local, une boutique si vous préférez.

Ludovic flairait le contexte explosif, il fallait en premier lieu adoucir la fille, parce que le gars n'avait pas encore intégré la situation, il en était encore à se demander s'il devait jouer franc-jeu ou feindre de ne pas être au courant. Quant aux mômes, ils restaient muets, pétrifiés. Le pire c'est qu'il se sentait coincé dans ce couloir, cette situation ne lui disait rien de bon, ils étaient six dans le corridor sombre et étroit, il fallait vite dégager de là sans quoi la tension monterait comme dans un piston d'air comprimé.

— Dites, on pourrait peut-être se poser dans votre salon, hein, que je vous explique tout ça ?

Ludovic s'assit d'autorité sur la chaise en bout de table, ce qui contraignit les deux autres à se rapprocher de lui, ne serait-ce que pour jeter un œil sur tous ces papiers qu'il étalait devant eux. Dans cette configuration il prenait l'ascendant, il força même un peu la voix pour être sûr de ne pas être interrompu.

— Puisque je vous ai en face, je me permets de vous donner mon avis. Le mieux pour vous ce serait d'éviter le tribunal, parce que sur un coup comme celui-là monsieur Jaddar, vous êtes indéfendable. Monsieur Jaddar, vous êtes répertorié en tant que « concessionnaire en équipements de salles de sport » via le site Internet « Fitness Furniture » dont vous êtes le gérant, il y a trois mois vous avez reçu un chèque d'acompte de onze mille euros pour fournir à Sonia Delio et Mathéo Casas deux tapis de course et trois appareils de musculation. Sonia Delio et Mathéo Casas avaient prévu d'ouvrir leur salle avant la fin de l'année. Vous ne le savez peut-être pas, mais ils ont emprunté à droite à gauche, surtout auprès de leurs parents, en plus d'avoir souscrit un prêt bancaire, afin d'acheter l'équipement et faire quelques travaux dans leur local. Ils ont fait les travaux, mais depuis trois mois ils n'ont plus aucune nouvelle de vous, monsieur Jaddar, malgré les dizaines de mails envoyés et cinq lettres recommandées ils n'ont pas reçu la moindre réponse. Quant à votre site « Fitness Furniture », j'ai noté qu'il ne faisait nullement apparaître les mentions légales obligatoires, ça déjà à mes yeux c'est un problème, pas plus qu'on n'y trouve la case « Nous contacter », bizarre non ?

Dites-vous bien qu'à ce jour ils n'ont plus de trésorerie et qu'au point où ils en sont ils n'espèrent qu'une chose, c'est le remboursement de leur avance. Vous me direz, ils auraient pu recourir à la justice, seulement Mathéo Casas ayant quelques petits antécédents judiciaires, ils ont préféré passer par notre agence, et nous de notre côté on s'est engagé à leur trouver une solution rapide, vous me comprenez ?

Jaddar et sa femme ne réagissaient pas. Les trois mômes commençaient à toucher aux feuilles que Ludovic avait étalées, il attendait que les parents leur disent d'arrêter, mais ils n'en firent rien, alors il ramena toutes les feuilles à lui, calmement.

— Monsieur Jaddar, vous êtes déjà allé en Chine ?

— Non.

— Donc vous importez du matériel de fabricants installés en Chine sans jamais les avoir rencontrés ?

— On s'écrit par mails.

— Ah, et en quelle langue ?

— En anglais.

— Vous parlez anglais ?

— On se débrouille, et puis y a Reverso.

— D'accord. Et comme formation vous avez plutôt quel genre d'expérience, la vente ou le sport ?

— Moi, j'étais moniteur en salle, à Saint-Denis, les matos, je les connais tous, je sais ce que c'est qu'une salle, moi !

— D'accord, mais la proposition de votre site Internet c'est quoi, en fait, centraliser les achats ou vendre du matériel d'occasion… ? Parce que j'ai regardé un peu le marché, c'est bizarre, mais vous êtes trois fois moins cher, c'est beaucoup, vous ne croyez pas ?

Par nature Ludovic avait l'habitude de parler clair, mais il ressentait souvent chez ceux qu'il visitait une difficulté crasse à le comprendre, doublée d'un manque total de bonne volonté. Depuis tout môme, il avait toujours aimé se positionner en aîné, il avait une réelle satisfaction à régler les problèmes des autres, il aimait exister sous ce jour-là, débrouiller les situations. Mais devant ces deux-là, il sentait qu'en jouant les instructeurs posés, en essayant d'être clair et paisible, il ne faisait que les consolider dans leur mauvaise foi. Pour autant ce n'était pas de la malveillance qu'il décelait chez eux, plutôt une inexpérience totale en tant qu'entrepreneurs, une forme de perdition alarmée.

— Écoutez, je suis sûr que vouliez faire du bon business, vous avez monté votre propre boîte et rien que pour ça je vous dis chapeau, seulement vous devriez bien connaître les gens avec qui vous travaillez, tandis que là, si je comprends bien, vos fournisseurs vous ne les avez même jamais rencontrés, le matériel vous ne l'avez jamais vu, pas vrai ?

— Si.

— Alors c'est quoi, l'histoire, c'est les Chinois qui vous ont planté, c'est ça ?

Et là le type, se sentant probablement rabaissé d'avoir été pris en défaut devant sa femme et ses gosses, péta un plomb. Sans que Ludovic ne voie rien venir, il donna un grand coup sur la table pour faire valser les papiers tout en gueulant que personne ne le planterait, jamais, et certainement pas des Chinois, et certainement pas dans le sport, « Moi j'suis pas un mec qu'on plante, OK ! ».

Ludovic s'attendait à ce que la fille embraye dans la foulée, mais ce furent les mômes qui se mirent à chialer, les trois mômes qui se jetèrent dans les jambes de leur mère, alors que le père continuait ses bravades. Ludovic se leva pour tenter de ramener le calme, sans perdre de vue que ce type venait, lui, de planter deux jeunes de vingt-cinq ans, deux jeunes qui prenaient des risques pour de bon et en faisaient prendre à leur famille, il demanda donc, en leur nom, à Jaddar de s'asseoir, de se calmer, mais le ton monta encore.

— Personne ne me dit de m'asseoir, je suis chez moi, alors vire-moi toutes tes paperasses et dégage !

Faire plus de cent kilos ne sert à rien face à un excité qui s'enflamme, un agité prêt à aller au contact, un homme qui explose est incontrôlable, il est capable de saisir un couteau ou n'importe quoi, de basculer vers le geste qui le dépasse. Ludo restait bien à distance, répétant au gars de se montrer raisonnable, d'écouter la proposition qu'il venait lui faire, mais la fille elle aussi se mit à s'exciter, elle aussi se mit à lui gueuler dessus et à lui demander de sortir. Les mômes, d'abord pétrifiés par ce déferlement de colère, commencèrent à hurler à leur tour, les parents criaient de plus en plus fort, la tension augmentait de toutes parts. Ludovic ne disait rien, s'il se laissait impressionner, s'il rassemblait ses papiers et sortait ça voudrait dire qu'il n'avait aucun pouvoir, ça ne réglerait rien et surtout il ne pourrait plus revenir, parce que la prochaine fois ils ne lui ouvriraient plus. Si par contre il faisait comme eux, s'il haussait le ton ça ne ferait que les exciter davantage. Quant à coller une baffe à ce type, ce serait flinguer son image de père face à ses mômes, prendre le risque de l'escalade, avec le danger que les voisins se coalisent ou que des potes débarquent, il avait déjà vécu ça. Il ne voyait pas d'issue, surtout que le type et la fille le chopèrent alors par le bras pour essayer de le refouler vers le couloir, il se débarrassa d'eux en les repoussant sèchement et entreprit de ramasser son dossier et ses papiers qui avaient voltigé partout dans la pièce, mais au moment où il prenait une feuille par terre le type posa le pied dessus, et plutôt que de s'emballer en lui attrapant le mollet, Ludovic tenta le coup de bluff, il dit qu'il allait descendre sur le parking et prendre des photos de leur voiture pour les ajouter au dossier, en vue de la mise sous séquestre à titre de compensation.

En l'occurrence c'était doublement du bluff, déjà parce qu'il ne savait même pas s'ils avaient une voiture, et ensuite parce qu'il n'était pas habilité à séquestrer quoi que ce soit. Mais en général la belle bagnole c'était l'accessoire de base, surtout chez ce genre d'embrouilleur, Ludovic en était sûr, ce type était de ces petits malins qui se croient doués pour le business, et rouler dans un 4 x 4 bien tape-à-l'œil, c'est ce qui permet d'afficher l'illusion d'un statut social...

Il comprit tout de suite qu'il avait tapé dans le mille. Dès qu'il sortit de l'appartement le type enfila un blouson et le suivit sur le palier puis dans l'escalier, dans le fond c'est ce que Ludovic avait cherché, isoler l'homme de sa femme et de ses enfants, éviter l'escalade au sein même du foyer pour éviter que tout pète. Une fois au rez-de-chaussée, pas moyen de lui parler seul à seul, les yeux dans les yeux, une poignée de mômes jouaient hystériquement au ballon dans le hall, ça rebondissait de partout dans un vacarme assourdissant, mais le pire, au moment d'ouvrir la porte de l'immeuble, c'est que Ludovic se rendit compte qu'il ne savait absolument pas où cette foutue bagnole pouvait bien être garée, sur le parking de gauche ou sur celui de droite, et encore moins laquelle c'était... ! Les jeunes continuaient de jouer au ballon comme si de rien n'était, ne se préoccupant pas d'eux, tapant même de plus en plus fort dans ce foutu ballon.

Ludovic se sentait bloqué. Et ce type devenu mutique, il avait envie de le plaquer au mur et de lui faire cracher des excuses pour l'avoir traité de tous les noms. Mais s'il l'empoignait, le risque serait que ça excite les mioches et qu'ils en rameutent d'autres... En même temps il savait que s'il poussait cette porte, une fois dehors il serait coincé. Exaspéré par le cul-de-sac dans lequel il s'était lui-même foutu, il se retourna vers Jaddar, le regarda droit dans les yeux, sans rien retenir de la colère qui montait depuis vingt minutes, la mâchoire serrée et les yeux en bille il était convaincu de plier ce type rien qu'avec le regard.

— Vas-y, accouche bonhomme, c'est quoi l'histoire ? C'est toi qui les plantes ou c'est toi qui t'es fait planter par les Chinois... ?

Le type avait visiblement l'habitude de ce genre de situations, il ne se laissa pas du tout impressionner. Derrière, les mômes continuaient de shooter dans ce ballon dont les murs répercutaient les bruits, des claques nettes qui heurtaient le tympan, ce hall était une vraie cocotte-minute, et ce type qui soutenait son regard sans faillir. Un cri de môme plus fort qu'un autre, le ballon qui tape dans le métal des boîtes aux lettres, et Ludovic péta un câble, ça le prit comme un coup de sang, il chopa Jaddar par le blouson et lui fit faire tout le couloir à reculons pour le plaquer sur le mur du fond, en retrait, sous l'escalier.

— Fais pas le caïd, tu t'es fait enfler par les Chinois, c'est ça... ?

Voir ces deux adultes se prendre au col ne perturba pas le moins du monde les gosses qui jouaient au foot, ils ne les regardèrent même pas. Ludovic sentait bien que le type entre ses pognes s'était pris une bonne décharge, qu'il s'était fait surprendre, il profita de son ascendant pour fourrer une main dans son jean, un jean lâche sur des hanches étroites, et tomba tout de suite sur la grosse clé électronique de sa bagnole, il l'arracha sans ménagement, ne restait plus qu'à pousser le bluff, à sortir sur le parking et voir laquelle des voitures garées dehors répondrait à la télécommande...

Ce fut vite vu, une BMW X6 noire lui fit aussitôt des clins d'œil, un gros 4 x 4 garé sur la gauche répondit présent, il en ressentit de l'écœurement, ce genre de bagnole valait dans les trente mille euros et coûtait une fortune au quotidien, en plus elle semblait neuve.

— Attends mais je rêve, tu plantes deux mômes qui essayent de monter leur salle, et toi pendant ce temps-là tu roules avec ça ? Tu te payes ta bagnole avec leur fric ! Non mais t'es une ordure ou quoi ?

Ludovic s'installa au volant en laissant la portière ouverte, l'autre tenta prestement de récupérer la clé, mais Ludovic lui saisit le poignet et le plia d'une clé de bras, au point que le type se retrouva à genoux en se tordant de douleur.

— Il est où, ce matos ?

— Je sais pas.

— C'est quoi, l'embrouille, t'achètes par lots du matériel d'occase et tu revends tout au détail ?

— Tout est propre, je suis clean moi...

— Alors il est où, ce matos ?

— J'en sais rien moi... Il est paumé dans un conteneur ou alors il est jamais parti, j'en sais rien, des fois ils mettent six mois à me livrer...

— Tu sais quoi, j'aime bien qu'on me prenne pour un con, alors là je vais te dire, j'adore qu'on me prenne pour un con, et tu sais pourquoi ? Parce que quand on me prend pour un con, ça veut dire qu'on se méfie plus de moi, et ça c'est l'erreur à pas commettre.

— Mais il arrivera leur matos, je sais pas quand, c'est tout...

— Alors attends, oublie le matos. C'est fini, le matos. Moi ce que je veux, c'est l'argent, tu l'as bien encaissé leur argent, alors tu peux le décaisser, tu piges... Je vais te dire, ton pognon, ton business, tes combines, tout ça, ça te regarde, moi je cherche même pas à savoir si t'as le chiffre d'affaires pour te payer ça, je suis pas un flic, seulement si tu te respectes, tu les rembourses, là, maintenant, parce que si je file ton dossier au tribunal ça va te coûter cher, tu sais que tu te prendras direct 50 % d'indemnités, ça te coûtera seize mille euros la blague, sans même parler de condamnation ils te feront cracher seize mille, alors autant qu'on en reste là, tu me fais un chèque et tu continues de te regarder dans la glace, OK ? Et ton matériel si tu le reçois un jour, eh ben tant mieux, t'en feras des raviolis ou tu le revendras à un autre pigeon, je m'en fous, mais je te jure que si on ne règle pas l'embrouille maintenant, je te lâcherai pas, je te promets que je te lâcherai pas.

Ludovic desserra la prise. Devant l'absence de réaction de Jaddar il sut qu'il avait gagné. Le faux caïd se frottait l'avant-bras, il était complètement amolli, ne cherchait même pas à reprendre la clé de sa bagnole, Ludovic sentit qu'il était prêt à arrêter les frais et à sortir le chéquier. Parfois, à leur parler comme un père, les autres se mettaient à l'écouter, ce n'était pas le fait d'une psychologie mais il savait empaumer l'autre, en ayant vécu à la ferme, l'opposition il l'avait mille fois éprouvée, dans toutes sortes d'occasions, que ce soit face à un cheval, une mule, un chien fuyard ou un taureau têtu, il fallait sans cesse prendre l'ascendant, circonvenir, au rugby c'était pareil, travailler l'autre pour le dompter.

De cet ascendant il en jouait, il savait que cette force ne lui venait pas des bras, ni de ce torse qui tendait ses chemises, mais de son sang-froid. Pour autant il ne commettait pas l'erreur de se considérer comme un surhomme, être le plus fort c'est prendre appui sur la faiblesse des autres, amoindris qu'ils sont par leurs peurs, leurs manques, la faille est en chacun, le tout c'est de la déceler. Déjà à l'école il prenait facilement l'ascendant, en même temps c'est dangereux, la tentation serait de se mettre à manipuler, de ne pas se faire le serment de rester bienveillant, de songer à mal, bien souvent il sentait que ce serait parfaitement faisable, surtout là autour de lui, que ce soit dans ces banlieues ou à Paris, et jusque dans son immeuble, des failles il en voyait partout, des failles il en discernait chez tout le monde, pour en faire ce qu'il en voulait, des autres, il aurait juste eu à s'y engouffrer.

Un piège, depuis trois jours Aurore savait être tombée dans un piège, cet homme avait juste voulu la baiser, la peloter, et maintenant il devait triompher. Trois jours après elle ne ressentait rien d'autre que le goût amer de la faute, avec le recul ça lui semblait invraisemblable d'avoir fait ça. Le mieux, c'était d'oublier, d'effacer ce moment comme s'il n'avait jamais existé, seulement cet homme habitait en face. Rien que d'y penser, elle avait peur de ses fenêtres, des arbres, et même de ses tourterelles, autant de témoins susceptibles de la trahir, de la dénoncer.

Le soir quand elle poussait la porte pour rentrer dans la cour, elle revoyait la petite jungle avec la sourde angoisse que les arbres l'incriminent, et le matin elle descendait avec l'appréhension totale de tomber sur lui. Elle ne savait pas ce qu'elle lui dirait et redoutait plus encore sa réaction, à coup sûr cette étreinte, ces baisers, ces caresses, tout avait dû l'enflammer, il voudrait recommencer, il ne pourrait pas comprendre. Chaque fois qu'elle avait repensé à cet homme elle s'était sentie tressaillir, mais d'effroi bien plus que de désir, ces tremblements qui lui parcouraient le corps n'avaient rien de doux. Ce qu'elle avait fait elle ne se l'expliquait pas, s'être offerte avec une telle inconscience à un inconnu, un homme qui tuait des oiseaux, un homme avec un fusil, une pure folie. Cet effroi, elle se dit qu'il finirait peut-être par s'adoucir, mais trois jours après ce fut le coup de grâce, l'incident qui enflamma tout, là pour le coup, sa peur elle se la prit de plein fouet. Ce matin-là elle était enfermée dans la salle au premier avec l'experte-comptable, depuis neuf heures elles étaient plongées dans les tableaux Excel, et face à cette femme de plus en plus tendue, de plus en plus sévère, Aurore avait réellement la sensation de vivre un procès, là encore tout l'accusait.

De l'étage en dessous s'élevaient les bruits des machines à coudre. Les ouvrières montaient deux nouveaux prototypes, moment crucial où les croquis deviennent concrets, Aurore aimait ces bruits de tissus en cours de montage, au moins ça lui donnait la sensation que la boîte tournait, sans argent pour l'année prochaine elle travaillait quand même à une nouvelle collection, même petite, histoire de ne pas les démobiliser tous à l'atelier, qu'ils n'aient pas le temps de gamberger.

En rendez-vous Aurore gardait toujours son téléphone près d'elle, sur vibreur. Pour la troisième fois depuis le début du mois Fabienne Nguyen lui déroulait son réquisitoire, cette femme prenait une importance démesurée ces deniers temps, elle l'appelait tous les jours, elle aussi finissait par la hanter. Un fond d'accent vietnamien imprimait une rudesse à sa diction, elle était pointilleuse et concentrée, pimpante malgré son sourire pincé. Aurore encaissait les remontrances de cette méthodique qui ne cessait de l'alerter. La fin de l'exercice approchait, cependant à cause de ces commandes toujours pas réglées, de ces quatre-vingt-douze mille euros de marchandises évanouies sur la route de l'Asie, elle ne pouvait pas boucler les comptes.

— Aurore, je sais que c'est toujours dur de se faire payer par les exportateurs, mais là ça fait plus de cent vingt jours, vous vous rendez compte... ? Maintenant que votre banque ne suit plus, sincèrement je ne vois pas comment on y arrivera, il faut qu'ils vous payent, vous comprenez... C'est la dure réalité des chiffres, je sais, mais là je ne vois plus comment faire autrement.

Tout en l'écoutant Aurore se concentrait sur ces tableaux Excel où les cellules rouges prenaient maintenant toute la place, dès qu'elle cliquait sur l'écran des dizaines de cases défilaient, toujours en rouge, s'y superposaient des visions de Ludovic surgissant d'entre les arbres ou sonnant à la maison, l'embrassant devant Richard, et cette femme en face d'elle qui continuait de lui mettre le couteau sous la gorge, appuyant chaque fois un peu plus.

— ... si on y ajoute les dettes fiscales, vous savez, Aurore, je ne vois plus comment faire...

Aurore se sentait étouffer face à tout ça, c'est pourquoi quand son téléphone vibra sur la table, elle le prit comme une bouffée d'air, bénissant d'avance l'appel providentiel qui lui permettrait de fumer une cigarette dans le couloir, de respirer, seulement quand elle vit que le numéro qui s'affichait était le sien, le fixe de son domicile, elle pensa tout de suite à un souci. Vâni n'appelait jamais à cette heure-là, d'ailleurs Vâni n'appelait pas, elle gérait tout et n'attendait pas qu'on lui dise ce qu'elle avait à faire. Aurore répondit en s'excusant. Fabienne Nguyen la foudroya du regard, l'air de dire « Vous n'allez tout de même pas répondre », mais déjà Aurore avait la nounou au bout du fil, tellement paniquée qu'elle ne réussissait pas à expliquer les choses, elle en avait perdu le peu de français qu'elle maîtrisait, elle lui parlait d'un « Boum, un grand boum », le plus glaçant c'est qu'Aurore entendait Iris et Noé qui chialaient derrière, suppliant de parler à leur maman, c'était d'autant plus déchirant qu'Aurore ne comprenait rien à ce qui se passait...

De l'eau qui ruisselle jusque dans la cour, des marches devenues glissantes qu'elle monte pourtant quatre à quatre, cavalant dans ces restes de cataracte sur le bois ciré... Quand elle arriva sur le palier, la porte de chez elle était grande ouverte malgré le froid, depuis le fond du couloir elle aperçut son entrée, sa cuisine, et le début du salon, jusqu'au tapis blanc ivoire qui avait joué les éponges, gonflé comme un matelas, mais tout autour d'elle le sol n'était qu'une grande flaque luisante, quand elle entra dans l'appartement, ce désordre invraisemblable lui sauta au visage, les placards de la cuisine explosés, le plan de travail déchiqueté, le four et les plaques électriques échoués sur le carrelage, mais ce qui la choqua le plus en tournant le regard vers le salon, ce qui la foudroya littéralement c'est de le voir, lui, installé dans le grand canapé blanc, cet homme était là, avec Iris et Noé assis de part et d'autre de lui.

En voyant leur mère s'avancer dans l'entrée, les enfants se précipitèrent vers elle en braves petits rescapés, l'homme par contre ne bougea pas. Aurore était stupéfaite, elle se baissa pour serrer les jumeaux très fort dans ses bras, submergée par la grâce inouïe de retrouver leur odeur douce. Elle aurait dû être rassurée de les retrouver sains et saufs, mais à ce moment-là un tas d'idées atroces lui passaient par la tête, ce voisin campé dans son salon, il lui apparaissait comme un prédateur, un nuisible dont elle ne se déferait jamais, la réincarnation même des corbeaux, sinon que celui-là ne se contentait pas de rester dans l'arbre, lui en plus il rentrait chez elle, il trônait au milieu du fracas, elle sentait bien qu'elle ne pourrait plus jamais s'en débarrasser de ce type.

En tenant ses enfants contre elle, elle était intimement écœurée, écœurée d'elle-même, de cette folie pure d'avoir embrassé cet homme, écœurée à l'idée que ce parfait inconnu ait possédé sa bouche, son corps, qu'elle ait tenu son cul entre ses mains, en y repensant ça la révoltait, sans rien comprendre de la situation présente elle ressentait l'imminence d'un drame, comme si ce cumulus de trois cents litres qui s'était décroché, cette météorite scratchée dans sa cuisine, venait de faire voler sa vie en éclats, qu'à partir de maintenant il n'y aurait plus jamais l'harmonie d'avant.

Vâni revint de la salle de bains avec le balai espagnol et le grand seau. La blouse qu'elle portait tout le temps était trempée, sale, elles se regardèrent toutes deux, le regard submergé par une faute parfaitement dissemblable, d'ailleurs c'est ce que Vâni déclara tout de suite, « C'est pas ma faute », alors même qu'Aurore aurait aimé dire très exactement la même chose, « Ce n'est pas ma faute, ce fracas, ce tort de ne pas avoir été là, et surtout la présence de cet homme ici, tout ce désordre, ce n'est pas ma faute... ». Toujours aussi énervant de sang-froid, Ludovic se déplia du canapé blanc, marcha vers Vâni et là, Aurore découvrit une attitude totalement hallucinante chez cette nounou d'habitude si farouche, voilà qu'elle se laissait faire, elle ne broncha même pas quand cet homme lui passa un bras pardessus l'épaule et qu'il fit ce geste auguste dont on désigne les sauveurs.

— Vous pouvez lui dire merci, parce que sans elle, je vous jure qu'on n'aurait plus pied ici, y aurait un mètre d'eau !

Puis il enchaîna avec cette placidité toujours aussi extravagante, il expliqua que tout à l'heure depuis chez lui il avait entendu une détonation, un grand boum, alors il avait jeté un œil dans la cour, mais comme toutes les fenêtres étaient fermées, que dehors il ne décelait rien d'anormal, il s'était dit que ça venait de loin, d'un autre immeuble ou de la rue d'à côté. Puis, dans la foulée, il y avait eu les cris, les hurlements de frayeur que poussaient Vâni et les enfants face au spectacle de l'énorme cumulus qui venait de se détacher du mur, une masse de trois cents kilos qui dans sa chute avait explosé le mobilier et arraché les arrivées d'eau, si bien que tous ces tuyaux à vif giclaient en parfaits geysers, deux fois douze litres d'eau à la minute avec une pression de trois bars, autant dire qu'une marée d'eau froide partait à l'assaut de l'appartement et de l'immeuble...

— Si elle n'avait pas crié aussi fort, j'aurais refermé ma fenêtre, et là je ne vous dis pas le résultat !

Aurore avait du mal à commuter mentalement, à changer radicalement de point de vue sur cet homme qui, il y a deux secondes encore, la terrifiait. Elle s'imaginait mal être subitement reconnaissante, le remercier pour la deuxième fois en huit jours, pourtant il avait bien accouru jusqu'ici et eu le précieux réflexe qui dans la panique ne vient pas, celui de bêtement couper l'arrivée d'eau, de la trouver déjà, et de shunter le robinet général, sans quoi la colonne giclerait toujours et l'eau n'en aurait pas fini de monter, autant dire que le parquet, l'électricité, tout aurait été foutu, l'appartement du dessous aurait été inondé, sans parler de l'escalier, un désastre cent fois pire que ce qu'elle constatait là.

Ludovic se dirigea vers la cuisine, de l'autre côté du bar américain, désignant les dégâts, en chef de chantier.

— J'ai appelé un artisan pour qui j'ai travaillé, il passera dans une heure, il vous fera juste une petite soudure sur les tuyaux là-haut, comme ça vous aurez de l'eau ce soir, mais je vous préviens, vous n'aurez pas d'eau chaude. Pour le reste, il faudra voir avec le salopard qui vous a installé ça, je serais vous je l'appellerai tout de suite, vous avez son numéro ?

— Non. Là, non, je ne sais pas, je ne sais plus où il est...

— Vous avez la facture quelque part ?

Aurore s'approcha du bar sans rentrer dans la cuisine, comme pour demeurer à distance de ce cauchemar.

— Oui, peut-être, je dois avoir le numéro de l'architecte quelque part... Non mais quand je vois ça je n'en reviens pas.

— Eh bien, appelez l'architecte...

— Attendez, il faut que je récupère, j'ai tellement eu peur que là, faut d'abord que je me pose.

— En tout cas, pour sceller un cumulus avec des chevilles à béton dans le plâtre, il ne doit pas être clair, votre gars.

Aurore regarda cet homme à la bienveillance embarrassante, elle se demandait en quoi elle lui serait de nouveau redevable, mais surtout ce qu'il attendait en échange… En même temps elle nota la précaution avec laquelle il marchait sur la pointe des pieds sur le carrelage humide, pour ne pas salir davantage. Son sang-froid les apaisait tous. Vâni restait derrière lui, sans dire un mot mais à l'écoute, comme si elle attendait de lui une instruction. Les enfants, bien qu'hébétés, ne semblaient plus terrorisés, ils regardaient cet homme qui montait maintenant sur un tabouret et atteignait facilement le plafond.

— Vous voyez, cette partie-là, c'est du plâtre tout ça, et le pire c'est qu'ils ne l'ont même pas fixé dans la poutre, parce que vous avez des poutres dans le plafond, vous le saviez… ? C'est du chêne, c'est plus solide que du béton, ils auraient dû le fixer là-dedans !

Face au spectacle de la cuisine dévastée, Aurore avait juste envie de ne plus réfléchir, de s'asseoir sur le grand canapé blanc et d'attendre que tout se règle, parce que là, elle n'en pouvait plus de sentir monter les urgences, elle n'en pouvait plus de ce harcèlement de péripéties d'une vie trop pleine, elle avait juste envie de démissionner, de se mettre à hauteur de ses enfants, de ne plus être l'adulte sur qui tout le monde se repose, alors elle alla se poser dans le grand canapé blanc.

Ludovic, à présent perché sur le plan de travail, continuait de lui parler mais elle ne l'écoutait pas.

— Oh oh, je suis là-haut… !

— Oui, je vous vois.

— Alors venez juste ici une seconde.

— Non, je ne peux plus.

Dans la vie, même quand on la conçoit idéale ou grandiose, on se fait toujours rattraper par des problèmes d'intendance, parfois ils se déchaînent, ils s'accumulent et on ne voit plus que ça. Sensible au désarroi de cette femme au milieu de ses enfants, Ludovic descendit de ce fatras, toujours sur la pointe des pieds il fit le tour du bar, puis s'avança vers elle en s'époussetant les mains.

— Vous savez quoi, on va faire une chose, on va prendre une photo de la cuisine là, vous l'envoyez par SMS à votre architecte, et deux minutes après vous l'appelez pour lui demander pourquoi ils ne l'ont pas fixé sur socle.

— Je ne comprends rien.

— Envoyez-lui juste une photo de la cuisine, vous l'appelez, et quand ça sonne vous me le passez, d'accord ?

Elle lança un regard à Ludovic mêlé d'incrédulité et d'agacement. Il s'abaissa et se mit à genoux devant elle pour être à sa hauteur, il suivait son idée.

— Faut le bouger le gars, vous comprenez, faut que dès demain matin il vous envoie deux ouvriers pour reprendre le chantier parce que là il a fait une énorme connerie. Faut le bouger votre gars...

— Vous êtes vraiment comme ça ?

— Pardon ?

— Non, rien, c'est juste que j'ai eu vraiment peur tout à l'heure en venant, vraiment j'ai eu peur, et là encore d'ailleurs. J'ai peur.

174

— Peur de quoi ?

Soudain, elle se fit surprendre par un sentiment étonnant. Comment cet homme qui l'avait embrassée, qui lui avait empoigné le corps de ses longues mains, comment pouvait-il à ce point ne rien en montrer, ne rien laisser paraître de leur furtive complicité ?

— Vous savez quoi, Aurore, vous allez me suivre.

Il n'était pas censé l'appeler par son prénom, Vâni tout de même s'en étonna. Il se releva et retourna dans la cuisine, Aurore lui emboîta le pas. Il se donna un mal de chien pour repousser le cumulus et que tout soit visible sur la photo, elle le voyait faire de dos, elle contemplait ce dos large et taillé qui distendait son tee-shirt, il était accroupi, ses efforts dégageaient une large bande de peau nue, une éclaircie découvrait le bas de ses reins, il avait deux petits creux aux plis des muscles, elle nota que son jean n'était pas de grande qualité, une toile de denim épaisse, une marque de modèles grande taille, avec le froid qu'il faisait dehors comment ce type pouvait-il se balader en tee-shirt...

— Alors, vous la prenez cette photo ?

Elle prit plusieurs photos et Ludovic commença de déblayer les placards fracassés pour nettoyer la pièce, il déplaça même le lourd chauffe-eau jusque sur le palier. À le voir faire, Aurore ressentit une force à l'œuvre, une force pure, cette force n'était pas de celles que l'on acquiert par un statut ou une envergure sociale, non, sa force à lui, elle était simple, humaine, propre.

Il déblaya méthodiquement la cuisine puis il demanda à Aurore de composer le numéro de l'architecte, et là il laissa un message sur le répondeur, il détailla l'état des lieux d'un ton coriace, Aurore le tempérait presque, elle lui soufflait que c'était un ami de son mari, qu'il ne manquerait pas de rappeler dès qu'il le pourrait, sans doute même qu'il passerait dès ce soir s'il était à Paris. Vâni sortit une bière du réfrigérateur et la tendit à Ludovic.

— Non merci, Vâni, j'y vais...

Aurore le raccompagna jusqu'à la porte, ils se serrèrent simplement la main, mais Ludo lui fit une proposition.

— Si vous voulez prendre de l'eau chaude, je peux vous proposer de venir...

— Non. Ça ira.

Elle s'avança sur le palier en tirant la porte derrière elle et rejoignit Ludovic qui s'engageait dans l'escalier.

— C'est sûr qu'on va se recroiser, mais je voulais vous dire, il ne faut plus qu'on se voie, vous comprenez, il ne faut pas...

Ludovic se retourna, il la regarda sans expression. Là-dessus elle ajouta :

— Enfin, un jour faudrait juste qu'on se parle, je voudrais juste comprendre.

— Comprendre quoi ?

— Pourquoi vous faites tout ça, les corbeaux, le chauffe-eau, je ne sais pas.

Ludovic remonta jusqu'à elle. En le voyant revenir elle se dit, Non, je n'aurais jamais dû dire ça, il ne peut pas comprendre ou pire, il va vouloir m'embrasser... Quand il fut à sa hauteur, il lui répondit d'un ton calme :

— Aurore, vous n'avez rien à craindre de moi. Je suis là, c'est tout. Je n'attends rien de vous, au contraire, c'est plutôt vous qui avez des petits soucis on dirait...

— Mais qu'est-ce que vous en savez, qu'est-ce qui vous permet de dire ça ?

Elle lui avait balancé ça sèchement, ce type l'excédait à la deviner, sur quoi elle se détourna et rentra en refermant la porte. Il resta planté un temps dans l'escalier, puis il partit. Au moins il l'avait vu ce fameux appartement, celui que depuis deux ans il imaginait, sans s'en préoccuper vraiment, mais qui l'intriguait malgré tout. Cette femme représentait bien tout ce qu'il détestait de Paris, tout ce qui le rejetait, tout ce qu'il aurait dû fuir, et pourtant elle l'attirait. Tout d'elle l'attirait.

C'était une pure folie mais elle le faisait, elle montait cet escalier, alors que le sien était de l'autre côté des carreaux sales qu'elle évitait de regarder. Elle retenait ses pas, attaquant les marches sur la pointe des pieds, redoutant par-dessus tout de croiser quelqu'un. Par chance tout semblait mort ici. En arrivant au troisième elle était dix fois plus essoufflée que pour ses trois étages à elle, elle marcha le long du couloir sombre, se concentrant sur les craquements du parquet grinçant, abolissant toute autre question, depuis six jours elle se préparait à ça, à venir là, parce qu'elle ne le croisait plus, il n'avait même pas cherché à prendre des nouvelles des travaux, ni même à s'enorgueillir d'avoir sauvé la situation, alors qu'en six jours il aurait largement eu le temps de sonner à leur porte, de débarquer un soir à l'improviste pour faire valoir son rôle de sauveur, de voisin parfait, mais non, il n'avait rien fait de tout ça. Ou alors il n'était plus là. Si bien que ce soir, en montant cet escalier étranger, elle avait un peu peur, peur de le voir, mais peur aussi qu'il ne soit pas là, qu'il n'habite plus là, que cet homme ait disparu, elle le redoutait tout autant qu'elle l'espérait.

Elle frappa à sa porte, s'ensuivit un silence, un silence dans lequel elle se noya, hantée par l'envie sincère qu'il ne réponde pas et que tout se résolve par un demi-tour, qu'elle se libère de ce piège qu'elle venait de se tendre à elle-même. Seulement il ouvrit. En la découvrant il réprima toute surprise, il lui sourit, elle le regarda en refusant de plonger dans ce sourire, il lui proposa d'entrer, elle ne répondit pas mais s'avança dans l'entrée, il s'effaça et elle pénétra dans le petit appartement, rendue muette par une tenace culpabilité, une honte contre laquelle elle ne pouvait pas lutter. Sans rien regarder de ce deux-pièces spartiate, sans un mot, elle se rendit tout de suite à la fenêtre et dirigea son regard vers chez elle, observa ce qu'on apercevait de son monde à elle depuis chez lui.

— Je voulais juste vous dire merci, et pardon aussi, déclara-t-elle sans se retourner.

Il ne dit rien, dans son dos il avait dû faire une mimique, ou peut-être pas, elle ne le voyait pas. De l'autre côté des arbres, par fragments elle distinguait le grand appartement blanc, sa maison derrière le paravent de branches dépouillées par l'automne. Il restait encore quelques feuilles, d'une certaine façon elles la dissimulaient un peu, elle se sentait autorisée à être là. En se penchant elle recomposa le puzzle, ses six fenêtres, ses balconnières, les trois Velux des pièces du haut, ce grand chez-elle où elle aurait dû être en ce moment même. Toujours sans dire un mot il s'approcha et posa sa main dans son cou, elle fit comme si de rien n'était, elle se concentra sur le dehors, ces

enchevêtrements de branches, ce paravent qui la rassurait, voir son appartement d'ici, c'était comme si elle
s'émancipait de la vie trop attentive qui l'attendait en
face. Pour se rassurer, juste pour entendre sa voix, qu'il
dise au moins un mot, elle lui demanda pour quelle
raison ils ne s'étaient pas recroisés depuis la semaine
dernière, il répondit, « L'hiver on se croise moins, et
puis je suis parti trois jours », elle voulait lui poser mille
questions, où il était allé, et qui il était vraiment,
comme si en deux minutes on pouvait tout savoir de
quelqu'un.

— Tu les vois ?
— Qui ?
— Tes deux oiseaux.

Elle les avait oubliés, ils étaient recroquevillés, en
boule, prêts à affronter la nuit, c'était pathétique et
doux comme vision, ces deux êtres inaliénables, perdus
dans le froid total, dans le jour qui tombait, elle voulut
dire quelque chose à leur sujet, mais il commença
de passer sa main plus haut dans sa nuque, elle sentit
ses doigts qui remontaient dans ses cheveux, un lent
peigne puissant et sage dont les ondes lui parcouraient
tout le corps. Elle ne pouvait refuser son tutoiement,
mais elle, elle se sentait incapable de lui dire tu, c'était
bien trop gênant, presque inconvenant, du coup elle
ne pouvait plus rien dire, alors elle se laissa envahir
par ces frissons surprenants, à en fermer les yeux et ne
plus voir cette lumière qui venait juste de s'allumer là-
bas, de l'autre côté, l'espace d'un instant elle se vit chez
elle, dans sa salle de bains, se laissant glisser dans sa
baignoire, là devant cette fenêtre mal isolée, debout
dans cet appartement sans chaleur, elle ressentit très

exactement le même enveloppement que lorsqu'elle rentrait dans son bain, une eau chaude montait autour d'elle, lui recouvrait tout le corps. Quand elle rouvrit les yeux il n'y avait plus de lumière en face, elle se demanda si malgré ces arbres on pouvait la voir, si on pouvait voir qu'elle était là, sans doute qu'on le pouvait, le dernier étage de ce bâtiment-ci était légèrement plus bas que celui d'en face. Quand bien même pouvait-on la voir, qui aurait songé à jeter un œil dehors, qui se serait tortillé pour regarder à travers des arbres, qui aurait eu cette idée de la chercher là ? Richard était à Kiev, il rentrerait demain soir, Vâni avait rangé le goûter et devait faire du repassage, les enfants jouaient sans doute dans leur chambre… L'espace d'un instant, elle eut l'intuition très précise de ce qui se passait en face, elle s'en voulut de ne pas y être, mais déjà elle sentait cette autre main qui descendait le long de son tailleur, jusqu'à la taille, un peu plus bas, elle ferma les yeux, puis à un moment il se plaqua contre elle, sans la serrer, pas trop fort, pourtant elle eut la sensation d'être totalement dépassée par cette masse enveloppante dont elle ressentait la chaleur, de près il semblait encore plus grand, elle le sentait derrière elle, au-dessus d'elle, il posa son menton sur sa tête, quand il la serra plus fermement elle fut envahie d'une force tellurique, mais douce en même temps, elle éprouva un vertige paradoxal, l'effet trouble et tentant des choses qui nous transportent autant qu'elles nous font peur, pour ne pas perdre pied elle rouvrit les yeux, curieusement il y avait maintenant de la lumière dans la cuisine et dans le salon aussi, le jour cédait peu à peu, elle imagina Vâni en train de laver les bols du goûter, Victor devait être là puisque les deux Velux de sa mezzanine étaient éclairés, et la lucarne au fond, toutes ces lumières sans doute inutiles la rassuraient, pour elle c'étaient comme des balises, les vigilants repères de son quotidien bien organisé qui lui signifiaient que sa vie était toujours bien là, de l'autre côté de la cour, à l'attendre, elle pouvait donc s'égarer sans scrupule, au moins elle ne se perdait pas trop loin, il n'y avait pas de risque à perdre pied si près de la côte, savoir sa maison juste là à portée de regard, c'était comme un phare pour le voilier qui se risque dans la tempête, c'était explorer sa peur tout en gardant un œil sur la sortie de secours, elle repensait à ces jeux de cache-cache d'enfance, quand on rêve de s'être envolé, d'avoir totalement disparu aux yeux de tous, tout en étant là, juste là, tout près.

Il referma le rideau d'un coup sec, lui soustrayant la vue, et là elle eut le sentiment qu'il la jetait à l'eau, elle ne pouvait plus se raccrocher à rien, elle se retourna, elle aurait dû lui en vouloir de ce geste, d'ailleurs elle lui en voulut, dans un mouvement de colère elle lui attrapa la bouche et mordit ses lèvres pleines et douces, les lèvres d'un sourire qui invitait pourtant à se méfier, un sourire qui la surplombait d'une arrogance tranquille, un sourire tellement **trou**blant qu'elle le cueillit comme un fruit à même l'arbre, et y mordit plus fort encore. Il tressaillit d'une petite douleur, signe que cette masse était fragile, elle retrouva cette sensation de l'autre soir au pied de l'arbre, ce trouble de se savoir enveloppée d'un corps envahissant, mais qu'elle savait dompter par petites touches, et ce pur défi que c'était de s'y laisser entraîner, cette fois encore elle était encerclée par ce corps aux muscles vifs, et dès qu'il serrait trop fort, elle marquait un petit mouvement de recul, et là aussitôt il desserrait l'étreinte, il s'adoucissait instantanément, pour elle ce n'était pas rien de sentir une force dont elle pouvait anticiper les réactions, qu'elle pouvait apprivoiser. Une fois sa bouche dans la sienne, elle ne se contint plus, elle l'autorisa à laisser ses mains aller là où elles voulaient, comme quand gamine elle lâchait la bride, elle s'émancipa de la vie trop attentive qui l'attendait là-bas, et dans la pleine conscience de commettre l'irréparable erreur, l'irrémédiable pas de côté, elle embrassa follement cet homme et instantanément elle se sentit partir loin, la sourde angoisse n'était plus qu'un verre d'eau jeté sur un grand brasier. De ses mains elle lui agrippa les fesses, elle aurait voulu les contenir en entier, en sentant cela il contracta ses muscles et elle ressentit l'attraction des statues, ce besoin qu'elle avait toujours de les toucher, d'éprouver physiquement les courbes, en caressant le corps de cet homme elle découvrait une dimension supplémentaire au désir, il y avait quelque chose d'impressionnant à le tenir, un besoin d'apprivoiser ces formes, d'en maîtriser les contours, d'autant que son silence décuplait la sensualité de sa force. Comment un être aussi robuste pouvait être aussi doux, docile, dompté. Il poussa un soupir de désir contenu, un souffle presque, il prit sa main et la posa sur son sexe, il fit ce geste radical, comme s'il la mettait au défi de le prendre, ou qu'il s'offrait tout entier à elle, de sentir la rigidité de ce sexe la fit basculer.

— Prends !

Elle s'entendit dire ces mots, « Prends-moi, vas-y, prends-moi », puis d'autres mots encore, des mots vulgaires, sales, elle avait envie de mots sales, de mots dérangeants, tous ces mots qu'elle n'arrivait plus à dire au père de ses enfants, là ils venaient en salves, elle replongeait dans ses provocations adolescentes, quand elle feignait d'assumer avec aisance de sortir avec un plus grand qu'elle, elle renouait avec la tentatrice de dix-sept ans qui s'encanaillait en boîte, ses années où elle se laissait toujours tenter par le plus mûr, face aux copines rien n'était plus érotique que de tendre ses dix-sept ans à un homme de trente. Sans s'en rendre compte cet homme la replongeait dans toutes ces parties d'elle-même qu'elle avait trop enfouies, cette audace, cette absence totale de civilités, ce désir violent très loin des croquis légers qui régissaient sa vie.

Une valise à roulettes traversa la cour, on entendait le bruit énervant des sursauts sur les pavés, Aurore pensa à Richard, puis se dit que c'étaient des arrivants pour la location à la semaine, elle ne voulait plus l'entendre ce bruit, alors elle poussa l'homme jusqu'au lit qu'il y avait là, un lit pas très grand, ils tombèrent dessus dans un fracas violent, elle se retrouva sur lui, elle dominait du regard l'assurance de cet athlète qui n'avait plus le contrôle, elle s'amusait à le devancer, elle remonta sa jupe pour s'asseoir sur son sexe et jouer de ce pouvoir-là, le soumettre à ce supplice, tourmenter son membre dur en se frottant dessus, elle voyait bien que ça le chamboulait, elle passa une main sur sa culotte et ne fut pas surprise de la découvrir trempée, elle le voulait tout entier en elle mais d'abord elle

185

voulait s'y frotter, s'astiquer le sexe sur le sien, le coton léger de sa culotte était une excitation de plus, la bande de tissu lui rentrait entre les lèvres, les lui interdisant à lui, elle guettait le moment où il allait se redresser, contracter ses reins et se relever comme le cheval tombé, elle serait alors emportée par le mouvement, elle le provoquait jusque-là, elle ne voulait plus qu'il soit doux, ne pouvait pas le lui dire, il dut noter ce soupçon de désarroi qui lui passa sur le visage, car il se redressa effectivement, la soulevant comme une plume, elle s'agrippa à lui et il la retourna pour la déposer sur le dessus-de-lit sans âme, il tenta de glisser son sexe en elle, buta sur la culotte tendue, alors il baissa le tissu et la pénétra dans un oubli total, pour eux deux c'était un saut dans le vide, elle oublia toute bienséance, cette odeur de tabac froid qu'elle devait avoir dans les cheveux, elle avait beaucoup fumé aujourd'hui, elle oublia cette sueur qui lui collait sous les aisselles, submergée qu'elle était d'une sueur nouvelle et chaude, elle s'entendit lui dire « Plus fort », sa bouche parlait pour elle, il s'emballait, avec ce matelas qui sursautait en dessous d'elle, elle était prise entre deux mouvements, « Plus fort », dit-elle encore, elle voulait lui balancer des mots à la hauteur de cette ardeur, son torse était large comme celui d'un fauve en train de la dévorer, ses bras, deux garde-fous qui la coupaient du monde, et ce cul qu'elle tenait toujours entre ses mains, ces fesses nues cette fois, dans lesquelles elle plantait ses ongles pour qu'il cavale plus fort encore, dans un souffle elle l'entendit lui dire des mots qu'elle ne comprenait pas, il lui avait pris la tête à deux mains, ses deux larges battoirs lui faisaient comme un casque, elle n'entendait plus rien, c'est là que la peur la frappa, comme si d'un coup elle prenait conscience de ce sexe en elle qui butait au plus profond, qui soulevait mille fantasmes, mais tout allait trop loin, elle en sursauta, l'affolement la fit se ressaisir comme face à un accident, il était lourd et vif mais il s'arrêta net en voyant que quelque chose n'allait pas. Il la fixa dans les yeux, lui demandant, « Qu'est-ce qu'il y a ? ». Elle n'osait pas dire qu'elle avait eu peur, parce qu'il n'avait pas mis de préservatif, qu'elle n'y avait pas pensé, ils n'y avaient pas pensé, il n'avait pas mis de préservatif, elle n'osait pas lui faire l'aveu de cet effroi qui la tétanisait, depuis deux ans elle ne prenait plus la pilule, elle se sentait honteuse, mais elle n'avait pas à dire à cet homme qu'elle ne faisait plus l'amour avec Richard. Si elle tombait enceinte, ce serait un cauchemar, et là en une fraction de seconde elle se fit rattraper par une foule de présences abolies, eux tous, elle avait la sensation que son mari, ses enfants, Victor, Vâni elle-même, que tous étaient là quelque part à dire, « Et en plus ils n'ont pas mis de préservatif... ! ». Elle était affreuse cette image, elle se mit à pleurer, le visage toujours piégé dans l'étau de ce titan foudroyé, il la regardait sans comprendre, et sans comprendre il la serra juste entre ses bras, elle se raccrocha à ce pur-sang qui était allé trop loin, trop vite, qui l'avait désarçonnée, elle se raccrocha à lui pour lui dire que tout allait bien, elle avait envie qu'il lui parle, « Parle-moi, parle-moi... ».

Il y a longtemps qu'elle n'avait pas fumé dans un lit, une dizaine d'années sûrement. Il fumait des Marlboro rouge, elle en fumait avant de passer à ses cigarettes toutes fines et toutes légères, fumer dans une pièce fermée c'était renouer avec un interdit de l'enfance.

— Qui es-tu ?

— Comment on répond à cette question ?

— Aide-moi !

— Mais je suis là.

— Non, aide-moi à savoir qui tu es.

— Je suis un homme qui fume ses cigarettes dans son appartement.

— Et qui n'ouvre même pas les fenêtres pour aérer.

— Exact, enfin si je les laisse souvent entrouvertes, j'ai toujours trop chaud la nuit, et voilà, je vis dans un deux-pièces, en face de chez toi, et quand tu frappes à ma porte je suis là.

— Tu vis seul ici ?

— À ton avis ?

D'un regard elle refit le tour de cette chambre, du salon juste à côté, il n'y avait même pas de porte entre les deux pièces.

— Mais, tu vois du monde, tu as des amis, tu as un métier ?

— Dis, tu ne trouves pas que c'est un peu brutal de passer du sexe à l'interrogatoire ?

— Excuse-moi, mais j'ai eu peur d'un coup, j'ai eu peur. Et puis, on n'a pas mis de préservatif, et puis, j'ai eu peur c'est tout.

— Je vais être honnête, j'en ai pas.

— De préservatifs ?

— J'ai perdu ma femme il y a trois ans, et depuis je n'ai pas... enfin je n'ai jamais rencontré personne, voilà.

Aurore ne savait pas quoi faire de cette phrase qu'elle venait d'entendre, après tout elle était la répercussion de sa propre peur, après tout c'est elle qui avait voulu qu'ils parlent, mais face à ce qu'il venait de lui dire elle ne voyait pas comment enchaîner, ne voulait surtout pas lui demander d'être plus précis, encore moins de savoir comment il avait perdu sa femme, cette femme qui d'un coup se mettait à exister, là, dans cette pièce neutre, voilà qu'une présence nouvelle se dessinait, une présence nouvelle se glissait dans cette chambre sans âme, du coup elle n'avait plus peur, du coup elle se sentait un peu plus à égalité avec ce parfait inconnu, elle posa sa cigarette dans ce cendrier étonnant sur une table de nuit, la dernière fois qu'elle avait vu un cendrier auprès d'un lit c'était dans la chambre de son père vingt ans avant qu'il arrête de fumer, ça ne se faisait plus, il n'y avait que cet homme venu d'ailleurs pour faire ça, ce type aux jambes plus grandes que son lit, elle le prit dans ses bras. Elle se voulut légère pour le relancer, pour égayer l'atmosphère.

— Mais à ton travail, tu ne vas pas me dire qu'il n'y a pas des femmes qui craquent pour ce cul, tu le sais ça, que tes fesses donnent envie de les toucher ?

— Personne n'y touche en tout cas. Ou alors c'est grave, je ne m'en rends pas compte !

— Il y a des femmes à ton travail ?

— Tu sais mon boulot, c'est pas vraiment un boulot qui facilite les rencontres.

— Tu fais quoi ?

— Du recouvrement.

Elle le regarda avec un étonnement qu'il n'arriva pas à interpréter.

— Qu'est-ce qu'il y a, ça te choque ?

— Non. Pas du tout. Et, en gros ça se passe comment ?

— Simplement. Je récupère l'argent de gens qui en ont vraiment besoin, chez des gens qui en ont encore plus besoin... Tu vois ce que je veux dire.

— Oui, je vois très bien.

Jamais elle ne voyait Paris défiler au premier plan. Que ce soit dans un taxi ou un VTC, d'habitude elle était toujours assise à l'arrière, mais pas à côté du chauffeur. Avec Richard ils n'avaient plus de voiture, autour d'elle à Paris plus personne ne se servait de son véhicule, si bien qu'elle ne voyait jamais ces immeubles et ces rues s'ouvrir devant ses yeux depuis les places avant… Elle redécouvrait une sensation singulière, s'y ajoutait le trouble d'être assise à côté de cet homme, auquel se superposait la peur intime de se mentir, de masquer ses arrière-pensées. Elle lui avait juste parlé de ce rendez-vous, mais c'est lui qui lui avait proposé de l'accompagner, elle avait dit oui tout de suite, sans savoir si c'était par audace ou par faiblesse.

Parfois on croit s'intéresser aux autres alors qu'on ne fait que s'en servir. Sans doute qu'elle se mentait, bien sûr qu'elle se mentait, mais pour elle le bénéfice était immense. En allant à ce rendez-vous avec Ludovic, elle se disait que sa présence la rassurait, qu'il l'aiderait peut-être, par son métier il avait l'habitude des situations embarrassantes, de flairer les coups tordus. Mais surtout, en lui demandant de venir, sans se l'avouer elle légitimait la présence de cet inconnu dans sa vie, si un jour on les surprenait à se parler dans la cour de l'immeuble ou ailleurs, elle ne serait donc pas avec un parfait étranger, ni un probable amant, mais avec l'homme qui lui donnait un coup de main.

— Aurore, tu as peur ?

— Peur de quoi ?

Depuis qu'ils avaient quitté le parking de la Bastille, Aurore s'agrippait à la poignée au-dessus de la vitre passager, elle s'y accrochait comme s'il y avait un danger.

— Les suspensions sont rudes, ça secoue un peu sur les pavés, c'est ça ?

— Non, non, elle est très bien ta voiture, elle est juste un peu, enfin pourquoi t'as pris une voiture si petite ?

Ludovic ne voulait pas dire que c'était la Twingo de sa femme, que cette voiture avait une histoire et qu'il ne réussissait pas à s'en défaire. La Twingo il la gardait aussi parce qu'elle était pratique, il ne l'utilisait jamais à Paris, sinon quelques rares soirs pour aller boire une bière avec des collègues dans des quartiers où ça bouge. Pour l'essentiel il s'en servait pour descendre chez ses parents, faire les six cents kilomètres d'autoroute, fenêtre ouverte, coude sur la portière, parce que avec l'air qui s'engouffre et le boucan que ça fait il était sûr de ne jamais dépasser les cent trente. Rouler la vitre ouverte c'était pour lui l'assurance de ne pas dépasser les limites. Il se connaissait, avec une voiture puissante ç'aurait été trop tentant de se lancer sur le bitume des autoroutes offert en pleine nuit, d'enflammer les injecteurs, les vrais impulsifs sont ceux qui savent se dominer, c'est ce qu'ils se disaient au rugby, chaque fois que l'un d'eux pétait les plombs. Il devait sans cesse dominer cette envie de taper dedans, que ce soit avec l'alcool, un volant, une moto, tout ce qui grise, il fallait qu'il gère. Quand pendant quinze ans on a pratiqué un sport de contact, un sport où depuis l'enfance on touche l'autre et on l'empoigne, un sport où on le prend à bras-le-corps, où on le percute, c'est dur d'arrêter du jour au lendemain, d'un beau jour se mettre à ne plus toucher, à ne plus heurter, à canaliser toute l'énergie qu'on mettait là-dedans, même à quarante-six ans le problème pour lui c'était toujours de gérer l'influx, de déjouer l'agressivité et surtout d'éviter tout ce qui aurait servi à compenser, que ce soit l'alcool ou la bouffe, la tentation de défier.

Aurore se laissait conduire. Quand elle était à l'arrière du scooter de Richard, elle ne se sentait jamais à l'aise, surtout qu'il zigzaguait sans arrêt et que le casque isolait de tout, des bruits, des odeurs, tout s'éteignait. Ludovic ne roulait pas vite, il avait des gestes précis, pas d'à-coups.

— On ferait peut-être mieux de dire que t'es un ami, un ami qui m'accompagne ?

— Tu sais, j'imagine que ce type n'est pas né de la dernière pluie. Ne t'en fais pas, présente-moi comme un conseiller, un conseiller extérieur et ça passera, il ne va pas non plus me demander un CV !

Il avait plu toute la nuit, évidemment ça roulait mal. La rue de Rivoli se déroulait comme une lave pesante faite de résignés qui se mettaient en retard, mais une fois à Concorde, pile dans l'axe des Champs-Élysées, il y eut une éclaircie étonnante tout là-bas. Au bout de l'horizon les gratte-ciel sortaient des nuages, le soleil dardait sur ces myriades de vitres, ça répercutait des éclats sidérants, les tours de La Défense dressées comme des poignées d'épées scintillantes. La Défense, c'est une tout autre ville, irréelle et droite, Aurore avait horreur de cet endroit, la simple idée d'aller là-bas la démoralisait, seule elle n'y serait jamais arrivée. D'autant que Kobzham était dur, il était sûr de sa force, ne faisait pas de cadeau. Avec plus de deux cents boutiques et corners un peu partout dans le monde, il se savait incontournable, pour Aurore c'était son unique vraie porte d'entrée sur le marché asiatique, le seul problème c'est que depuis plus de trois mois il lui devait quatre-vingt-douze mille euros.

Elle savait que Kobzham ne se laisserait pas impressionner par la présence de Ludovic, simplement elle ne voulait plus qu'il la prenne pour une conne, une conne qui avance mille deux cents pièces payables à quatre-vingt-dix jours, une parfaite oie blanche qui fait confiance et se livre pieds et poings liés, c'est ce qui la minait le plus, d'avoir été prise pour une conne, une proie facile et de ne même pas pouvoir le dire en face. Au moins avec Ludovic elle se sentait de le faire, puisque Fabian n'était pas clair sur ce coup, qu'il ne voulait plus qu'on lui parle de ce Kobzham.

Une fois dans les profonds parkings tout s'inversa. Aurore se demanda, en traversant ces sous-sols peuplés de voitures dormantes, si elle ne commettait pas une énorme connerie, mais c'était trop tard. Ludovic ne disait plus rien, il était toujours bien là, mais froid, ou concentré, elle ne savait pas. Après tout elle ne le connaissait pas cet homme, elle le connaissait encore moins que Kobzham. Autant avec Kobzham c'était clair, c'était un malin, un affairiste, le genre de distributeur incontournable avec qui entrer en affaires suppose d'en payer le prix, autant elle ne savait pas qui était vraiment Ludovic, à ce jour elle ne le savait pas, ni quel risque elle prenait en le mêlant à son business. Ils appelèrent l'ascenseur, il mit un temps fou à venir, Ludovic lui souriait mais sans un mot. En montant dans la cabine elle lui prit la main. Elle eut l'image d'Iris et Noé qui depuis l'accident du chauffe-eau lui parlaient souvent de ce voisin, ils le voyaient comme un sauveur, un doux géant, ils lui demandaient quand est-ce qu'il reviendrait les voir, signe qu'eux d'instinct ils l'avaient adopté, qu'eux ils ne s'en méfiaient pas.

Si Ludovic était venu à ce rendez-vous, c'était surtout pour être avec elle, pour l'insolite de ce moment volé. En même temps il voulait réellement voir la tête de ce type, voir si c'était l'ordure qu'elle lui décrivait, ou juste un revendeur avec lequel elle aurait dû se verrouiller davantage, assurer sa marchandise et ne pas jouer la confiance.

Le mouvement de l'ascenseur était onctueux, bizarrement il s'arrêtait tous les deux étages. Chaque fois il n'y avait personne, et il repartait vers l'étage 42. À l'entrée des bureaux s'ouvrait un large accueil, très vaste, où pas moins de trois assistantes siégeaient derrière un comptoir. L'une d'elles les fit entrer dans la salle d'attente, une pièce immense au décor néoromain plutôt pompeux, de mauvais goût, mais offrant une vue incroyable sur tout l'Ouest parisien par où s'évacuait l'orage. Ludovic était impressionné par ce luxe inhabituel, rococo peut-être, mais impressionnant. Au mur il y avait une étrange mappemonde dessinée à l'encre de Chine, prétendument ancienne, l'étrangeté c'est que l'Asie était au centre et la France à la marge, en haut à gauche, reléguée à l'autre bout du monde. Visiblement cette société occupait tout l'étage. Pour le coup il ne savait plus où il mettait les pieds, il avait repéré les deux caméras au-dessus du comptoir d'accueil, de toute évidence cet homme avait de l'envergure, si c'était un salaud c'était un salaud de grande envergure. Il eut un instant de flottement, surtout qu'il n'était pas mandaté, qu'il n'avait rien à faire là, sinon donner un coup de main à cette femme trop jolie qui lui prenait de nouveau la main, cette femme au regard fascinant, il était chamboulé par ce regard, par ces yeux noirs étonnés qui papillonnaient tout en continuant de le fixer, des yeux qui le visaient puis se portaient ailleurs, qui lui échappaient, comme s'ils étaient parfaitement loin, deux papillons agiles et doux qu'il avait envie d'attraper.

Ils s'assirent sur le grand canapé. Aurore était à quelques centimètres de lui sur ce cuir profond, il contempla ses jambes qui luisaient sous le nylon de ses collants, des collants chair qui remontaient vers le mirage d'une ombre, une jupe rendue encore plus courte par la position assise, comme tout à l'heure dans la voiture, et ce même effort qu'il faisait à tout moment pour ne pas y poser la main, ne pas effleurer ses cuisses fermes et fines dont il connaissait le goût, les jambes embrassées qu'il avait encore en tête, il avait le goût de son sexe sur le bout des lèvres, sa fine saveur de mangue, ses lèvres en pulpe de kaki, en la sentant aussi

près de lui, il eut envie de plonger sa tête dans son
cou, de la mordre à même son parfum, de goûter sa
peau. Elle se redressa pour le regarder en face, elle lut
en lui tout ce qu'il pensait, mais ce n'était pas le
moment.

Au bout de dix minutes, on n'était toujours pas
venu les chercher. Ludovic se leva, il avait envie de
fumer, de bouger, de faire quelque chose. Rester assis
auprès de cette femme, cette femme qu'il voyait si peu,
rester là sans pouvoir s'étreindre ni se toucher, c'était
un supplice. Il suffisait que leurs regards se croisent
pour que le trouble les saisisse. Aurore lui fit signe de
se rasseoir, elle lui tendit la main, ils se serrèrent fort,
jusqu'à se faire mal, tout ça pour éviter de se prendre
là, sur ce canapé opulent et profond. Ludovic évitait
de la regarder, et pourtant cette main qu'elle tenait,
il la lui glissa entre les jambes, entre ses cuisses qu'elle
gardait sagement croisées, il enfonça sa paume dans
l'ombre totale et douce, cette texture chaude et fasci-
nante, et là il eut l'audace de glisser son index jusqu'à
la couture du collant, au pli de l'entrejambe, c'était
impossible de résister à ce qu'il surprenait de sa culotte,
à ce qu'il ressentait de son sexe ardent, elle le fixa droit
dans les yeux, puis renversa la tête en arrière en des-
serrant un peu ses jambes, alors il engouffra son avant-
bras sous sa jupe, et sans un mot il lui empoigna le
sexe à pleine main, d'un geste rond et sauvage, elle
en sursauta d'une suave douleur, elle attrapa à deux
mains l'avant-bras de cet homme comme pour le
contenir, cette fois elle le retenait, elle contenait cette
stature ferme et souple dont elle faisait ce qu'elle voulait, cet avant-bras elle l'agrippa comme pour le retenir

en elle, cet homme elle voulait le ressentir au plus profond, elle voulait qu'il vienne par l'effraction la plus totale, qu'il introduise quoi que ce soit de lui dans son ventre, elle voulait de nouveau tenter ses muscles puissants, le plus excitant c'était qu'elle savait cet homme capable de ça, de la prendre là, de tout abolir autour d'eux et de lui faire l'amour comme si le monde n'existait pas, elle l'avait bien compris, il était pudique mais capable de tout, alors elle laissa sa longue main s'échauffer sur le nylon de son collant, elle écarta plus encore ses jambes pour que le poignet de cet homme ne se torde plus, que sa main puisse librement caresser tout le tour de son sexe, du bout des doigts il essayait de perforer le nylon, il essayait de passer l'index mais il n'y arriverait pas, elle s'en amusait, quelques grammes de nylon faisait obstacle à ce colosse, alors il eut cette folie pure, de se pencher vers elle, de plier son long torse pour se placer en face, elle le vit fondre sur elle en animal sauvage, carrément à genoux il plongea sa tête entre ses cuisses, il était fou, ça l'affolait, elle jeta un œil sur cette porte qui ne s'ouvrait toujours pas, priant pour qu'elle ne le fasse pas, elle aurait pu le repousser mais déjà sa bouche avait trouvé son sexe, au travers du tissu il embrassait ses lèvres comme on mord dans une orange, le bruit de succion rendait le fruit encore plus juteux, il était fou, et elle était prisonnière d'elle-même, le regard rivé sur cette porte, le corps capté par cette entrave totale, sensuelle, de ses mains il lui empoignait facilement les cuisses et les tenait écartées, soumises, elle ne pouvait plus bouger, et cette bouche lui faisait tellement de bien, ses lèvres qui luttaient contre le nylon du collant, ses lèvres à lui, la chair la plus tendre de cet athlète au corps dense et aux gestes imprévisibles, cette bouche contre son sexe, deux douceurs surprenantes, perdues dans cette masse ardente d'ombres et de textiles, deux douceurs dont elle avait encore le goût, elle les voulait là ses lèvres, sur les siennes, elle prit sa bouche d'abord, elle se baissa pour le rejoindre, ils étaient tous deux au pied du long canapé noir, à genoux sur le tapis épais avec Paris répandu derrière eux, en fermant les yeux Aurore pensa de nouveau très fort à cette porte, que surtout elle ne s'ouvre pas, alors que lui, il n'avait pas l'air de s'en préoccuper, à croire que ça ne l'aurait pas gêné qu'on les surprenne dans cette position-là, une position impensable, c'est à ce genre de folie que cet homme-là la convoquait, c'est dans cette folie qu'il promettait de l'embarquer, une inconscience à laquelle elle avait envie de se vouer.

Soudain, il y eut des bruits de l'autre côté, le claquement d'une porte dans les bureaux, des voix, des gens qui parlaient, Ludovic se rassit instantanément sur le canapé, Aurore avait les jambes qui flottaient, quand elle se releva pour défroisser sa jupe, la tête lui tournait, sans bouger Ludovic lui prit le bras et la guida pour se rasseoir. Elle le regarda, stupéfaite, elle le fixa avec l'envie de lui dire « Mais qu'est-ce que tu m'as fait ? ». Il se contenait, il poussait juste de courtes expirations comme un sauteur en longueur prend sa respiration avant son saut, il ne voulait rien en montrer mais il était secoué, d'ailleurs il se leva d'un bond quand la porte s'ouvrit, Kobzham apparut face à eux, Aurore sentit chez lui l'effet de surprise, il s'attendait à tomber sur elle mais certainement pas sur ce type, d'emblée ça le dérouta, pour une fois il réprima ce faux sourire dont il enrobait tout, il eut juste le réflexe cocasse de leur demander en s'adressant à Aurore :

— Vous êtes ensemble ?

— Je veux juste que vous me disiez simplement les choses, ces mille deux cents pièces elles sont vendues ou pas ?

— Ma chère Aurore, vous savez bien qu'avec nos amis chinois, ce n'est pas aussi simple, ils ne pensent pas comme ça...

— La question de madame Dessage est pourtant claire, en tant que distributeur vous vous êtes engagé sur six cents robes, deux cent cinquante tailleurs et trois cent cinquante bustiers, la question est : ces pièces ont-elles été vendues ou pas ?

— Écoutez, vous, je ne vous connais pas, mais je peux vous dire que vous commettez une grossière erreur, vous raisonnez en Occidental. Avec les Chinois ce n'est pas « vendu » ou « pas vendu », ce n'est pas « blanc » ou « noir », pardon de vous le dire mais vous êtes complètement à côté de la plaque... Et d'abord vous avez une carte ?

— Quelle carte ?

— Une carte de visite, ça se fait quand on débarque comme ça chez les gens, on se présente...

Sans se lever, Ludovic attrapa une feuille blanche et un stylo sur le bureau de Kobzham, puis en grosses lettres il écrivit dessus, « Ludovic Barrère ».

— Tenez, si ça peut vous rassurer.

Kobzham ne réagit pas. Il plia la feuille que Ludovic venait de lui tendre, d'abord en quatre, puis dans un format toujours plus petit, comme s'il s'efforçait de la réduire au maximum. Aurore reprit ses questions sur le dispatching de ses marchandises, mais Kobzham ne donnait pas d'explications, se contentant de dire que tout avait été vu avec Fabian, que c'était lui son interlocuteur et que par principe il n'en changeait jamais. Puis il noya le poisson en évoquant les restructurations de son réseau en Asie, depuis le mois de juin son frère pilotait le pôle de distribution depuis Hong Kong et bientôt ils se lanceraient dans la production sur place en acquérant des parts dans des entreprises chinoises, il fallait profiter qu'elles soient en difficulté pour s'y introduire, il digressait, ne parlant plus des mille deux cents pièces, comme s'il cherchait à montrer qu'il tenait cette commande-là pour dérisoire, que l'avenir se situait bien au-delà.

Quand Aurore lui avait raconté cette histoire, Ludovic avait tout de suite pensé à une grossière manœuvre, le distributeur qui fait des jeux de trésorerie en payant ses clients avec six mois de retard, mais là, en réalisant l'ampleur du bonhomme et de ses bureaux, des bureaux à la même adresse que le siège d'une compagnie d'affrètement et d'exploitation de conteneurs, boîte dans laquelle il devait avoir des parts, ce qui lui ouvrait toutes les portes pour s'affranchir des droits de douane, et pourquoi pas pratiquer le carrousel de TVA.

Ludovic savait que ce type ne se démonterait pas, en plus d'avoir toutes les cartes en main il avait la marchandise, sa position de force était totale. Il commençait à flairer une embrouille beaucoup plus sophistiquée, se demandant si Fabian n'avait pas cédé outre mesure dans la négociation, s'il s'était fait bouffer, à tel point qu'il ne voulait plus affronter cet homme-là. En même temps il trouvait bizarre que ce Kobzham, bien que débiteur et juridiquement en faute, ne se démonte pas face à Aurore, il n'essayait même pas de prétexter des problèmes ou des contretemps, au contraire, il avait l'assurance de celui qui a la maîtrise de tout. L'espace d'un instant, Ludovic se demanda si Fabian et ce type n'étaient pas de mèche, s'il n'y avait pas une autre embrouille là-dessous.

Kobzham, la soixantaine triomphante dans son costume trois pièces, trônait face à eux derrière son grand bureau, une table en verre sans aucun dossier, nette, transparente. Tout dans son dispositif était savamment pensé pour le rendre imposant, sa silhouette se découpait sur la vaste baie vitrée, il plastronnait devant une surface sans murs ni montants, on avait l'impression de le voir flotter, suspendu dans le ciel, telle une divinité. Au-delà des vitres il y avait une vue incroyable sur Paris, un panorama imprenable qui enveloppait cet homme de l'illusion parfaite de dominer le monde.

— Tout de même, quand je vois vos bureaux, votre professionnalisme, j'ai du mal à croire que vous ne sachiez pas à la seconde près si telle ou telle pièce est vendue ou pas. Ou alors vous avez eu un problème de conteneur, ou des revendeurs indélicats, et vous n'osez pas le dire, on peut tout envisager à présent, puisque vous avez madame Dessage en face, le plus simple ce serait de lui dire la vérité.

— En Chine la vérité ne prévaut pas... Jamais !

— Là on est en France, pas en Chine, ça fait six mois que vous avez passé cette commande, la question est simple : vous la payez quand ?

— Je ne parle jamais d'affaires avec un homme qui porte des baskets.

Ludovic prit cette remarque comme un coup de poing, une remarque qui le renvoyait au complexe global qu'il nourrissait face aux Parisiens, ça le mettait en porte à faux, en un sens c'est vrai qu'il n'avait rien à faire là, qu'il était ici hors de tout cadre. D'ailleurs, à partir de là, Kobzham fit exprès de ne parler qu'à Aurore, même quand Ludovic lui posait une question, il regardait Aurore et lui répondait à elle.

— Écoutez ma petite Aurore, je vous le rappelle, moi je suis distributeur, pas votre agent, je me suis engagé dans un vrai partenariat dont les modalités ont été clairement définies avec votre associé, maintenant je vais vous dire, si vous n'êtes pas au courant de ce qui se passe dans votre propre entreprise, alors là ma petite Aurore, désolé mais je ne peux rien pour vous.

— En clair ça veut dire quoi ?

— Vous, je ne vous parle pas.

— Ça tombe mal parce que j'ai deux ou trois petites choses à vous demander.

— Je n'ai rien à vous dire, monsieur...

— Alors je vais le dire à votre place, moi ce que je vois c'est que depuis six mois, madame Dessage attend le règlement d'une marchandise payable à quatre-vingt-dix jours, une marchandise même pas cofacée que vous distribuez dans des boutiques en Chine et à Taïwan, seulement en faisant ma petite enquête, j'ai découvert comme par hasard que le groupe qui exploite ces boutiques a déposé le bilan... Dans ces conditions, cette marchandise est où ? Qui nous dit qu'elle n'est pas déjà passée dans les enseignes d'un autre groupe, un groupe derrière lequel, si on fouillait un peu, on vous retrouverait, vous...

— Non mais vous insinuez quoi, que j'étouffe de la marchandise, c'est ça... ?

— Vous ne voulez pas répondre, je suis bien obligé de m'en tenir aux hypothèses.

— Aurore, méfiez-vous de vos nouveaux amis, ils pourraient vous attirer des ennuis.

Aurore, bien que follement en colère contre Kobzham, demeurait calme. Elle avait horreur que le ton monte et se savait prise entre deux feux. Comme si de rien n'était Kobzham se prépara un cigare, qu'il alluma longuement, sans un mot, en le contemplant. Aurore s'en voulait d'avoir mêlé Ludovic à cette histoire. Kobzham avait toujours été courtois, seulement il ramenait toute relation de business à une histoire de complicité humaine, faussement chaleureuse, pour mieux enrober l'autre, sauf qu'aujourd'hui il fallait que ça cesse, aujourd'hui elle voulait le faire payer, déjà lui faire payer ces quatre-vingt-douze mille euros parce que c'était vital pour sa boîte, et puis aussi lui faire payer le fait de la balader comme une gamine depuis des mois, lui faire payer sa morgue, à force elle se sentait flouée, tachée, humiliée par la sensation poisseuse de s'être fait avoir.

— Monsieur Kobzham, on va faire simple : à ce stade-là Aurore Dessage, la « marque » comme la personne, ne vous demande pas quand vous allez la payer, mais de la payer maintenant.

— Tu sais, mon grand, je vois que t'es nouveau dans le business, mais si un jour t'arrives à caser tes produits chez Colette ou chez Harrods, ou même chez Joyce à Hong Kong, ce qu'entre parenthèses je te souhaite, sache qu'eux c'est pas à quatre-vingt-dix jours qu'ils te payeront, mais à trois fois plus, ils te payeront à un an, à un an tu m'entends !

— Première chose, je ne suis pas ton grand, et deuxièmement, même à un an, eux au moins ils payent... Eux leur truc, c'est pas d'étouffer la marchandise pour l'écouler en douce, parce que pour faire ça il ne suffit pas d'être en position de force, faut juste être un enfoiré.

Kobzham se leva d'un bond, rejetant le cigare à côté du cendrier.

— Mais t'es qui, toi, pour me parler comme ça ?

Ludovic se leva à son tour, et ils restèrent tous deux debout, devant leur siège, sans en faire plus.

Alors Aurore se leva aussi et tira Ludovic par la manche pour qu'il se rasseye.

— Non, Jean-Louis, Ludovic, attendez, on va tous se calmer...

— Aurore, je ne sais pas avec qui vous travaillez, mais je vous croyais plus raffinée, méfiez-vous, Aurore, à Paris le monde est petit. Vos nouvelles méthodes me déçoivent beaucoup.

— N'inverse pas les choses, c'est toi qui la plantes !

— Non, Ludovic, attends...

— Si vous croyez m'impressionner en venant avec un nervi, parce que lui il joue à quoi, vous croyez peut-être qu'il me fait peur ?

— Non, Jean-Louis, si je suis venu avec Ludovic c'est parce qu'il nous épaule sur les dossiers chauds.

— Eh bien, vous allez vite vous brûler comme ça, je vous préviens... Vous voulez quoi, vous couper de l'Asie, c'est ça ?

— Je suis pas venu là pour parler de l'avenir de l'Asie mais de quatre-vingt-douze mille euros...

Ludovic avait balancé ça avec une férocité froide et en flanquant un coup de poing sur la table, un geste qui l'avait dépassé.

Kobzham pivota sur son fauteuil pour leur tourner délibérément le dos. On entendait plus que le léger ronron de l'air conditionné, comme un apaisement de circonstance, mais provisoire, ne pouvant déboucher que sur une nouvelle confrontation. Ludovic rompit le silence d'une voix posée.

— Alors, c'est quoi votre petite combine avec Fabian ?

— Aurore, vous pourriez me laisser deux minutes avec votre ami ?

— Non, c'est Aurore la gérante et si vous avez quelque chose à dire c'est à elle qu'il faut le dire...

Kobzham se retourna sèchement et, dominant Ludovic du regard, il lui lança :

— J'ai deux mots à te dire à toi, en tête à tête, ça te fait peur ?

— Je ne fais qu'accompagner Aurore, on reste tous les deux.

— Tu vas nous faire le coup de l'amoureux transi, à ton âge épargne-moi ça !

Il contourna son bureau et s'approcha d'Aurore pour la raccompagner vers la porte.

— Aurore, j'ai juste une chose à dire à votre ami, une seule, et j'aimerais mieux lui dire en tête à tête si vous le permettez.

Aurore, salie par la tonalité soudaine de ce rendez-vous, sortit du bureau sans hésitation. Kobzham se rassit, les mains jointes il soutint le regard de Ludovic qui le fixait, montrant ainsi qu'il ne se laisserait pas impressionner. Après un long silence, il lui demanda calmement :

— Qu'est-ce que tu fous avec une fille pareille... ?

Ludovic n'avait pas anticipé cette flèche et ne répondit pas.

— Tu t'es vu avec ton blazer d'amiral de croisière et ta chemise à deux balles ? Avec tes baskets et ton jean, tu crois une seule seconde que t'es à la hauteur ? Maintenant si tu veux me faire croire que tu travailles dans la mode, alors là t'es à côté de la plaque, même une ballerine de huit ans verrait que t'as jamais foutu les pieds dans un atelier de couture...

— Et alors ?

— Et alors, tu vois pas que cette femme se sert de toi ? Je te connais pas, bonhomme, mais je t'ai pigé tout de suite, t'es un tordu comme moi, un malin, seulement toi t'es bas de gamme, toi tu ne vois pas loin...

Ludovic prit le parti d'écouter ce type sans broncher, pour se rendre compte de jusqu'où il serait capable d'aller.

— T'es pas à la hauteur, mon vieux, regarde-toi... Tu penses vraiment qu'elle va s'enticher d'un type comme toi, t'as l'air d'un plouc, elle est bien au-dessus de ton profil, elle te mène par le bout du nez et crois-moi que tu vas morfler, garçon...

— C'est pas la peine de changer de sujet, si je suis là, c'est juste pour faire le ménage dans ses affaires...

— Parce qu'en plus tu me prends pour un con... On est d'accord, tu me prends pour un con ? Tu veux me faire croire que tu bosses avec elle, alors que moi je sais que tu la baises et que j'en ai même la preuve ? Donc, tu me prends pour un con, pas vrai, du coup on est à égalité, pas vrai ?

Ludovic ne laissa rien paraître mais il accusa le coup, cet homme les avait peut-être vus dans la salle d'attente, à présent c'est lui qui flottait dans ses repères.

— Je vais te dire, Ludovic Barrère, je te souhaite une chose, c'est de ne plus jamais entendre parler de moi, d'accord, de ne plus jamais me revoir, parce que je te préviens, ta petite démarche à la con ça relève de l'intimidation, de la menace, et même de l'usurpation de fonction...

— Ben voyons, et pourquoi pas de chantage et d'extorsion de fonds... ?

— Tu ne crois pas si bien dire... T'as sans doute débarqué dans mon bureau en pensant que t'allais me secouer, mais là, mon grand, t'as fait une lourde erreur, t'as vu les trois assistantes dans l'entrée, t'as remarqué qu'elles prennent les noms des visiteurs et qu'il y a deux caméras derrière elles, alors je vais te dire une chose, si ce soir je me casse un ongle ou si demain je glisse dans l'escalier, je dirai que c'est toi, t'as pigé, tentative de menace et de coercition, tu regarderas dans le code pénal, rien que pour ton petit numéro d'intimidation, là, je peux te coller une bordée d'avo-cats et te faire cracher ton SMIC jusqu'à la retraite, tu m'entends, et crois-moi que si dans quinze jours je me fais un bleu ou je me fais mordre par mon chien, je te jure que je dirai encore que c'est toi... Je te casse si je veux, je te casse.

En retrouvant l'air libre à la sortie du parking, Aurore ne se sentait pas de retraverser tout Paris. Pas tout de suite. Des rendez-vous tendus elle en avait déjà connu, avec des fournisseurs ou des banques, de ces réunions électriques où l'on se dit que l'avenir de l'entreprise ne tient qu'à un fil, elle en avait déjà vécu des pics de tension, mais jamais à ce point. C'était le pire de sa vie, une empoignade dont la brutalité l'avait atteinte, elle se sentait blessée, humiliée, d'autant qu'elle l'avait vécue en présence de cet homme, cet homme qu'elle venait de rencontrer et qui la découvrait sous son plus mauvais jour. De s'être retrouvés tous deux piégés dans ce bain de férocité, elle se disait que ce n'était pas bon signe, ça ne leur porterait pas chance.

Au niveau du bois de Boulogne, elle le guida au travers des larges avenues forestières que Ludovic ne connaissait pas, jamais il n'était passé par cette partie de Paris où les arbres remplacent les immeubles. En débouchant d'un carrefour elle lui dit de se garer devant La Grande Cascade, il était dix-sept heures, « l'heure du thé ». Dans les vastes salons, les tables étaient dressées de nappes blanches, il n'y avait quasiment personne. Au fond de la salle, des ouvriers s'affairaient pour installer les décorations de Noël. Ludovic découvrait ce luxe un peu daté, un rétro tout en dorures et en tentures rouges. Des grandes verrières et des terrasses fabuleuses donnaient sur la végétation, on se serait cru dans un pavillon doré perdu au fond des bois. Il regardait ça comme un monde à part, un mirage que des employés décoraient de guirlandes de boules et de branches de sapin, d'un coup ils étaient très loin de La Défense.

Le maître d'hôtel les guida vers une des tables à l'autre bout de la salle, près des verrières. Ludovic jeta un œil à la toile délavée de ses baskets, il repensa à la remarque de Kobzham… Ce salaud était arrivé à lui refiler le complexe de classe, cette insinuation n'aurait dû que l'effleurer, pourtant elle le poursuivait. Il marchait derrière Aurore, se demandant qu'elle était la bienséance en la matière, être devant ou derrière, il la suivait en la fixant, son manteau de fine peau lui corsetait subtilement la taille, sa silhouette flottait entre les nappes blanches, son étole de fourrure épousait le mouvement de ses cheveux, il suivait ce parfum vivant, une fois assis il se tourna vers l'immense miroir où ils se reflétaient, c'est vrai que tout les séparait.

— On est bien là ?

— Oui.

Il n'avait jamais entendu parler de ce restaurant, ne savait même pas qu'un tel endroit existait en plein Paris, en plein Paris et en plein bois. Il le confia à Aurore, évacuant ainsi un léger sentiment de honte. Il avait l'impression qu'il n'en finirait jamais de découvrir cette ville, chaque quartier était un Paris différent, il y avait autant de Paris que de stations de métro. Vue de loin Paris lui semblait une entité écrasante, la capitale d'où tout se décide, d'où les journalistes disent d'une manif qu'elle partira de la place de la République, comme s'il n'y en avait qu'une en France. Il n'en ferait jamais l'aveu, Paris le complexait, et ce d'autant plus maintenant qu'il y habitait.

Aurore se lança dans une évocation nostalgique de l'endroit. En l'écoutant, Ludovic découvrait une enfance à mille lieues de la sienne, gamine elle venait souvent ici avec ses parents et ses sœurs, son père jouait au polo, elle lui parla d'une piscine juste à côté, des écuries, de fêtes ici même, Ludovic se projetait des tas d'images d'un luxe entrevu, une fois encore remonta en lui la remarque de l'autre salaud, il n'avait rien à voir avec cette femme, il jeta un nouveau coup d'œil dans le miroir, c'est vrai qu'ils n'étaient pas assortis, cet enfoiré de Kobzham l'avait contaminé de cette évidence. C'est cinglant de réaliser que quelqu'un n'est pas pour soi, qu'on y a pas droit. Il se jura que Kobzham le paierait, en plus de la duplicité évidente de l'homme, ce type l'avait atteint en lui fourrant dans la tête qu'il n'avait rien à faire avec Aurore, elle qui esquissait à cet instant un geste vers lui, elle posa sa fine main blanche sur son poing fermé, son poing serré, lourd comme une pierre.

— T'es sûr que ça va ?

— Oui, tout va bien.

Ils se perdirent un temps dans le même silence. Dehors, un camion manœuvrait vers le restaurant, avec un immense sapin sur la plateforme. Aurore, la main toujours posée sur ce poing fermé, commença de le caresser, puis elle ouvrit ce poing, elle l'amadoua comme un chat rebelle qu'il s'agirait d'adoucir, Ludovic regarda cette longue main douce dans la sienne, une main aux doigts fins. Il lui offrait sa paume ouverte, une ample paume sur laquelle elle passait des doigts de porcelaine, des doigts qui jouaient comme des enfants faisant des galipettes, elle entortillait gracieusement l'espace, ça lui faisait venir des frissons, à elle, à lui aussi, ils ne se disaient rien, il y avait de la gêne derrière tout ça, ils venaient d'essuyer leur premier échec. Aurore se jurait en elle-même d'arrêter les frais, d'éviter le conflit, jamais elle ne prendrait le risque d'attaquer Kobzham de front, de se brouiller avec qui que ce soit. Au pire elle lui concéderait une remise, elle était prête à tout laisser tomber, à accepter de s'être fait avoir et à passer à autre chose, une solution profondément humiliante et suicidaire pour la boîte, il lui restait quinze jours pour boucler les comptes, trouver les cent cinquante mille euros pour sortir du rouge, mais là elle n'avait plus envie de réfléchir à tout ça, elle continuait de passer sa main dans cette paume coriace, elle l'admirait en un sens, récupérer l'argent chez ceux qui vous le doivent est un métier, un métier glauque, pas loin d'être déshonorant, et pourtant il lui était vital, cet argent, tout comme son métier dans le fond, elle se heurtait de plein fouet à cette réalité.

— Tu m'en veux ?

— De quoi ?

— De mes problèmes. D'habitude je n'en parle jamais autour de moi, à personne, alors ça m'a fait du bien que tu sois là.

— Au moins maintenant tu sais qui est vraiment ce type.

— Je m'en doutais un peu.

Elle se retenait d'en dire plus, de lui parler de ce papier bloqué dans l'imprimante, de ces soupçons qu'elle avait sur Kobzham et sur Fabian, ce coup fourré qu'ils lui préparaient peut-être, elle n'était sûre de rien, elle ne voulait pas que Ludovic s'enflamme davantage, contre Fabian cette fois...

— Mais dis-moi, tu peux faire une croix sur quatre-vingt-douze mille euros ?

— Non, surtout pas en ce moment, mais je ne veux plus voir ce type, je ne veux plus avoir affaire à lui, je vais laisser tomber. Je crois que j'ai peur.

— Peur de quoi ?

— Je ne sais pas. De tout. Tout me fait peur, tout m'inquiète.

Ludovic voulut répliquer, elle ne lui en laissa pas le temps.

— Je ne suis pas faite pour ça. Je crois que je ne suis pas faite pour gagner. Plus j'ai de possessions et plus j'ai peur de perdre, tu vois j'ai toujours peur qu'il arrive quelque chose à mes enfants, à mon mari, à moi, et même à toi maintenant... Je ne devrais pas te le dire, mais je suis fragile, enfin je crois.

— Mais Aurore, elle est belle ta marque, en dehors de ce connard tout le monde te respecte, c'est une force, ça...

— La mode, c'est un petit milieu. Tant que tout va bien tout le monde te veut, la presse, les acheteurs, les clients, tout le monde te trouve géniale, on se bouscule pour être au premier rang de tes défilés, mais à la première faiblesse on te lâche.

— Attends, là, c'est juste un embrouilleur qui cherche à te planter, tu ne vas quand même pas te laisser faire, et surtout pas par lui, faut pas hésiter à lui rentrer dedans, Aurore, faut lui rentrer dedans sans scrupule, c'est un gros poisson !

— Justement, faut pas y toucher parce que c'est un gros... Les gros, personne n'ose leur faire d'histoires. C'est pour ça qu'ils sont gros.

Ludovic prit cette réflexion pour lui, comme si elle sous-entendait que de faire payer les petits débiteurs, passer sa vie à régulariser des dettes de ménage, c'était dérisoire et absolument pas noble.

— Moi j'ai juste envie de dessiner des vêtements, tu comprends, pas de me battre... Être styliste, c'est rentrer dans un business, chiffrer, toujours chiffrer, au départ j'avais pas envie de ça. Je voulais juste faire des vêtements, des vêtements qui touchent, tu vois ce que je veux dire, des vêtements qu'on considère comme faits pour soi, une écharpe qu'on a tricotée pour toi, tu ne la portes pas de la même façon qu'une écharpe achetée chez Zara, y a de l'émotion dedans, je ne sais pas comment dire ça...

La main abandonnée dans celle de cet homme, Aurore se sentait vaincue, découragée, au bord d'elle-même, elle avait envie de tout arrêter, de ne plus faire semblant d'être une patronne, ça lui faisait trop mal que sa boîte se plante, c'était comme voir un môme qui ne guérit pas, le même sentiment d'impuissance, on est dépassé, on y peut rien, tout le monde se détourne, c'est totalement paniquant. Alors le double jeu de

Fabian, elle ne voulait même plus y penser, ne même pas se l'avouer, ça lui ferait trop de mal de se dire que l'ami d'hier faisait tout dans son dos pour la dézinguer.

Par la verrière elle voyait les arbres au-dehors, les châtaigniers avaient perdu leurs feuilles, elle se dit qu'elle avait de nouveau deux corbeaux face à elle, deux nuisibles, Fabian et Kobzham. Elle sentait la main solide de Ludovic qui entourait la sienne.

Les deux serveurs arrivèrent, empressés, ils s'excusèrent du retard, c'était à cause du sapin, Ludovic les avait vus donner un coup de main pour descendre le long arbre du camion. Dans une chorégraphie parfaite ils déposèrent tout un arsenal de tasses à thé, de couverts en argent et de petites assiettes de gâteaux. Aurore ramena sa main à elle. Une fois les serveurs repartis, Ludovic redistribua tous les éléments qu'ils venaient de poser, les tasses, les sachets, les cuillères, les pots de lait et les assiettes de gâteaux, un dispositif étonnamment complexe qu'ils avaient inversé. Aurore le regardait faire. Il avait des gestes lents, sûrs, il empoignait fermement toute chose, clarifiait la table, servit Aurore en eau chaude, prit le pot de lait à pleine main, la théière bouillante il l'attrapa par le dessus, sans broncher. On révèle beaucoup de soi dans la façon qu'on a de saisir les objets, chez lui on avait chaque fois la sensation d'un geste assuré, la certitude que la prise était ferme. Ils ne se parlaient plus. Aurore s'aperçut qu'elle n'avait pas rallumé son portable, depuis deux heures il était coupé, jamais elle ne se déconnectait aussi longtemps. Elle pêcha son smartphone au fond de son sac, le sortit mais ne le ralluma pas. Par une porte du fond, le personnel fit rentrer le grand sapin, ils étaient six pour le porter jusqu'au milieu de la salle, où ils le redressèrent. Une fois le sapin debout, même sans décoration, d'un coup ça changea complètement l'ambiance, ça créa une tout autre atmosphère, celle des fêtes, de la fin d'année, l'insouciance ou les angoisses que ça réveille, ça renvoyait vers un imaginaire qui gagnerait tout d'ici peu, une atmosphère stressante et douce ramenant tout à la famille. Soudain, Aurore tressaillit en portant sa main à la bouche, elle venait de réaliser qu'elle n'avait toujours pas acheté le sien, de sapin, cette année elle n'avait absolument pas pensé aux guirlandes ni à l'arbre, quelle mauvaise mère elle faisait.

— J'ai ma voiture, je peux t'aider, on en achète un et on le met dans le coffre.

— Non. Je préfère m'en occuper seule. Ce n'est pas à toi de faire ça.

— Bon, comme tu voudras.

Elle s'en voulut d'avoir été rude, mais elle tenait surtout à éviter ça, se mettre à tout mélanger.

— Tu sais qu'Iris et Noé n'arrêtent pas de me parler de toi, depuis la chute du chauffe-eau, ils ont l'impression que tu as sauvé leur maison. Enfin, c'est normal, je crois que tu les as marqués. Plusieurs fois ils m'ont dit, quand est-ce qu'on le revoit ?

Ludovic esquissa un sourire irrésolu, ne sachant vraiment pas quoi répondre, d'autant que ce n'était pas le moins du monde une proposition, il ne fallait surtout pas considérer sa remarque comme telle.

Depuis plus d'une heure il était chez un jeune couple au studio surchauffé, le garçon était au chômage depuis trois mois, la fille bossait de chez elle, elle rédigeait des articles pour un site Internet, travaillait sans contrat. Ils venaient d'avoir un enfant, qui dormait là dans son berceau, ils parlaient tout bas. C'était petit chez eux, il n'y avait qu'une fenêtre, qui était fermée. Alors que la négociation se passait calmement, Ludovic sentait la sueur lui dégouliner dans le dos, lui recouvrir tout le corps, à la fin il était en nage. On étouffait là-dedans, il ne voulait pas leur dire, d'autant que le garçon n'en menait pas large, terrorisé d'être rattrapé par ces histoires de réparations sur leur voiture, la fille aussi était troublée, ils acquiesçaient à chaque proposition qui leur était faite, sans chercher à se défausser. Quand Ludovic sentait qu'on le prenait pour un huissier ou un flic, ça le gênait, mais il en profitait pour garder l'ascendant. En même temps, en y repensant il s'en voulait de ne pas s'être montré aussi intimidant face à Kobzham, aussi tranchant et efficace qu'il l'était là, en deux ans il avait remarqué ça, plus le débiteur doit de l'argent, et moins il se laisse impressionner, c'était terrible de le noter à chaque fois, comme si les plus faibles étaient les plus scrupuleux, les plus honteux, moins ils devaient d'argent et plus ils en souffraient, alors que les gros débiteurs survolaient le litige, on aurait dit qu'ils s'en foutaient.

Ils le raccompagnèrent tous deux jusqu'à la porte, comme ils l'auraient fait avec un SOS médecin. Il avait eu tellement chaud là-dedans qu'il descendit tout le cours de Vincennes à pied pour respirer un peu. Pourtant le vent soufflait, on gelait dans ce gigantesque courant d'air. Sous son blouson, son tee-shirt était trempé de sueur, il sentait qu'il prenait froid, chose étrange il grelottait. Pour une fois ce boulot l'écœurait. Bon Dieu, c'était si facile de faire payer les petits qu'il s'en voulait de ne pas avoir réussi à faire payer l'autre, la veille, il s'en voulait de ne pas être ressorti de ce bureau avec le moindre engagement, la moindre promesse, au contraire, Kobzham l'avait complètement baladé, il avait détourné le sujet sur ses vêtements, sur Aurore, il s'était fait avoir... Il s'en voulait de ne pas l'avoir secoué, ce gros connard, de ne pas lui avoir foutu sa main dans la gueule, intérieurement il en était malade de cette morgue, de cette condescendance avec laquelle il les avait reçus, alors il s'ancra sur l'idée de le faire payer, il se dit qu'il ne le lâcherait pas, pour peu qu'Aurore lui demande formellement de s'occuper de ce mec, il se jura qu'il le ferait payer.

Il entra dans un café à l'angle de la rue des Pyrénées, un bar-tabac neurasthénique avec une grappe de clients éteints le long du bar. Là encore son bonjour resta sans réponse, il le redit bien fort, ils le regardèrent tous, quelques-uns lâchèrent un bonjour sans souffle, le serveur derrière le bar se retourna, plutôt étonné de cette entrée. Ludovic commanda un grog, chose qu'il ne buvait jamais, qu'il n'avait même jamais commandé dans un café, sans se l'avouer il avait envie d'un peu d'alcool.

Comme il n'avait toujours pas réussi à se réchauffer il ne rentra pas à pied mais prit le bus 86. À seize heures il y avait déjà du monde, encore une fois il s'amarra fermement à la barre des deux mains. Au moment de passer la place de la Nation, l'espace était assez dégagé pour qu'un rayon de soleil traverse le bus comme un projecteur, dans le faisceau de lumière totale il vit une myriade de poussières en suspension et eut soudain l'image des milliards de bactéries vaporisées dans le bus, des particules de salive ou de rhinovirus, du coup l'idée d'avoir ses mains sur cette barre souillée par des milliers d'autres mains le dégoûta, il visualisa l'air qu'il respirait, les traces qu'il en gardait sous sa paume, surtout qu'il empoignait toujours le métal avec une plénitude avide, pour le pur exercice de faire jouer ses dorsaux... Il se promit d'acheter des gants avant de rentrer chez lui.

En descendant du bus, il fit un détour par le rayon hommes du Monoprix, il n'y mettait jamais les pieds, trop de couleurs tendres, de chemises étroites, de casquettes à la mode et d'écharpes colorées, rien ici n'était fait pour lui. Il n'y avait plus aucun gant. Il fit le tour du rayon homme, cherchant quelque chose de net ou d'un peu chic. Les chemises s'arrêtaient au 46, comme si tout le monde dans ce quartier était mannequin. Les pantalons semblaient jouables. Il décrocha quelques jeans qu'il déplia et replia maladroitement, jeta un œil aux pantalons de ville, mais impossible de les replacer sur les cintres. Ça l'énerva. Sans parler d'en essayer quelques-uns, ça avait tout l'air d'une épreuve. Se glisser dans une cabine au rideau qui ferme mal, se débattre dans un espace réduit, se déshabiller à quelques mètres des deux vendeuses qui rangeaient les rayons, ça le gênait. Pourtant il en prit cinq, trois jeans et deux pantalons à pinces, un peu au hasard, se contentant de sélectionner les plus larges, et il entra dans la cabine.

Il ôta son pantalon, mais en le hissant sur le haut de la cloison il souleva une partie du rideau, si bien qu'il se retrouva en caleçon devant les deux vendeuses. Il se dépêcha de baisser le rideau, puis enfila le modèle qui n'était pas slim, mais smart, le pantalon coinçait déjà au niveau des genoux, il le monta à hauteur des cuisses en forçant, comme pour enfiler une combinaison de plongée. Il eut encore plus de mal à s'en extraire, sur un pied il récupéra in extremis son équilibre en donnant des coups d'épaule, vue de l'extérieur la cabine devait bouger, il avait bien conscience de produire un curieux effet. Les deux vendeuses regardèrent la cabine prise de spasmes, comme une fusée frémissant sur son pas de tir, l'une d'elles se rapprocha, inquiète que ce curieux client mette tout à sac pour trouver quelque chose à sa taille.

— Tout va bien monsieur ?

— Non justement, y a rien qui me va !

Dépassant la question des convenances, Ludovic ouvrit le rideau alors qu'il était encore en caleçon et montra les deux jeans qu'il venait d'essayer, quant aux autres pantalons il les avait mis par terre. Sans colère, la vendeuse lui demanda de les ramasser.

— Mais, monsieur, c'est normal, vous avez pris du 48, vous ne rentrerez jamais dans du 48.

— C'est ce que j'ai trouvé de plus grand comme taille.

— Essayez du 52, c'est la plus grande taille que j'ai, ou alors il faut regarder les modèles américains, L34 par W39, par exemple...

L'autre vendeuse s'approcha aussi, signe qu'elles voulaient, l'une comme l'autre, sincèrement l'aider. La seconde était une jeune femme noire, ça la faisait rire de voir cet homme en caleçon et en chaussettes, planté au milieu de ses pantalons.

— Oh, monsieur, pardon, mais je crois que vous ne rentrerez pas dans un 52 !

— Alors, d'accord, mais au-dessus de 52, vous en avez ou pas ?

Au bout de dix minutes d'essayage, il était de nouveau en nage, épuisé de brasser de l'air dans deux mètres cubes en ne cessant de s'habiller et de se déshabiller. Ce qu'il voulait c'était juste un pantalon neuf, n'importe lequel, pourvu qu'il soit neuf. Entouré de tous ces vêtements désarticulés, il songea à Kobzham, il se serait bien marré à le voir là, échoué dans une cabine d'essayage avec deux vendeuses à sa rescousse.

Le vigile, le grand Noir toujours posté à l'entrée, vint demander s'il y avait un problème. Ludovic le voyait souvent ce type, mais ne lui avait jamais parlé, les vigiles évitant toute marque de familiarité avec la clientèle régulière, de peur que ça passe pour de la connivence. Pour une fois, ce vigile d'habitude mutique se mit à donner son avis.

— Vous savez, ici, il n'y aura pas votre taille, monsieur, ce n'est pas là qu'il faut vous habiller, ici c'est Monoprix.

En somme ça voulait dire que Monoprix n'était pas fait pour lui, qu'ici tout était conçu pour une classe d'hommes minces, raffinés, ici c'étaient des vêtements pensés pour des citadins jeunes, à la taille étroite, une sorte d'élite à laquelle il n'appartenait pas, là ce n'était plus Kobzham qui le lui envoyait à la figure, mais le magasin tout entier, tous ces milliers de modèles subtilement agencés dans les rayons, et même ces deux vendeuses et ce vigile, tous lui faisaient bien sentir que rien ici n'était pour lui, qu'il n'avait rien à faire là.

Il n'en pouvait plus de cette situation, en plus, à cet instant, il remarqua que son caleçon lui-même n'allait pas, qu'il était beaucoup trop daté, dans le linéaire en face il y avait toutes sortes de boxers moulants, plein de marques différentes, mais uniquement des boxers, comme s'il allait de soi que tout homme citadin devait livrer son petit combat au quotidien. Une des vendeuses revint avec un jogging en coton, un immense jogging couleur crème, mais moche, elle lui assura que de tout le magasin, ce serait le seul pantalon dans lequel il rentrerait.

Le vigile lui-même s'en étonna.

— Mais, tout de même Lucie, tu ne veux pas vendre ça à monsieur... ?

Lucie répondit qu'il n'y avait que ce modèle à sa taille, Ludovic en avait marre, c'était la première fois qu'il mobilisait trois personnes pour essayer des pantalons. De le voir tenir ce jogging du bout des doigts, avec dégoût, ça les fit rire, les vendeuses comme le vigile.

— Comme pyjama ce serait pas mal, trancha ce dernier.

Ludovic reprit le jean avec lequel il était venu. Avant de le renfiler, la vendeuse lui demanda de regarder l'étiquette, mais elle était tellement délavée qu'on n'y lisait plus rien.

— Monsieur, vous devriez aller sur Internet ou dans une boutique grandes tailles.

Clairement ils lui disaient de ficher le camp, mais en riant. Ludovic les observa tous les trois. Le vigile était du genre basketteur, très mince et mesurant deux mètres, quant aux deux vendeuses, leurs blouses étaient tendues sur leurs rondeurs, l'une d'elles avait une poitrine si large que deux bras n'en auraient pas fait le tour, tandis que l'autre était d'une rondeur curieusement bien proportionnée, excessive mais réjouissante, une femme forte aux traits fins, un pur visage de princesse sur un corps XXL. Malgré lui, Ludovic avait suscité chez eux une forme de sympathie totale, de connivence, il s'était offert comme un intermède, une récréation qu'ils avaient du mal à quitter. Il proposa de les aider à replier tous les pantalons dans les plis.

— Ouh là, non, non non non, laissez, plier c'est un métier vous savez...

Dans la glace, il aperçut alors l'image de son corps qu'il regardait assez peu souvent. Du temps des entraînements ils faisaient de la muscu devant les miroirs de la salle de sport, la plupart des exercices s'effectuaient en se regardant, que ce soient les squats pour gonfler les jambes ou les échauffements, toujours face aux miroirs. Il avait le sentiment que la glace de cette cabine grossissait, il s'y trouvait plus large qu'il ne l'était réellement, à moins qu'il ne fût vraiment comme ça. On ne sait pas bien comment on apparaît aux autres. Avant de renfiler son blazer, il gonfla les biceps et les pectoraux pour distendre son tee-shirt, soudain repris par ce réflexe adolescent, une souterraine envie de se battre. La vérité, c'est que Kobzham le poursuivait, rarement un type ne l'avait aussi salement énervé, ce salaud l'avait aiguillonné en quelques phrases, et pour tout dire déstabilisé, c'est comme s'il l'avait traité de paysan sans savoir d'où il venait, mais peut-être qu'il l'avait deviné, que c'était à ce point évident. Rarement on ne lui avait balancé autant de saloperies en face, froidement, par pure défiance, sans qu'il soit du tout question de défi physique, ce type-là avait d'autres ressorts bien plus pervers, bien plus tordus. Ça le rendait fou de se dire qu'Aurore était prête à laisser tomber, à ne même plus vouloir se faire payer, ça le rendait fou. En rentrant, il songeait au plaisir que ce serait de lui rentrer dedans à ce type, de lui faire peur un bon coup, de lui foutre les jetons, mais pour de bon, de lui faire cracher peut-être pas son fric mais déjà des excuses.

Quand ils s'étaient installés avec Richard, elle se souvenait de l'éblouissement total qu'ils avaient à se
réveiller ensemble tous les matins, puis les enfants
étaient nés, leurs carrières s'étaient emballées, les
matins accélérés, pour devenir tout autres.

À côté de Ludovic, allongée en fin d'après-midi sur
son lit, elle découvrait une forme d'éblouissement totalement différente, un éblouissement tout aussi fort
mais beaucoup plus fugace, l'éblouissement de voir
l'autre sans jamais savoir quand aurait lieu la prochaine
fois, ce vide surprenant qui naissait quand ils se sépa-
raient, cette manière de disparaître de la vie l'un de
l'autre, pas loin pourtant, chacun de son côté de la
cour, mais pas joignable. Cet après-midi ils s'étaient
retrouvés chez lui. Dès le lendemain matin de La
Grande Cascade, elle avait glissé un mot dans sa boîte
aux lettres, elle lui disait qu'elle passerait chez lui, lundi
prochain vers dix-sept heures, c'était une première de
faire ça, de se donner rendez-vous en glissant un mot,
pour le reste ils n'avaient aucun moyen de se joindre, pas
de mail, pas de numéro de téléphone. Cette incertitude

était radieuse, elle l'accompagnait au fil des jours, Aurore goûtait à la légèreté de s'offrir à une relation réglée par le hasard et l'envie, c'était bien plus excitant que les rendez-vous prémédités ou pris de longue date, bien plus précieux que les habitudes ou le quotidien. Elle se sentait bien auprès de cet homme qui écoutait. Elle se disait qu'à chaque fois qu'ils se verraient ce serait une pure parenthèse, comme un dépaysement, des îlots parsemés dans sa vie, elle passerait d'île en île, attendant la prochaine dans le souvenir de la précédente.

— Mais ce type, c'est tout de même pas le seul à distribuer sur l'Asie, tu peux en trouver un autre...

— Peut-être. Seulement c'est le mieux placé, et puis là de toute façon je n'ai plus de collection, je ne sais pas quand on en refera une, on n'a plus les moyens.

— Je pourrais passer le dossier à ma boîte, ça t'éviterait le pénal, on a des huissiers qui nous appuient en douce, en même temps je suis pas sûr que Kobzham se laisse impressionner par des courriers à en-tête, ce type je crois qu'il vaudrait mieux le bouger.

Aurore ne savait pas ce qu'il entendait par bouger, elle n'avait pas envie d'y penser, pas maintenant. Dans un mouvement calme elle cala son menton sur sa main et s'absorba dans la contemplation de cet être capable de dire des choses féroces mais sur un ton posé, cet être capable d'éliminer froidement des corbeaux puis de faire un bouquet avec leurs plumes, de faire l'amour avec la fougue d'un amant sauvage tout en lui parlant au creux de l'oreille, de dire d'une voix douce des grossièretés, comme s'il lui chuchotait un poème, cet homme lui échappait totalement. Parfois, ce corps lui faisait peur. Elle avait le bras de Ludovic posé sur son ventre, il semblait lourd ce bras, elle se disait que s'il s'allongeait sur elle de tout son poids, il l'étoufferait, elle se dit cela, que cet homme pouvait faire mal, même sans s'en rendre compte.

Mais ce qu'elle voyait surtout, c'est qu'elle lui disait tout. Elle qui ne parlait jamais à personne de ses soucis de boulot, ni du mal qu'elle avait parfois à supporter ses enfants, de ses envies d'être seule et de ne rien faire, de s'allonger égoïstement sur le canapé blanc, toutes ces choses qu'elle ne pouvait dire sans craindre de passer pour une mauvaise mère ou une mauvaise patronne. Encore une fois elle n'avait plus la force d'être la chef, la mère, la femme, la créatrice et l'infirmière de tout un tas de gens, en plus d'être la fille docile de ses parents inquiets et totalement fauchés au début de leur toute fraîche retraite, et la belle-fille de beaux-parents vivant de l'autre côté de l'Atlantique, une belle-fille toujours disponible et gaie, tout ça en ce moment elle ne le pouvait plus, elle sentait que par moments on peut perdre la force d'être soi. Au pire il y avait la solution de tout laisser tomber, de laisser filer sa boîte et de dire oui à Richard qui crevait d'envie de retourner aux États-Unis, refaire sa vie de A à Z... Cette solution serait bien la pire, déjà elle ne voulait pas vivre là-bas, et encore moins vivre aux crochets de Richard, dépendre d'un homme elle ne le supporterait pas, c'est pour ça qu'il fallait qu'elle sauve sa marque, ne serait-ce que pour ça...

— Ludovic, serre-moi dans tes bras.

Au moins face à cet homme, elle se sentait hors de ces questions, hors de sa vie, à lui elle pouvait tout dire, et miracle il l'écoutait. Aux autres, elle n'arrivait plus à parler, s'ouvrir sur ses difficultés c'était en ajouter aux leurs. Alors que lui semblait inébranlable, absolument pas influençable, un genre de rempart, de mur porteur, lui il pouvait tout endurer, tout entendre, ce que cet homme lui offrait par-dessus tout, c'était son écoute, il l'écoutait sans la juger, il la devinait, d'ailleurs ça l'intriguait qu'il n'attende rien d'elle, il paraissait être là pour l'aider bien plus que pour l'aimer, mais était-ce possible qu'un amour soit essentiellement dédié à cela, à aider l'autre, et aider l'autre est-ce déjà l'aimer, surtout lorsque ça ne marche que dans un seul sens, pourquoi il faisait ça ?...

— Ludovic, je peux te poser une question ?

— Oui.

— Je suis qui pour toi ?

— J'aimerais bien le savoir.

— Non, réponds-moi mieux que ça, dis-moi ce que je représente pour toi.

— Quelque chose, que... que je n'avais pas prévu.

— Quelque chose ?

— Aurore, je ne sais pas répondre à cette question, ce que tu représentes pour moi c'est...

Il coupa net sa phrase, préoccupé par la peur de trop en dire, de se livrer. Ce qu'il ressentait pour elle, il le gardait, il n'avouerait rien de cette envie qu'il avait de l'entourer, de l'embrasser, ni de son odeur qu'il avait en permanence en tête, ce parfum qui lui revenait par intermittence, qui le visitait quand elle n'était pas là. Il n'est pas explicable ce besoin qui vient parfois de sentir l'autre, ne serait-ce que son parfum, ce désir de l'avoir tout près, de le respirer. Il voyait bien qu'elle attendait une réponse, presque inquiète, alors il lui prit la main, sur le point de parler... En même temps, à quarante-six ans, il aurait trouvé puéril de faire ce genre d'aveu, ça la ferait fuir, ça l'encombrerait de savoir qu'elle comptait déjà pour lui, qu'il pensait à elle sans arrêt, qu'il l'aimait en un sens, il devait bien s'agir de ça. Seulement cet amour n'avait pas de sens, cette femme avait déjà sa vie, et dans cette vie il n'y avait pas de place, il n'avait rien à y faire dans cette vie, sinon la troubler, mais le trouble c'était peut-être ce qu'elle cherchait. Il la troublerait davantage en lui disant que depuis Mathilde personne n'avait jamais compté à ce point, depuis trois ans il n'avait même jamais embrassé ni frôlé une femme, il s'en voulait de penser à Mathilde, là, pour la première fois depuis qu'elle était morte, depuis même qu'il connaissait Aurore, il avait le sentiment de la tromper.

Aurore le regardait, sans la moindre idée ce qui se passait derrière ce visage fermé. Elle ne comprenait pas pourquoi sa réponse était si longue à venir, du coup elle interpréta, elle se dit qu'elle le gênait, qu'elle le mettait mal à l'aise avec ses questions, elle l'ennuyait avec ses demandes gamines, pour lui elle n'était qu'un corps facile à prendre, une femme qui était là, à portée de main, dans l'immeuble d'en face, elle se dit que non, ce n'était pas possible, il ne serait pas venu avec elle à ce rendez-vous, et les corbeaux, elle ne savait plus... Elle lui serra fermement la main. Par moments elle avait peur qu'on les surprenne, que quelqu'un tombe sur elle avec sa main dans la main de cet homme, c'était impossible puisqu'ils se cachaient, mais elle avait cette terreur-là, puis elle s'en ficha, et il commença une phrase.

— Tu sais...

Mais il en resta là, il se pinça les lèvres. Il ne répondrait pas. Elle regarda dehors, puis elle revint sur son visage, ce visage planté en haut de ce corps, elle surprit une lueur dans ses yeux, il était bien là à côté d'elle, toujours aussi solide et droit dans son attitude, mais ses yeux étaient humides, comme s'il retenait des larmes, et d'un coup la main de cet homme dans la sienne lui parut toute fragile, c'était vertigineux, comme si elle réalisait pour la première qu'elle pouvait lui faire du mal.

Pour une fois elle était rentrée suffisamment tôt pour faire prendre le bain aux enfants, elle profitait d'être avec eux. Les jumeaux jouaient dans la baignoire, tout excités que leur mère soit là, ils étaient joyeux, un peu trop peut-être, ils riaient bruyamment et faisaient gicler de l'eau partout. Aurore aurait dû être folle de joie de participer à cette liesse, à ce grand théâtre du bain, mais au fond ça l'agaçait un peu. Elle pensait à lui de l'autre côté de la cour, c'était inadmissible mais elle se surprit à fixer la fenêtre, à rêver de l'ouvrir et de s'envoler, fuir sa vie trop encombrée de bruits et de devoirs pour aller le rejoindre dans le petit appartement vieillot juste en face, se nicher dans ses bras, ne plus rien entendre. Les cris de ses enfants venaient de là, à quelques centimètres, mais peu à peu elle les entendit de plus en plus loin, comme du dehors, comme depuis l'autre côté de la fenêtre, comme si elle était posée sur une des branches d'arbre, libre comme les deux oiseaux.

Après que les enfants furent couchés, elle attendit que Richard soit rentré pour dîner avec lui. Il arriva à vingt-deux heures passées. Ce soir c'était sommaire, du saumon froid et des blinis, une salade verte, il adorait que ce soit simple, que les dîners soient simples, que les conversations soient simples, que tout soit simple. Au dessert, pendant qu'ils finissaient les gâteaux que les enfants avaient juste entamés, des gâteaux tout simples achetés chez Lenôtre, elle eut envie de lui parler de Kobzham, de savoir ce qu'il en pensait, ce qu'il ferait à sa place, mais elle trouvait dérisoire d'évoquer une sordide histoire de quatre-vingt-douze mille euros, d'autant que depuis qu'ils étaient à table Richard ne faisait qu'énumérer des projections fabuleuses, une nouvelle start-up éthique à laquelle il croyait, des vaccins qui, à terme, seraient une mine d'or, et le contrat mondial pour une application Conciergerie sur laquelle ils avaient levé des fonds, et puis la joint-venture avec une marque de smartphones et un fabricant d'éoliennes de San Francisco, et encore cet autre projet d'une application définissant son réservoir d'énergie sur wearables, chacun aurait sur son téléphone une sorte de témoin comme pour les jauges d'essence dans les voitures.

— Parfois on se croit fatigué alors qu'on ne l'est pas, ou l'inverse, on se croit très en forme, alors qu'en fait on est sur sa réserve, et c'est là qu'on tombe malade... L'application te préviendra que tu as soif ou faim et te dira ce qu'il faut boire ou manger, mais aussi combien de temps il faut courir ou dormir...

En l'aidant à débarrasser la table il continuait de parler. Richard pensait toujours au boulot, vingt-quatre heures sur vingt-quatre, la vie était un temps de travail permanent... À l'entendre tout semblait facile à réaliser, tout était simple, il suffisait de repérer ceux qui avaient des idées, de leur faire rencontrer ceux qui avaient de l'argent, et à partir de là l'aventure commençait, pour quelques milliers ou millions d'euros ils se lançaient. Alors face à ce monde en devenir qu'il lui exposait là, ça lui paraissait mesquin de vouloir évoquer ses anecdotes à elle, de lui faire part de ces quatre-vingt-douze mille euros qu'elle n'arrivait pas à récupérer et qui pourtant pourraient tout compromettre. Une fois le lave-vaisselle lancé, elle s'assit au bar, comme épuisée.

— Aurore, qu'est-ce qui ne va pas ?

— Rien.

Richard vint s'asseoir à côté d'elle, il passa un bras autour de ses épaules, elle se sentit toute gênée par ce bras qui se posait sur elle, surtout ce soir, quelques heures après que des bras autres l'eurent embrassée de toute leur force, d'ailleurs elle en rougit, sans rien y pouvoir le malaise la submergea et elle devint écarlate, mais Richard ne se rendit même pas compte de combien elle était troublée.

— Aurore, explique-moi, je suis là tu sais.

Pour évacuer le trouble, pour effacer bien vite le visage de Ludovic qui se superposait à celui de Richard, Aurore lui expliqua qu'en gros elle se retrouvait coincée entre un débiteur douteux et son associé qu'elle soupçonnait de vouloir la planter.

— Fabian… ? Mais c'est ton ami, non ?

— Peut-être, mais je me demande s'il ne serait pas de mèche avec Kobzham, pour, je ne sais pas, peut-être nous forcer à déposer le bilan et faire main basse avec Kobzham sur la société.

— Comment veux-tu qu'ils fassent ça ?

— En poussant la boîte au redressement judicaire et en la reprenant au dernier moment.

— C'est pour ça que tu me parlais de prepack cession l'autre fois ?

— Je ne sais pas, je ne sais plus...

— Parce qu'un coup pareil c'est du self-dealing, c'est un délit...

— Ça n'existe pas en France, aux États-Unis peut-être, mais pas en France.

— Ne me dis pas que le droit des affaires est moins sévère en France qu'aux États-Unis. De toute façon l'augmentation frauduleuse du passif, c'est faire banqueroute, et la banqueroute, même en France, c'est passible de prison ferme... Si tu veux je mets notre cabinet d'avocats sur le coup et je te jure que ces deux connards se prendront une interdiction de gérer, ils peuvent même se retrouver en taule...

— Non, Richard, je te disais ça mais en réalité je ne suis sûre de rien, c'est juste que ça m'effleurait l'esprit. Je ne pense pas que Fabian soit capable d'un coup aussi tordu.

Elle savait que Richard n'avait jamais aimé Fabian, une sorte de jalousie abstraite l'en tenait à l'écart. Elle ne voulait plus parler de tout ça, ne surtout pas se présenter sous cette image, celle d'une femme en train de se débattre dans une situation de plus en plus tordue. Dans un couple les rapports de force évoluent en fonction de la carrière de l'un et de l'autre, et face à Richard qui réussissait tout, elle se sentait presque coupable de ses échecs.

— Tu sais, Aurore, faire du business c'est comme monter sur un ring, faut tout de suite donner des coups, sans quoi c'est toi qui en prends. Et encore, sur un ring tout le monde voit ce qui se passe, au moins c'est clair, alors que dans le business tous les coups se font par en dessous, ça ne m'étonnerait pas de Fabian. Je te l'ai toujours dit, pour moi Fabian c'est un petit poisson, les petits poissons rêvent toujours d'être plus gros que ceux qui les bouffent, tu sais pourquoi ? Pour les bouffer à leur tour, c'est ça les affaires. Faut que tu tapes, Aurore, faut que tu tapes !

— Arrête de me parler comme à une môme, ou comme à ces ingénieurs boutonneux à qui tu fais passer tes entretiens.

— Hey, on se calme, je suis là pour t'aider, c'est tout !

— Ne me dis pas ce que je dois faire ou penser...

— Bon écoute, tu fais comme tu le sens, moi de mon côté je vais en parler à Lathman & Cleary, demain je les appelle, juste pour avis...

Et il eut alors ce geste qui la laissa sans voix, il lui passa la main sur le visage et lui fit une bise, une simple bise un peu paternaliste sur la tempe.

— Non, Richard, tu n'en parles à personne, si ça se trouve je me fais des films, tout va rentrer dans l'ordre, j'ai pris un conseil et tout va rentrer dans l'ordre.

— Un conseil ?

— Oui, j'ai demandé conseil à une société de recouvrement et c'est bon, ça va s'arranger.

— Mais Aurore, c'est des avocats qu'il faut prendre, pas des *conseils*, aujourd'hui on ne peut rien faire sans avocats, je les appelle demain et...

— Non, non. Je ne veux pas qu'on mélange tout, on s'est toujours juré de ne pas mélanger le boulot et la famille.

— Écoute, Aurore, si je lance Lathman & Cleary dessus je te prie de croire que...

— Richard, ce soir je voulais seulement te parler pour que tu comprennes pourquoi j'étais bizarre ces derniers temps, rien de plus, ne t'inquiète pas, je vais m'en sortir, je n'ai pas besoin de tes avocats...

— C'est dingue. En France dès qu'on prononce le mot « avocat » ça fait peur, mais enfin, Aurore, un avocat c'est comme un dentiste, il ne faut pas attendre d'avoir mal pour le consulter, il faut anticiper, en France vous ne savez pas anticiper...

— S'il te plaît, ne me fais ton topo sur Vous les Français...

— C'est pourtant vrai, il ne suffit pas d'être génial pour réussir, il faut surtout anticiper, dans la vie c'est toujours ceux qui ont un coup d'avance qui réussissent, pas les surdoués !

— Je ne suis ni surdouée ni géniale, c'est simplement... Et puis t'y connais rien au monde de la mode, rien...

À minuit passé ils étaient allés se coucher, chacun leur tour, dans ce grand lit queen size qu'ils avaient voulu en emménageant ici. Richard était déjà passé à autre chose, il riait en consultant sa timeline sur Twitter. Parfois il parlait seul et en anglais, il parlait à sa tablette comme à une personne qu'il aurait tenue pour de vrai entre les mains. Assis dans le lit à côté d'elle, Aurore le sentait hypnotisé, ailleurs, puis de temps en temps il revenait à elle parce qu'il tenait absolument à lui montrer ce qu'il regardait, des images ensorcelantes de villes abandonnées, des glaciers roses qui fondaient dans des eaux bleues, des volcans sous la neige, des choses auxquelles il ne tenait même pas, avant de se mettre à répondre aux mails qui lui arrivaient, puis de repartir sur des vidéos de voitures de Russes filmant leurs propres accidents, des tas de conneries parfois violentes... Comment pouvait-il dormir après tout ça ? Aurore lui demanda de baisser le volume de son casque. Elle se retourna et reprit le livre dans lequel elle ne parvenait plus à avancer depuis deux semaines, une histoire où elle devait chaque fois faire l'effort de se rappeler qui était qui, revenir cinq pages en arrière pour reprendre le fil du récit, renouer avec des personnages qu'elle perdait de vue d'une fois sur l'autre.

Elle pensa à l'appartement de Ludovic, elle se demanda ce qu'il faisait le soir avant de s'endormir, est-ce qu'il s'allongeait comme ça dans son lit et rêvassait, ou alors est-ce qu'il fumait pendant des heures assis sur le dessus-de-lit, habillé, est-ce qu'il dormait tout de suite ? Elle plongea dans le sommeil en pensant à lui. La grande chambre était baignée d'une lumière bleutée, la lumière que projetait la tablette de Richard sur les murs, une lumière ondulante et aquatique.

Assis sur son lit Ludovic fixait la fenêtre lumineuse, de plus en plus atteint par cette proximité inaccessible, à travers les branches totalement nues maintenant on voyait parfaitement bien en face. Il enviait cet homme qui vivait là-bas avec Aurore, il l'enviait et le détestait, sans rien y pouvoir, sans même le connaître, sans aucune légitimité, en fait cet homme le gênait.

Le week-end quand il descendait chez ses parents, personne ne lui posait de questions, personne n'osait rien lui dire pourtant ils y pensaient tous, ils le remarquaient, il n'allait jamais sur la tombe de sa femme. Depuis trois ans c'étaient sa sœur et son père qui montaient au cimetière pour mettre des nouvelles fleurs, arracher les mauvaises herbes, jeter un regard au visage dans le médaillon, à ce sourire qui resterait pour toujours celui d'une radieuse quadragénaire.

Seulement aujourd'hui, sans le dire à personne, Ludovic y était allé, comme s'il avait eu à se faire pardonner. Depuis trois ans que Mathilde était morte, il ne l'avait pas quittée, il n'avait même jamais songé à une autre femme, pas plus pour une coucherie d'un soir que pour un baiser. Jamais il ne se serait cru capable de passer trois ans sans faire l'amour, de ne même pas frôler une femme, piégé qu'il était par une forme d'aridité qui émergeait du plus profond, une absence totale de désir. Il pensait qu'en vivant à Paris ce serait plus facile de se défaire de Mathilde, de l'oublier, alors qu'en réalité c'était pire, la nostalgie de la campagne s'additionnait au manque, c'était double peine. Cette pénitence, elle n'était pas le fait d'une conduite morale ou d'une loyauté, il ne se l'expliquait pas, il était même le seul à le savoir, ça ne regardait personne s'il avait ou non une vie sentimentale, trois ans sans faire l'amour, en général on ne s'en vante pas, on le tait. Quand il le constatait, ça le désolait, c'était une vraie misère, une damnation, mais aujourd'hui il se rendait compte que finalement cette abstinence l'avait préservé de tout scrupule, de toute culpabilité. Cette fois c'était particulier, ce qu'il vivait avec Aurore n'était peut-être qu'une simple aventure, une parenthèse, n'empêche elle existait, elle était bien là, et il pensait sans arrêt à elle.

Il se tenait devant cette tombe comme s'il attendait un pardon, mais c'était trop tard, pour le pardon comme pour le reste. Il regarda les fleurs fraîches, les pots de chrysanthèmes, lui vint alors l'image de son père, les déposant là, il voyait bien que c'était son père qui avait posé ce grand pot de fleurs, parce qu'il était placé à même la pierre tombale, en haut, vers la photo, un peu de travers, jamais sa sœur ne l'aurait mis comme ça, elle l'aurait mis au pied, dans le petit rectangle de gravillons, et aurait pris un pot plus petit, plus délicat. La maladresse émouvante de son père, sur le coup, l'émut. D'ailleurs ce pot mal placé, il n'osait pas le toucher, il n'arrivait pas à poser la main sur cette pierre, qu'un corps si vif et si ardent soit devenu glacial et dur à ce point-là, ça le dépassait. Et puis il ne croyait en rien, pas plus à Dieu qu'aux prières, il n'espérait aucune explication d'un au-delà, il y avait juste qu'on aime totalement une femme, et puis qu'un jour elle n'est plus, c'est à soi seul de la faire durer, comme tous ceux qu'il y avait ici. Dans ce cimetière, il ne savait pas ce qui demeurait de sa femme, pour lui elle n'était pas vraiment là, elle serait toujours à courir dans les vignes, à s'activer dans les cuves, à diriger les équipes pendant la mise en bouteille, à mobiliser tout le monde aux vendanges, Mathilde elle était toujours par les coteaux, de toute façon elle ne s'arrêtait jamais, ses vignes, son vin, ce projet de perpétuer le travail de son père, de l'améliorer, de le moderniser, c'était une obsession. Mathilde bossait tout le temps, quand on travaille la vigne il ne peut pas en être autrement, Mathilde c'était une insatiable, une boule de vie, sauf les trois derniers mois. Mais cette image-là il ne voulait pas la garder.

Il contempla le petit cimetière désert et glacé, c'est vrai qu'ils n'étaient pas nombreux ici, quelle bizarrerie tout de même de la savoir là-dedans. Ludovic n'était même pas franchement triste, juste déboussolé et transi, de l'autre côté du mur il y avait les bois qui descendaient vers la combe, les sentiers où ils faisaient du trial quand ils étaient mômes, sans s'en rendre compte ces jours-là ils faisaient un boucan d'enfer tout autour de cette paix-là, sans s'en rendre compte ils dérangeaient tout, sans même y penser, pauvre petit cimetière. Alors que ce matin-là, il avait beau tendre l'oreille, il n'y avait rien, pas un bruit, rien que des lointains cris de corbeaux qui décollaient au-dessus des prés, ça le fit penser à Aurore, il s'en voulut aussitôt. Ce cimetière, ils y venaient l'été, mômes, ils venaient parfois y boire des bières et fumer des tas de choses, sans songer à l'offense, à quinze ans la mort n'existe pas. Là encore ils faisaient du boucan, il le déplora, trente ans après. L'été par contre, c'était très vivant ici, l'été il y avait tous les bruits d'oiseaux, il y avait aussi les bourdons et les guêpes, et les cigales dans les pierres chaudes entre juin et août, l'été ce cimetière il était presque gai, tandis que là, à la toute fin de novembre, la mort avait pris le dessus.

Il ne pouvait pas se concentrer, faire le vide, penser à rien comme dans ces séances de yoga dont parlait Aurore, il restait là les mains le long du corps, comme en prière, mais il avait le sentiment de faire semblant, de poser devant cette tombe sans arriver à se relier avec qui que ce soit, ni Dieu ni personne, pas avec Mathilde en tout cas, il sentit que cette attitude ne lui ressemblait pas. En fait depuis qu'il était entré dans ce cimetière, il avait moins que jamais de vision de Mathilde, aucune image d'elle ne lui revenait, ici rien ne la lui évoquait, pas même cette photo en noir et blanc dans le médaillon déjà poli, elle qui était si haute en couleur, franche et gaie, usante de santé.

Il baissa le regard, comme pour s'en excuser, et il aperçut les chaussures neuves qu'il avait achetées vendredi à Paris, des chaussures en cuir, au bout effilé, ça lui faisait des pieds interminables, déjà qu'il chaussait du 47, et puis avec cet effet de fuseau, et cette raideur du cuir trop neuf qui lui entaillait le talon, il perdait toute mobilité de la cheville, il avait l'impression d'être statufié, aussi rigide que tous ceux-là autour de lui, surtout que s'il les avait achetées ces chaussures vernies ce n'était pas pour plaire à Mathilde... Du coup il fit demi-tour et repartit en pressant le pas, il avait trop mal aux pieds pour courir mais il sortit vite fait de cet endroit. La vieille porte grinçait quand on l'ouvrait, mais le bruit était encore bien plus déchirant quand elle se refermait avec un grand claquement au bout de ce grincement, toujours ce même grincement, mômes quand on leur disait de venir à des cérémonies pour des grands-parents ou des voisins, lui en général il restait à la porte, alors ce grincement il le connaissait bien, ce grincement c'était fait pour les autres, il n'aurait jamais cru qu'un jour il le concernerait ce grincement, le grincement de cette porte c'était bien tout ce qu'il y avait d'éternel ici, le seul vrai signe émis par le Très-Haut.

Le soir c'était le père qui rentrait les vaches, depuis toujours. Avant de souper Ludovic l'accompagna, mais en touriste, sans rien faire, sans aider, parce que donner un coup de main au père, ç'aurait été lui signifier qu'il n'avait plus l'âge de le faire tout seul. De toute façon ç'aurait été mal faire, car pour la plupart elles savaient très bien rentrer sans aide, ses vaches, même quand elles avaient passé la journée dans un pré éloigné, elles revenaient d'elles-mêmes, elles étaient comme éduquées.

Dans ces cas-là Ludovic se tenait en retrait, il regardait faire le vieux, il avait toujours l'adresse pour manœuvrer les lourdes barrières aux charnières rouillées, des antiquités qui se fermaient de plus en plus mal, il fallait jouer du muscle pour soulever toutes ces ferrailles, et avoir le geste habile pour les refermer. Le père parlait à ses bêtes, il leur flanquait des tapes sur le flanc et les inspectait, dans le peu de lumière jaunasse de la vieille étable il les révisait mine de rien, il se glissait entre les mastodontes, il était parfaitement dans son élément au milieu de ces bestiaux fumants de six cents kilos, des monstres en quelque sorte, mais des monstres involontaires, des monstres tellement fragiles, tellement vulnérables, on disait qu'une vache qui resterait seule, vraiment seule, au bout de deux jours elle ne mangerait pas, et à partir de là elle se laisserait mourir...

— Eh oh, tu rêves ou quoi ?

Son père avait dû se baisser, Ludo ne le voyait plus dans ce magma fumant et noir, il l'entendait pourtant, il lui disait de venir voir. D'avance il sut pourquoi, il tenait à lui montrer un tout jeune veau né deux jours avant, une de ces peluches rêveuses au regard d'angelot, au poil si doux qu'il est impossible de ne pas y passer la main, mais le toucher il ne le faut pas, disait le père, tout petit monstre fragile. Le père se releva et lui fit signe de le rejoindre. Après toute une vie passée auprès des vaches, Lucien avait toujours le même sourire quand il voyait un veau qui venait de naître, c'était plus fort que lui, fallait qu'il lui montre. Ludovic s'accouda à la barrière et de là il lui lança :

— T'en fais pas, je le vois très bien d'ici...

— Viens voir je te dis, viens voir ses yeux, des billes pareilles t'as jamais vu ça, en plus elle l'a vêlé dans le champ, en plein dans une flaque d'eau, il a dû poireauter deux heures dans l'eau, je l'ai relevé à moitié noyé, et regarde, il a ressuscité, c'est quand même beau, non...

— Oui, je le verrai demain !

Son père était là quelque part, de nouveau accroupi dans la pénombre humide agitée de bruits de paille et de meuglements doux, à vrai dire d'où il était Ludovic ne voyait pas plus le veau que Lucien. Le père se redressa, Ludovic surprit son visage qui réapparaissait entre les vaches fumantes, sans bien le discerner il perçut pourtant ce sourire espiègle et plein de malice qui le visait...

— Dis-moi, t'as peur de salir tes nouvelles chaussures, c'est ça ?

Au dîner, ils parlaient tous de choses et d'autres, mais fort, tous parlaient fort, même les petits neveux, Ludovic s'en fit la remarque, avant ça ne le gênait pas, seulement depuis que sa mère ne disait plus un mot, depuis qu'elle était murée dans son silence, depuis que toutes ces conversations se déroulaient sans elle, voilà qu'elles le heurtaient ces conversations, qu'elles le blessaient. Sa mère, maintenant on ne s'adressait plus à elle que pour lui demander si elle voulait encore de la soupe, ou un peu plus de légumes, on lui demandait aussi si elle avait soif mais on la servait sans même attendre qu'elle réponde.

Le plus mortifiant c'est qu'on lui parlait comme à une enfant, et quand elle ne répondait pas, pas même d'une moue, alors on lui prêtait une réponse. Ludovic était sensible à tous ces petits détails, pour autant il ne reprochait rien à personne. Après tout c'étaient eux qui vivaient là à l'année avec elle, d'une certaine façon il n'était plus chez lui, il savait bien que dans une famille le conflit peut parfois naître de pas grand-chose, une réflexion mal placée, ou mal perçue, et c'est parti pour l'engueulade. Pour ce qui était de l'exploitation, là aussi Ludovic évitait de poser trop de questions, sur la ferme comme sur le reste, de toute façon les autres parlaient tellement qu'ils lui racontaient tout d'eux-mêmes, des tas de choses qui ne le concernaient plus, quant aux ragots sur les uns ou sur les autres, ce qui se disait d'Untel ou d'Untel dans le bourg et dans les patelins d'à côté, il n'en avait jamais été friand. Mais ce soir tout de même, histoire de provoquer un peu son beau-frère, sachant bien qu'il allait le piéger, Ludovic lui demanda pourquoi il y avait un petit carré d'oignons juste là devant la maison, dans l'ancien jardin, alors que des oignons ils en cultivaient des tonnes et en plein champ, des oignons ici il y en avait plein la grange en permanence, des stocks bien à l'abri qu'ils vendraient aux hypers et aux détaillants.

C'est sa sœur qui lui répondit, comme pour s'interposer.

— Pourquoi il y a des oignons dans le jardin ? Eh bien, c'est pour les manger !

— D'accord mais ça veut dire quoi, que tu ne manges plus ceux que tu cultives dans le champ, vous ne mangez plus ceux que vous vendez ?

Là-dessus personne ne réagit. Personne ne se serait hasardé à parler de pesticides devant Ludovic, il était tellement convaincu que sa femme en était morte de ces produits que plus personne ne lui tenait tête sur le sujet. Mais là ce qu'il constatait, alors que tous refusaient d'admettre que Mathilde était effectivement morte à cause de ces produits, c'était que dans son dos ils mangeaient des oignons non traités... Personne ne consentirait à lui dire que oui, Mathilde en était bien morte de ces saloperies de phytosanitaires et du reste, et pourtant, sans le montrer, tous s'en méfiaient de ces pesticides.

Déjà du temps où Ludovic vivait ici, aussi bien dans la famille que dans les environs, on l'avait toujours respecté. On savait que c'était une forte tête, si bien que personne n'osait lui dire quoi que ce soit au sujet de la mort de sa femme, mais il sentait bien qu'ils pensaient tous que les produits n'avaient rien à voir avec son cancer, et que si Mathilde était tombée malade c'était la faute à pas de chance. Les années passant, mine de rien, ils s'étaient rangés à son avis, et ce n'est pas l'un d'eux qui le lui avait avoué, mais un simple carré d'oignons qui avait parlé à leur place.

Après le café Ludovic sortit fumer dans la cour. Dehors tombait une pluie fine. Avec ses chaussures en cuir son approche du sol était moins assurée, la terre battue était lourde sous ses semelles, ça glissait, mais il voulait tout de même aller jusqu'au hangar. Derrière lui une porte claqua. Dans le halo de lumière il vit Gilles qui sortait dans le froid lui aussi, pour venir le rejoindre au milieu de la cour. Comme il ne fumait pas, Ludovic comprit qu'il avait quelque chose à lui dire.

— Tu sais, Ludo, maintenant on se prend des grêles bizarres par ici, on en a eu deux en juin, et après on a eu plusieurs semaines de temps sec, ça montait à 35, alors les oignons ils chopent la *tache pourpre*, comme les fraisiers et le reste. Je t'assure, c'est plus la même météo qu'avant, le temps change, faut qu'on s'adapte.

— Tu me dis ça comme si j'étais parti depuis vingt ans.

— Non, mais le temps change vite crois-moi, d'année en année la nature déconne.

— Peut-être, mais si t'espaçais un peu tes rangs plutôt que de pulvériser tes saloperies... D'ailleurs, comment tu te débrouilles pour que je ne les voie jamais tes bidons, hein, tu les planques c'est ça ? Je les ai jamais vus dans le hangar, tu les planques pour pas que je les voie ?

Ludovic repartit d'un pas nerveux vers le hangar pour se mettre à l'abri, son tee-shirt était déjà tout trempé, il n'arrêtait pas de déraper, ça le rendait fou de déraper comme ça sur le sol de cette ferme qui l'avait vu naître, ça le vexait de perdre l'équilibre, surtout devant Gilles qui lui avait emboîté le pas.

— Mais pourquoi tu voudrais que je les planque, j'ai rien à cacher moi, et d'abord je suis chez moi, non ?

Ludovic stoppa à l'entrée du hangar et fixa Gilles.

— Non, t'es chez nous, tu piges la différence ?

Gilles ralentit le pas, la pluie s'intensifiait pourtant.

— Ludo, qu'est-ce qui te prend ?

Gilles n'avançait plus, il se tenait immobile sous la pluie, il ne voulait plus aller sous le hangar, au contraire il recula et retourna vers la maison, tout en lâchant, écœuré :

— T'es plus le même, Ludo, t'es plus le même... Je ne sais pas ce que Paris t'a fait mais t'es plus le même.

Ludovic était toujours à l'entrée de la grange.

— Et pourquoi tu crois que j'y suis à Paris, hein, espèce de con ?

Sans se retourner Gilles lui lança :

— J'ai jamais demandé que tu te sacrifies pour moi, je suis marié avec ta sœur, pas avec toi.

Après avoir prononcé des mots trop forts il arrive qu'aussitôt on s'en veuille, on est allé trop loin, on le sait, mais c'est trop tard, le mal est fait. Le chien s'était posté à ses pieds, il regardait Ludovic avec un air d'incompréhension totale, il faisait nuit mais en réalité ce qu'attendait ce chien-là c'était d'aller se promener, de sortir pour lever des chats ou des renards, des lièvres, n'importe quoi, pourvu que ça se débine devant lui et qu'il le rattrape. Ce chien-là, malgré sa bonne gueule d'épagneul, son regard tendre et doux, là il avait juste envie de courser une proie, le vrai désir de cet animal tout mignon c'était de taper dans une bestiole moins véloce que lui, de chasser tout ce qui passait. La truffe en l'air, pendant que Ludovic lui caressait le cou, le chien reniflait plein de trophées possibles, même pas pour les bouffer, pour le seul plaisir de les courser, sous sa mine joueuse et sa bonhomie ce chien-là n'attendait rien d'autre que la permission de tuer.

Après six heures de route Ludovic arriva devant la porte de son immeuble. Il était plus de minuit, pourtant du bruit venait de là-dedans. Le dos cassé, les yeux épuisés par les six cents kilomètres de bandes blanches, il dut regarder dans son téléphone pour retrouver son code, déconcentré par ce vacarme. Sa voiture en général il la laissait le long du port de la Bastille, il avait donc transbahuté depuis là-bas les deux cageots pleins de conserves et de bocaux de soupes que lui préparait chaque fois sa sœur, pour le nourrir certes, mais surtout pour se déculpabiliser d'avoir repris la ferme. Les bras encombrés de ses victuailles il avait un mal fou à composer les six chiffres tout en poussant la porte et en tenant son téléphone entre les dents. Il était épuisé, il avait une seule envie, s'étaler sur son lit sans plus se poser de questions, mais une fois dans le hall, il comprit que quelque chose n'allait pas. Ces bruits inhabituels disaient que le grand appartement du deuxième était loué, le six-pièces de cent vingt mètres carrés dans la partie rénovée, si cher qu'il n'était que rarement loué, sinon par des Américains fortunés qui venaient en famille, trois générations de quakers qui croyaient vivre à la parisienne, ceux-là en général étaient discrets. Il arrivait aussi qu'il soit occupé par des jeunes, des étudiants qui se mettaient à dix pour partager les huit cents euros par jour, et dans ces cas-là ça se passait moins calmement.

Depuis le milieu de la cour, Ludovic jeta un œil sur les fenêtres du deuxième, elles étaient toutes allumées, grandes ouvertes malgré le froid, il en jaillissait des flots de paroles et de musique, les émanations d'une petite foule qui parlait fort et qui dansait, des gens décuplés par l'envie de faire la fête, ivres sûrement, oubliant totalement qu'il puisse y avoir d'autres habitants qu'eux ici. L'appartement était pile en dessous de celui d'Aurore, Ludovic pensa tout de suite à elle, elle ne dormirait pas de la nuit, il eut un sourire ému en l'imaginant couchée, juste là, en ce moment même. Il ne savait pas quand ils se reverraient, à moins qu'elle ne lui ait laissé un mot dans la boîte aux lettres, leur texto à eux, à moins que le hasard ne décide de les faire se croiser demain. Dans sa boîte il n'y avait rien, pas de courrier, mais surtout pas de mot, pas le moindre signe de vie, cette femme avait une faculté de disparaître tout à fait surprenante, c'était d'autant plus vertigineux qu'elle vivait ici même, d'ailleurs en levant les yeux il vit la fenêtre de sa chambre. Là aussi il y avait de la lumière, elle n'était pas couchée, ils n'étaient pas couchés. Tout de même la musique résonnait méchamment dans la cour, mais le pire c'était ce bruit sourd, les basses qui percutaient les tympans. Dans ce magma ignoble un détail l'arrêta, si tous parlaient effectivement en anglais, dans tout ça une voix se détachait, celle d'un homme qui semblait s'exprimer plus fortement que les autres, un qui visiblement gueulait, en anglais lui aussi. C'était sûrement Richard, Richard qui de toute évidence avait dû descendre chez ses provisoires voisins pour leur dire de baisser le son, apparemment il se prenait la tête avec eux. Ludovic posa ses cageots et marcha vers le milieu de la cour en tendant l'oreille. Sans comprendre ce qui se disait, il se rendit bien compte que le ton montait, que ça argumentait sec, il marqua un temps d'arrêt, se demandant s'il ne devrait pas y aller, moins pour calmer les choses que pour voir de près ce Richard que jusque-là il n'avait jamais fait que croiser, il voulait le voir pour de bon, l'avoir en face cet homme qui l'intriguait, ce type à qui tout réussissait, qui d'une certaine façon était tout le contraire de lui, jeune, fringant patron, voyageant sans cesse, un Américain débordant de projets et de relations, son exact opposé.

Piégé par sa propre curiosité, Ludovic s'engagea dans l'escalier A, les marches ici étaient larges, d'amples volées de pierre taillée, avec des rebords sculptés en courbe et des paliers carrelés entre les étages. Plus il montait et plus il prenait l'ampleur des dégâts, les basses de la musique, un rap pesant, faisaient trembler tout l'immeuble, avec en plus des rires qui se chevauchaient et des éclats de voix qui emplissaient l'espace, à plus de minuit c'était intenable. Quand il arriva en vue du palier du deuxième étage, Richard l'aperçut tout de suite, tout de suite il vit ce voisin providentiel qui s'approchait et le prit à témoin avec un réel soulagement.

— Ah, vous aussi, vous les entendez de là-bas ?

Ludovic finit de monter les dernières marches avant de répondre. Il serra la main que Richard lui tendait, signe qu'il le reconnaissait, qu'il savait parfaitement qui il était, pourtant il était impossible qu'Aurore lui ait parlé de lui. Ludovic le regarda fixement comme si les autres n'existaient pas, enfin il l'avait en face, ce Richard, il ne l'imaginait pas si beau, ni si jeune, et puis cette vivacité impressionnante qui émanait de lui, ne serait-ce que dans ce geste nerveux de ramener sa mèche en arrière, faut dire aussi qu'il semblait salement énervé. Malgré le contexte Ludovic le détailla plus encore, il portait un pantalon gris et de toutes fines chaussures, de fins mocassins cirés sans talons, un pull en cachemire, gris lui aussi, à col roulé, tout cela lui allait bien. Il était mince. Il dégageait une de ces élégances dont on se dit que le type est né avec, Ludovic était bluffé de l'avoir là, d'être juste en face, le mari d'Aurore, il n'en revenait pas...

— Vous venez pour le bruit ?

— Oui. Bien sûr. On n'entend que ça.

Face à Richard il y avait toute une bande d'agités qui se succédaient sur le pas de la porte, des jeunes visiblement pas près de se coucher. Il y avait des filles qui passaient la tête, puis qui repartaient vers l'intérieur, se fichant pas mal de l'intervention de ces trouble-fêtes, et d'autres garçons qui se tenaient autour de ceux qui parlementaient, en renfort. Ludovic se sentit vieux, complètement à côté de la plaque, eux tous aussi étaient stylés, en chemise blanche, certains même en costume, comme s'ils étaient de sortie, jeunes et minces, une catégorie bien étrange d'humains qui parviennent à être tout à la fois décontractés et élégants.

Richard recommença à discuter avec ceux qui étaient encore là à négocier, trois types plantés devant la double porte, il essayait, semble-t-il, de se mettre d'accord sur quelque chose, une heure butoir. Ludovic le laissa se débrouiller avec eux, de toute façon il parlait trop mal anglais, ne comprenait pas tout, sinon que Richard avait du mal à se faire entendre. Celui-ci à un moment jeta un œil sur lui, posté en retrait, quelques marches plus bas.

— Ce sont des Américains ? lança Ludovic.

— Oh que non, répondit Richard en s'avançant. Des Australiens seulement...

Puis redevenant soudain parfaitement détendu et rieur, Richard enchaîna d'une voix forte pour surmonter le vacarme :

— Jamais des Américains n'auraient le mauvais goût de faire du bruit sous les fenêtres d'un compatriote... alors que les Australiens, ils sont bizarres, rien que leur accent est épouvantable, je ne comprends rien à ce qu'ils disent, on croirait des, comment on dit, des *péquenots* ?

— Ah ouais.

Ludovic tiqua sur le mot alors que le beau Richard trouvait ça drôle, il ne voyait là qu'une bordée de sous-hommes égarés dans des délires adolescents, se payant un Airbnb parce que jamais un hôtel n'aurait toléré un tel bordel... Il étudia cette bande d'exaltés, un peu fasciné de savoir que c'étaient des Australiens, ils avaient l'air de se marrer, il les envia presque, pour l'envergure de ce délire, venir du bout du monde pour prendre une semaine de cuite sous des plafonds à moulures, s'en mettre plein les yeux en visitant Paris, passer ses nuits à célébrer ce mirage, voilà qui avait de la gueule tout de même, pour des péquenots.

Il s'accouda à la rampe, en spectateur. Richard voulut le prendre à témoin.

— Jamais ils ne pourraient faire ça à l'hôtel !

— C'est clair. Et ils sont là depuis quand ?

— Vendredi, ça fait trois nuits qu'ils nous font le coup, mais là demain c'est lundi, je n'en peux plus !

— S'ils vous dérangent tant que ça, vous n'avez qu'à appeler la police.

— Pourquoi ils ne vous dérangent pas, vous ?

— Moi je suis de l'autre côté, j'ai le sommeil facile, rien me gêne…

En disant cela il ne doutait pas de l'effet produit, il savait qu'il dérouterait son interlocuteur en s'affichant aussi détaché, il se revoyait le dire à Aurore la première fois qu'ils s'étaient parlé. Désarçonné, Richard reprit la conversation avec un autre type cette fois, un grand qui paraissait moins ivre que les autres, un peu plus frais, ils se parlaient tous deux comme on le fait en boîte de nuit, en approchant leurs visages et en faisant des gestes avec les mains, des gestes par trop méditerranéens. Deux autres apparurent dans l'encadrement de la porte, Richard continuait de jouer les négociateurs avec diplomatie en s'efforçant de garder son calme. Ce type avait de la classe, Ludovic ne pouvait s'empêcher de le regarder avec un brin d'admiration, déjà qu'il entretenait un sérieux complexe vis-à-vis des Parisiens en général, alors un Parisien américain c'était encore bien plus impressionnant. Ce qu'il voyait surtout, c'est qu'objectivement ce type avait tout, il avait presque dix ans de moins que lui, une belle situation, un superbe appartement, des enfants, et surtout, il était le mari d'Aurore. Ludovic n'en revenait pas qu'à moins de quarante ans ce type puisse avoir réussi tout ça. Ça le laissait songeur, et ça lui faisait mal, comme cette musique assourdissante et ces paroles qui venaient de partout, émises exclusivement par des excités qui riaient, qui hurlaient et s'extasiaient avec une joie conne sur cette musique nerveuse, atroce, tout ça après six heures d'autoroute, il les détestait tous.

Seulement à ce moment-là, sans qu'il comprenne pourquoi, il vit les regards des trois types se poser sur lui, plutôt interrogatifs, Richard continuait de leur parler, leur disant on ne sait quoi. Ludovic les regarda en retour, sentant bien que Richard parlait de lui, et là ils firent demi-tour et refermèrent la porte, ça continuait de discuter à l'intérieur, mais la musique baissa.

Richard descendit vers Ludovic en lui lançant un grand sourire « Yes ! », puis il lui tendit le poing pour faire ce genre de salut de basketteur que Ludovic n'aimait pas, en réponse il lui tendit une main ouverte, que Richard lui serra classiquement.

— Vous avez compris ?

— Non.

— Je leur ai dit que vous étiez un flic en civil et que vous étiez sur le point d'appeler du renfort s'ils ne baissaient pas le son tout de suite... On peut dire que vous êtes bien tombé !

— Bravo. C'est astucieux, bien joué.

Richard continuait de lui tenir la main tout en lui tapant dans le dos.

— Vous savez, monsieur Ludo, avec les enfants on vous appelle *superplumber* depuis le chauffe-eau !

— Et ça veut dire quoi ?

— Superplombier ! Eh oui, vous êtes un peu notre héros là-haut.

Ludovic reçut ces informations surprenantes sans savoir quoi répondre, Aurore avait dû reparler de lui depuis l'histoire du chauffe-eau, pour le coup il ne savait absolument pas quoi comprendre. Les gens avaient souvent ce réflexe de lui tapoter l'épaule, les épaules larges invitent à la bourrade, un peu comme le cul d'un taureau, le flanc d'un cheval, ces petites tapes familières pour jauger la bête.

— On monte, je vous offre un petit whisky ?

— Non, merci.

Ludovic fit demi-tour et planta là Richard en lui souhaitant bonne nuit. Ce type l'encombrait avec son dynamisme, sa gaîté, son intelligence aussi. Il avait un mal fou à comprendre qu'Aurore s'éloigne de ce Richard pour le préférer lui, la dernière fois elle lui avait même dit qu'en ce moment elle se sentait plus proche de lui que de son mari, ça ne se pouvait pas. Une forme de jalousie lui titilla le cuir, il ramassa brutalement ses cageots dans la cour et s'engagea dans son vieil escalier abrupt, avec une sensation d'humiliation, mine de rien ce type l'avait fait passer pour un flic, comme ça, comme s'il se jouait de lui, sans lui demander son avis, ce Richard était d'une ruse désarmante, une sorte d'arrogance involontaire.

Une fois chez lui, Ludovic fonça prendre une longue douche, il essaya de se laver de tout ça, de ces Australiens insouciants, de ce trop beau mari insolent, des six heures de route dans la Twingo qui chaque fois lui flinguaient le dos, mais l'image qui le hantait

le plus ce soir c'était celle de sa mère emmurée dans
son silence, sa mère définitivement absentée, et les
autres autour d'elle qui ne mangeaient plus les légumes
qu'ils vendaient, et Mathilde dont il avait veillé la
tombe, et Aurore dans ce lit juste en face... Ce soir,
en bout de course de ce week-end, il se rendit compte
que beaucoup de choses ne passaient pas. Il enfila un
caleçon et un tee-shirt, il engloutit une des bières
même pas fraîches que sa sœur avait glissées dans les
cageots, dans son excessive gentillesse elle avait même mis
du saucisson et du pain frais, en y repensant, elle l'exas-
pérait, sa sœur, elle en faisait trop, comme si elle
voulait être bien sûre qu'il reparte sur Paris, qu'il ne
revienne pas dans leurs pattes, sans doute qu'elle pensait à ça, à le maintenir à distance... Finalement, en
faisant le tour de sa vie, il était entouré de pas mal de
salauds ou d'indifférents, d'égoïstes ou de malveillants.

Depuis une demi-heure visiblement les Australiens
jouaient le jeu, leurs fenêtres fermées on n'entendait
qu'un fort bruit de fond, tout à fait supportable, ils
devaient s'enfumer tous là-dedans, mais au moins on
ne les entendait plus. Moins à cause de la fumée que
par curiosité Ludovic s'accouda au rebord de sa fenêtre
pour se griller une cigarette. En avançant dans le mois
de décembre, à travers les branches nues maintenant
on voyait bien l'immeuble d'en face, présent juste là,
en même temps que très loin. Les hauts plafonds des
étages nobles rehaussaient l'ensemble du bâtiment. Par
moments, il avait la sensation de regarder un yacht
flambant neuf depuis le pont d'un vieux voilier bancal.
Ce soir, après avoir vu Richard, mais sans plus la

moindre nouvelle d'Aurore depuis cinq jours, ni de signe de vie, Ludovic se disait qu'il serait sans doute plus sage de se tenir à l'écart de cette femme, de cet immeuble, de tout ça. Il n'était pour elle qu'un amant de passage, une aventure qui tombait bien dans sa vie un peu chahutée, à la limite elle comptait peut-être sur lui pour qu'il lui donne un coup de main afin de récupérer son argent, mais il ne fallait rien attendre de plus de cette princesse qui l'embarquait dans un écart égoïste.

Ce qui le gênait le plus, c'est que depuis quinze jours il y pensait beaucoup trop à cette femme, il ne pensait même qu'à elle. Il faisait l'effort de ne pas lui laisser un mot dans sa boîte, ni de tenter une approche quelconque, alors qu'il crevait d'envie de la revoir, elle lui manquait, physiquement, humainement, et pour des tas d'autres raisons, ça faisait des années qu'il ne s'était pas livré à qui que ce soit, qu'il n'avait pas parlé, mais maintenant elle savait tout de lui, il n'osait se l'avouer mais il se sentait attaché à elle, dangereusement attaché. Il y a un mois encore, cette femme l'évitait, elle ne le regardait même pas quand ils se croisaient, peut-être même qu'elle se méfiait de lui, alors que, de son côté, dès le début il l'avait remarquée, un modèle de femme impossible, parce qu'elle était belle, que chaque fois ses vêtements étaient inédits, seyants, elle sentait bon, il savait quand elle avait traversé la cour avant lui, dans le local des boîtes aux lettres son parfum flottait encore, elle était l'emblème d'un certain idéal, la Parisienne, ou la bourgeoise, une femme assez hautaine ou indifférente, le symbole même de ces femmes qu'à Paris il croisait mais ne rencontrait jamais.

Sa chambre était éteinte. Est-ce qu'elle dormait ? Est-ce qu'ils dormaient dans les bras l'un de l'autre, ou étaient-ils passés à autre chose ? Il chercha des yeux les deux oiseaux. Ils n'étaient plus dans les branches. La seule lumière qui éclairait la cour venait des fenêtres des Australiens, dans cette pénombre on voyait assez clair, mais il ne réussissait pas à voir les tourterelles. Balayant tout le panorama du regard, il les repéra au sommet de l'immeuble, sur le faîte des cheminées à gauche, les deux oiseaux étaient posés en haut des conduits, chacun le leur, à se réchauffer, sans être proches. Il eut l'image d'Aurore, endormie, la tête noyée dans ses cheveux, il songea à ce sacré effort qu'il lui faudrait faire pour ne pas tenter de la revoir. Pas une seule fois il ne lui avait demandé, « Quand est-ce qu'on se revoit ? », jamais il n'avait trahi le moindre indice de son impatience, c'était la seule solution pour ne pas l'affoler, pour lui plaire en affectant l'indiffé-rence. Mais le rôle devenait dur à jouer.

D'un seul coup, les enceintes s'emballèrent dans l'immeuble d'en face, les Australiens se mirent à chan-ter, puis ils augmentèrent encore le son, de nouveau ça bascula dans l'insupportable, même fenêtres fermées c'était une agression. Ludovic resta spectateur. D'avance il savait que les fenêtres du troisième se ral-lumeraient, que Richard ce coup-ci jouerait à fond le rôle du mauvais coucheur, qu'il appellerait les flics, les vrais, qu'il ferait quelque chose… Et pile à ce moment-là il y eut de la lumière aux fenêtres de la chambre d'Aurore, puis dans tout l'appartement, et dans toute la cage de l'escalier A. Ludovic entendit des coups de sonnette frénétiques au milieu de ce vacarme, Richard qui devait sonner à la porte de l'étage en dessous, sonner encore, sans réponse, fou de rage... Sans tout voir, Ludovic suivit la scène avec amusement, anticipant ce qui allait se passer, il crut reconnaître la voix de Richard au milieu de toutes les autres, Richard qui montait d'un cran, Richard salement barré dans la colère et qui perdait son sang-froid, « Qu'il se démerde... » marmonna-t-il, pas mécontent que cette fois le petit mari explose, qu'il soit secoué pour de bon par la fureur ou l'accablement. Ludovic s'alluma une nouvelle cigarette, malgré le froid il demeura accoudé à sa fenêtre pour le plaisir d'entendre l'autre péter les plombs, même si à cause de l'angle il ne voyait pas vraiment ce qui se déroulait sur le palier, ni dans la cage d'escalier, il n'empêche qu'il devinait clairement la scène, il goûtait le spectacle... Puis il y eut des intonations violentes, des propos qui en enjambaient d'autres dans un climat de furie, il reconnut la partition nerveuse propre aux situations où les gestes débordent, des paroles mêlées d'interjections et même des cris, ça disait bien que les paroles ne suffisaient plus, qu'ils en venaient sans doute aux mains. Ce qui l'agaçait, c'était d'entendre les éclats d'une bagarre mais de ne rien en voir. Alors il enfila son jean, il laça ses baskets bien serré pour visser ses appuis au cas où, et sans refermer sa porte il débaula son escalier au même rythme qu'il remonta les deux étages de l'autre, bien chaud, et sur le palier, toujours ce bruit fou mais personne, alors il rentra dans l'appartement, dans le vestibule il tomba sur la vision toujours affolante de deux types qui s'empoignent méchamment, qui se foutent des coups et que les autres essayent de séparer, Richard n'avait plus du tout la même tête, là ce n'était plus qu'un hargneux salement dépeigné, totalement dépassé par sa propre colère, décuplée par celle de son adversaire. Comment un type aussi courtois avait-il pu perdre son sang-froid ? Ludovic se lança dans ce grand bordel comme un spectateur s'engage dans un film. À part le petit groupe dans l'entrée, la plupart des autres continuaient de danser dans le grand salon au fond, comme si de rien n'était, ivres ou déchaînés, le bonheur de cette masse humaine lui éclata au visage, cette jeunesse à l'indolence insupportable, ces jeunes cons qui ne le remarquaient même pas, qui ne s'en méfiaient même pas, et cette musique insupportable, ce rap pâteux, mais fort surtout, fort, beaucoup trop fort, « Putain cette musique... ». À partir de là Ludovic ne pensa plus, il ferma le visage et verrouilla la mâchoire, choper un mec par le col c'est pénétrer en terrain inconnu, tout passe par le regard, les cent kilos ne sont rien à côté du regard, c'est par le regard qu'on montre à l'autre qu'on est prêt à le bouffer, d'ailleurs il fit se relever le blond qui maintenait Richard au sol, il le remit debout pour le regarder bien en face et il frappa direct, sans un mot il balança son poing dans la gueule de ce type qui avait l'arrogance de ne pas le craindre, un coup de poing qui le percuta au menton, le blond s'écroula, l'impact n'assomma pas que le gars, mais tous les autres autour, ils n'en revenaient pas, quand on se bat faut s'y jeter d'emblée, pas de coup de semonce ni de paroles en l'air, dans une bagarre faut balancer toute cette rage qu'on a, mais la balancer d'un coup, sans

avertissement, faut la balancer direct cette peur de ne
pas arriver à vivre, cette chaudière qui en soi bout de
mille rancunes… Les autres formaient un cercle autour
de lui, comme en plein match du temps où il jouait
et qu'ils s'empoignaient en sortie de mêlée, et c'est ce
qu'il fit, il se déplaça vers le groupe et en attrapa un
avant même que leur vienne l'idée de se révolter, il
colla au type un coup dans le bide, tout le monde cria
et s'écarta, ils le prenaient pour un fou, un armé, ils
ne savaient pas qu'il se déchargeait parce qu il n'en
pouvait plus de guetter un signe de vie d'Aurore alors
que ce Richard dormait avec elle, dans le fond il s'en
foutait de ces Australiens, de leur délire, qu'ils conti-
nuent de danser dans leur salon, lui c'est Richard qu'il
avait envie d'anéantir, d'éradiquer, sans plus savoir ce
qu'il faisait il fonça vers la chaîne posée sur le meuble
et il arracha l'ampli, en tirant les câbles il fit tomber
deux longues enceintes et tout s'arrêta net, il jeta
l'ampli à terre comme une noix de coco qu'on explose,
il leur en voulait à tous d'être là, sous le lit d'Aurore,
comme si la vie pour eux était facile, il avait déjà le
recul de se dire qu'il en faisait trop, seulement il y
avait l'ivresse de taper, surtout quand en face ils sont
mous, qu'ils se dégonflent, le petit con se tenait le
ventre mais le grand blond ne s'était toujours pas
relevé, il l'avait touché pile sous le menton, il l'avait
disjoncté, protocole commotion, seulement ça durait,
les autres s'accroupirent autour de lui, Richard lui-
même était hébété, abasourdi comme si c'était lui qui
s'était pris ce coup de poing, Ludovic était au-delà de
ça, les filles consternées devaient dire des choses atroces
sur lui, elles le regardaient comme un dément qui

aurait débarqué dans une communion, mais lire la peur
dans le regard des autres, ça lui donna envie de leur
refoutre un coup, « Me faites pas chier... », qu'il leur
hurla. Quand il était comme ça, jamais on ne s'approchait de lui, même s'ils étaient là à dix en face de lui,
ils restaient bouche bée, rien que des jeunes cons bourrés, pas des haineux, il les avait tous fait redescendre
sur terre, il n'avait pas envie de parler à Richard, pas
envie de complicité, il lança un coup d'œil sur l'autre
au sol, ils appelleraient les pompiers ou il se remettrait
tout seul, il s'en foutait, il dégagea, plus de bruit, plus
de musique, ils se penchaient tous sur leur blessé, et
lui s'engouffra dans l'escalier en attaquant les marches
du plat du pied, bien fort, pour évacuer cette haine
subite qui était bizarrement montée.

Quand il rentra dans son appartement, sa fenêtre
était toujours ouverte, il faisait froid, mais il laissa tout
comme ça, sans allumer la lumière il s'assit sur son lit
pour défaire ses baskets et il se calma, il s'allongea dans
le froid, plus de bruit dehors, rien que des voix qui
se parlaient, une grande conversation tremblée, il fallait
qu'il se calme, de l'autre côté des arbres là-haut il y
avait toujours des lumières allumées, ce qu'il redoutait
c'était d'entendre débarquer les pompiers, il expira fort,
il fallait qu'il se calme, c'est chaque fois horrible de
réaliser qu'on est allé trop loin, depuis toujours il se
méfiait de ce coup de trop, l'impulsivité chez lui ça
pouvait prendre des proportions qu'il dosait mal, déjà
môme quand il jouait, sa mère lui disait, « Tu sens
pas ta force, arrête... », il fallait qu'il referme cette
fenêtre et qu'il se calme, il n'osait pas regarder dehors,

voir ce qu'on entendait, deviner ce qu'on voyait, après tout ils l'avaient cherché, il se rassurait en se disant cela, mais tout de même, c'est jamais bon quand il s'emballe, c'était de la faute d'Aurore et de Richard, il le sentait bien, ce couple risquait de lui faire faire des conneries, c'est alors qu'il perçut au loin, loin dans le silence des rues derrière, la sirène d'un camion de pompiers, le klaxon deux tons, fort et lent, qui se rapprochait de l'immeuble, et il sentit une poisseuse inquiétude l'envahir quand le camion s'arrêta là, tout près, devant la porte de cette cour, et en laissant tourner le moteur.

III

Rien ne l'inquiète. Rien ne l'inquiétera jamais. Après ce qu'il avait vécu rien ne lui ferait plus jamais peur. Quand on a vu la maladie gagner, jour après jour, sur le visage de celle qu'on aime, quand on a pris, jour après jour, la mesure de son impuissance totale face à la maladie de l'autre, qu'on a flotté pendant des mois dans des angoisses qui ne font que vous parler de la mort, qu'on est suspendu, jour après jour, à de nouveaux diagnostics, sans cesse renvoyé à son impossibilité totale d'agir, et qu'on est bien obligé d'admettre que malgré tout l'amour qu'on porte à celle qu'on aime, on ne peut rien pour elle, rien, alors après ça on n'a plus peur de rien. Sa force elle venait de là, d'avoir trop perdu, dès lors, plus rien ne l'inquiéterait, plus rien ne lui ferait prendre peur ou froid, rien.

Mardi soir, Ludovic alluma la télé en rentrant et s'allongea tout habillé sur son lit. Le rituel c'était de regarder le journal des éditions locales sur le canal 303, de se caler sur France 3 régional à dix-neuf heures, pour se donner le sentiment d'être un peu là-bas.

Depuis deux jours il s'attendait à ce qu'on lui reparle des Australiens, il savait que d'une façon ou d'une autre cette histoire lui reviendrait dans la gueule, soit le propriétaire de l'appartement se manifesterait, soit les flics, en fin de compte ils étaient nombreux à pouvoir lui demander des comptes au sujet de ce coup de poing, de cet ampli explosé et de ce type dont il ne savait toujours pas à quel point il l'avait abîmé. Il ne voulait pas savoir. Le premier qui aurait dû lui reparler de cette histoire, c'était Richard, ou peut-être Aurore, mais jusque-là, rien.

L'autre nuit finalement les pompiers étaient restés longtemps, plus d'une heure. Dans le noir, la fenêtre entrouverte, Ludovic avait tout entendu des bruits et des mouvements, le deuxième véhicule de pompiers qui s'arrête dans la rue et dont le bruit du moteur s'ajoute au premier, puis d'autres véhicules, des portières qui claquent, la grille du hall qui s'ouvre et se ferme plusieurs fois de suite, des tas de voix dans la cour. Après le deuxième camion de pompiers, quatre agents de police étaient arrivés sur place. Derrière sa fenêtre, Ludovic essayait de suivre, il voyait un bout du salon de l'appartement du deuxième. Dans la cour, un agent de police et deux pompiers discutaient, de là-haut il n'entendait que les talkies-walkies qui grésillaient sans cesse, et fort.

Là où il s'était inquiété c'est quand il avait entendu la sonnette de chez Aurore, les flics avaient dû demander des explications à Richard, en tant que voisin du dessus, ou de voisin plaignant, savoir si c'était lui qui avait flanqué ce coup de poing, sinon qui d'autre... En tendant l'oreille il ne percevait que des fragments de conversations qui se mélangeaient, en français aussi bien qu'en anglais, des échanges plutôt calmes, sans effusion particulière, sans nervosité, une sorte de calme glacial, souligné par les bruits de tous les véhicules dont les moteurs tournaient à l'arrêt, et des talkies-walkies.

Au bout d'un long moment, deux des Australiens étaient descendus dans la cour, puis les flics et les pompiers, et le blessé enfin, ils avaient évacué le gars sur un brancard, visiblement équipé d'une minerve, d'une perfusion. Ludovic suivait ces allées et venues, il ne redoutait qu'une chose, voir toutes ces têtes se lever en direction de son immeuble, de sa fenêtre, il se tenait là en retrait dans la pénombre, il craignait qu'on n'ait déjà donné son nom, qu'il n'y ait eu un dépôt de plainte, mais parmi tous ces individus qui allaient et venaient, jamais il n'en avait vu un lever les yeux vers sa façade, signe que Richard n'avait pas parlé, quant aux autres, ils n'avaient pas compris qui il était, un flic ou pas, ni d'où il sortait. Par la suite tout s'était apaisé, il n'y avait plus eu de bruit, plus de moteur, plus de musique, rien, mais malgré ce grand calme il n'était pas parvenu à s'endormir.

L'inconvénient de paraître aussi solide c'est que les autres ne s'étaient jamais inquiétés pour lui, on l'avait toujours cru fort. Depuis toujours on avait présumé qu'il survolait tout, que cette autorité qu'il avait sur les autres en classe, elle s'appliquerait à tout, qu'il se devait de devenir adulte un peu plus tôt que les autres, et de ne se laisser impressionner par rien. C'étaient les autres qui l'avaient enfermé dans le rôle du costaud, à commencer par ses parents qui en retiraient une sorte de fierté animale, alors pour ne pas décevoir il s'était mis à jouer le jeu. Même quand il avait un gros rhume, il ne voulait pas en faire l'aveu, il ne laissait rien paraître, il surmontait la fièvre et la gorge qui brûle, les autres en rajoutaient pour se faire plaindre, à leur pâleur on voyait qu'ils avaient une angine ou la grippe, lui, même malade il niait chaque fois et gardait le teint bien rosé. L'intérêt c'était de ne pas attirer l'attention, de rester libre, qu'on lui foute la paix. Et par la suite, pour les émotions il avait fait pareil, ne rien laisser paraître, se verrouiller, au point de sembler insensible, ou indifférent. À l'école comme dans le canton, ils avaient tous toujours eu le tort de le considérer comme inébranlable, alors qu'au fond, il n'était absolument pas convaincu d'exercer la moindre prédominance sur quoi que ce soit.

Pourtant depuis deux jours la peur le gagnait, à tout le moins la crainte que ce coup de sang ne lui retombe dessus. Sa résistance, on la décide à tout instant, à tout moment on résout de se laisser envahir ou pas par l'angoisse, de se laisser submerger par une préoccupation à laquelle on accorde trop de place. Être fort, c'est ne pas prendre la mesure du danger, le sous-évaluer, consciemment, tandis qu'être faible, c'est le surestimer, mais l'autre soir, il s'était fait très peur.

Les Australiens étaient repartis le lundi, en tout cas le lundi soir ils n'étaient plus là. Le grand six-pièces était de nouveau plongé dans le noir, et le serait sans doute durant plusieurs semaines, avant que des nouveaux locataires ne débarquent d'on ne sait où. Cette histoire l'obsédait, il ne savait pas si le gars avait juste fait un passage aux urgences ou s'il y était toujours, un coup au visage ça peut très mal tourner. Et comme son appartement il le louait au black à son patron, ce n'était pas la peine d'attirer l'attention. Jusqu'à ce jour, les autres habitants de l'immeuble le voyaient comme un type discret, serviable, sans histoire, il n'aurait pas fallu qu'on se mette à se méfier de lui.

Les pieds posés sur le dessus-de-lit il regardait la deuxième partie du 19/20, les infos régionales, à ce moment-là il était sûr que sa mère était devant, tous les soirs elle regardait cette partie-là du journal, sa sœur ou ses neveux la mettaient devant et la regardaient avec elle, et parfois même le père, surtout l'hiver, sur le canal 303, l'édition Midi-Pyrénées. On y parlait de décors qu'il connaissait, il regardait ça comme les images d'un autre pays, il était à l'aise devant ce programme, ça le ramenait à des préoccupations familières et en même temps lointaines, vus de Paris ils semblaient bien loin ces paysages, leur vision l'enveloppait d'une nostalgie très concrète, physiquement il n'était plus là, alors quand on frappa trois coups secs à la porte, il pensa tout de suite aux Australiens, aux flics, aux gars de l'agence de location, à quelqu'un qui venait lui chercher des histoires. Mais à peine ouvrit-il la porte qu'elle lui tomba dans les bras, elle le ceintura pour se blottir et le serra de toutes ses forces. Ludovic ne pouvait même pas refermer, il regarda s'il y avait quelqu'un dans le couloir, elle s'accrochait à lui avec une avidité surprenante, en inspirant comme pour s'emplir d'un parfum trop longtemps attendu. D'un coup, il sentit toutes ses craintes, toutes ses colères s'évanouir, chaque fois qu'il la revoyait, elle lui paraissait plus ardente, plus passionnée, il sentait à quel point elle avait envie de le voir, c'était tout de même un risque pour elle de venir dans cet escalier, de s'afficher là, de toute évidence elle

tenait à lui, lui prêtant peut-être une importance incon-
sidérée qu'elle regretterait, il ne savait pas.

— Ludovic, je n'y arrive pas.

— À quoi ?

— On peut se voir ?

— Mais Aurore je suis là, on se voit là !

— Non, je suis en retard, Richard est aux États-
Unis pour deux jours, il faut que je rentre. Après-
demain tu peux ?

— Oui, bien sûr. Ici ?

— Non, à La Grande Cascade comme l'autre fois.

Il se retint de lui dire que c'était à l'autre bout de
Paris, que jeudi après-midi il avait deux rendez-vous
au nord de la Seine-et-Marne, à l'exact opposé du bois
de Boulogne, que ça ne l'arrangeait pas, il lui dit juste
que c'était idiot de se donner rendez-vous aussi loin,
alors qu'ici, ils s'avaient l'un et l'autre pour ainsi dire
« sous la main »...

— Non, il faut qu'on se parle. Quand on se voit
ici, tu le sais bien, on se parle, mais on fait surtout
autre chose, et là il faut que je te parle sérieusement,
tu comprends, cette fois c'est grave...

— Tu parles de l'Australien, t'as des nouvelles ?

— On s'en fout de l'Australien. T'as bien fait. Ne
t'inquiète pas, tu as bien fait.

— Mais Aurore, tu veux me parler de quoi ?

Elle lui saisit le visage avec une force stupéfiante
encore une fois, il se laissa engloutir dans ce baiser,
cette femme maintenant était un vertige qui le submergeait, qui le dépassait, elle venait de dehors, son
manteau, sa peau, son visage, étaient frais, son haleine
aussi, elle ne voulait surtout pas prendre le risque de

s'attarder, il lui attrapa le visage pour répondre à son baiser, il voulait l'empêcher de repartir, la confondre de désir, l'étourdir en l'enlaçant, mais elle se détacha, elle recula en le regardant dans les yeux :

— Je t'aime, tu sais.

Il ne sut pas quoi répondre, ni s'il le fallait, elle n'attendait pas de réponse, c'était juste une impulsion, il était incapable de lui dire « Moi aussi, je t'aime moi aussi », ça lui semblait infaisable, il en avait envie pourtant. Il avait peur que Mathilde n'entende, bêtement, alors, il lui dit juste :

— Aurore, reste un peu…

— Non. Après-demain. Dix-sept heures !

Il demeura là devant cette porte toujours béante, dans le couloir elle n'y était déjà plus, à un moment il eut le sentiment qu'il n'avait fait que l'imaginer, heureusement il avait son parfum, il en avait plein le visage, plein la bouche, jamais personne ne l'avait à ce point ensorcelé. Dans son dos il entendait la fin d'un reportage sur un loup, un loup qui déchiquetait les brebis, un loup qui se jetait sur les troupeaux et tuait toutes les bêtes pour le simple plaisir de tuer, mais où… ? Pas par chez lui sûrement. Il pensait qu'Aurore lui en voudrait d'avoir éclaté cet Australien, qu'elle le vivrait mal, alors qu'au contraire elle l'en avait remercié, comme pour les corbeaux. Finalement dès qu'il tapait sur quelqu'un, elle le remerciait, dès qu'il réglait une situation par la violence, elle le remerciait. Il se dit que ce qu'elle aimait en lui, c'était plus le loup que la brebis.

— Mademoiselle, allongez-vous.

— Foutez-moi la paix, vous... !

— Croyez-moi, allongez-vous, vous allez voir, quand on s'allonge on se calme tout de suite, c'est physiologique ça, on ne peut pas à la fois être allongé et en colère, vous pouvez me croire, c'est tout ce que j'ai retenu de mes années de secourisme !

— Lâchez-moi, de toute façon vous n'avez rien à foutre ici !

— S'il vous plaît, on va tous rester bien calmes, allez, allongez-vous madame Belsanne...

— Ne m'appelez pas madame, bordel !

Ludovic essayait d'ignorer les insultes et de rester calme face à cette jeune femme, seulement depuis que le propriétaire les avait rejoints chez elle, ce propriétaire un peu fourbe qui s'était pointé sans prévenir, ça l'avait mise hors d'elle, la locataire était folle de rage, au point qu'elle les inondait d'insultes et tentait même de leur donner des coups, de toute évidence la colère de cette femme était décuplée par la situation, possiblement aussi par l'alcool. En jetant un œil rapide dans l'appartement,

Ludovic avait repéré le cubi de vin posé sur l'évier de la cuisine. Le fait qu'elle ait bu n'arrangeait rien. Ludovic sentait le propriétaire qui se planquait dans son dos, ce vieux bonhomme n'avait rien à foutre là, c'est en le voyant débarquer que la jeune femme avait littéralement pété un plomb. Dans un geste de furie cruelle elle avait même flanqué un coup de pied à son sapin de Noël qui trônait près de la fenêtre, le sapin synthétique avait volé au milieu de la pièce, et les illuminations aussi, les petites lampes disjonctées ne clignotaient plus, c'était déchirant. La vision de ce symbole de gaîté enfantine fracassé au sol était terrible, Ludovic ne devait surtout pas le ramasser, il perdrait toute autorité en se rabaissant à le ramasser, mais il le fit quand même, parce que ça lui faisait mal de voir ça, il fallait que tout s'apaise, que tout redevienne calme, parce qu'au fond lui aussi avait envie de virer ce proprio qui n'avait rien à faire là. La jeune femme fut touchée qu'il s'accroupisse pour ramasser le sapin, et qu'il le recompose à la va-vite, elle lui dit un imperceptible merci. Pour faire redescendre la tension, Ludovic guida donc de nouveau la jeune Belsanne vers le canapé, il lui demanda de s'asseoir, et même de s'étendre, en la ménageant le plus possible, en lui allongeant les jambes pour qu'elle se calme, mais elle ne se laissa pas faire, elle se redressa encore d'un bond, cette fois pour foncer droit sur le propriétaire, elle lui empoigna le col en l'inondant d'injures, le bonhomme était complètement dépassé, il paniquait et il se mit à l'insulter à son tour, Ludovic était pris en tenailles, au début tout se passait pourtant bien avec cette madame Belsanne, certes elle essayait de l'apitoyer mais au moins ils arrivaient à discuter. Ludovic redoutait que cette histoire n'en finisse pas, Aurore l'attendait à cinq heures devant La Grande Cascade, à l'autre bout de Paris, il avait pris la voiture pour gagner du temps et éviter d'interminables changements, n'empêche c'était tout à fait de l'autre côté et aujourd'hui ça roulait mal.

La jeune femme avait cinq mois de loyer en retard. Son propriétaire était un retraité de soixante-quinze ans, des appartements il en louait deux, celui-ci et un petit studio en dehors de Villeparisis. Le problème c'est que depuis des mois ses deux locataires étaient défaillants, et pas de clause résolutoire dans les contrats. Mais le pire, c'est qu'à cette madame Belsanne, il louait le rez-de-chaussée de son propre pavillon, si bien que sa débiteuse, il l'avait sous le nez à longueur de journée, il vivait au-dessus d'elle et la voyait tous les jours. De plus c'était l'hiver, il n'osait pas se lancer dans une procédure devant le juge des référés, sans parler de l'argent que ça lui coûterait, et même si un juge devait prononcer une décision d'expulsion au-delà de la trêve hivernale, d'expérience il savait que ça n'en finirait pas, que ça prendrait au minimum un an, ou plus, comme elle avait deux enfants il était sûr que le juge refuserait de toute façon de signifier l'expulsion, ne resterait plus alors qu'à se retourner contre l'État pour réclamer les sommes, ça n'en finirait pas. C'est pourquoi le propriétaire avait fait appel à l'agence de Coubressac, convaincu que ça serait plus efficace de passer par le recouvrement, qu'au moins sa locataire prendrait peur, peut-être même qu'elle dégagerait, sans quoi, en dernier recours, il passerait à la procédure ultime, le « Process'24 », une manœuvre totalement illicite mais dont l'usage se répandait en catimini, au mépris de toutes les lois, le bouche-à-oreille fonctionnait, certains propriétaires n'hésitaient plus à user de cette méthode.

D'après les renseignements que Ludovic avait pris, depuis que le compagnon de cette femme s'était volatilisé, la plantant là avec les deux enfants, c'était devenu intenable. Ludovic observait le bonhomme, pas si vieux mais déjà à bout, il avait reculé jusqu'à la porte d'entrée, il faisait des efforts pour rester droit mais tremblotait de colère, il n'arrivait même plus à éructer ses insultes, le souffle lui manquait tant il flageolait de stress devant cette femme, cette jeune femme mille fois plus vive que lui.

— Monsieur Costa, je vous l'ai déjà dit, je n'ai pas besoin de vous, madame Belsanne est assez grande, laissez-moi régler tout ça avec elle, en tête à tête.

— Mais cette conne habite en bas de chez moi, ce pavillon c'est moi qui l'ai construit, comme toutes les maisons autour, et les immeubles de Gagny, c'est nous qui avons tout construit.

— Qu'est-ce que tu veux dire, vieux con ?

— Ici, je suis chez moi !

— Non, monsieur Costa, là vous êtes chez elle.

— Non, je suis chez moi, c'est cette salope qui est chez moi !

— C'est vous, les salauds, ta femme, elle fait exprès de faire des machines la nuit pour que mes enfants se réveillent, et l'essorage à fond, toutes les nuits, c'est vous, les salauds.

Là-dessus Costa revint vers le milieu de la pièce, Ludovic se posta juste devant lui, en paravent.

— Et vous alors, avec tous ces types qui viennent le soir, me faites pas croire qu'on vous empêche de dormir, c'est un vrai bordel ici !

— Qu'est-ce que tu viens de dire, vieux con, qu'est-ce que tu viens de dire... ?

Ludovic s'interposa plus franchement en demandant à l'homme de reculer, il prenait sur lui pour ne pas élever la voix, ne pas se montrer déstabilisé en quoi que ce soit, il voyait bien que ces deux-là avaient la « mèche courte », ils s'enflammaient au quart de tour, au quotidien ce devait être invivable ici, seulement tout ce qu'il voulait, lui, c'était repartir, ne surtout pas être en retard à son rendez-vous avec Aurore à l'autre bout de Paris, à cette heure-ci il lui faudrait plus d'une heure pour atteindre le bois de Boulogne, mais avec ces deux-là on flirtait avec le drame, ils continuaient de s'envoyer leur haine recuite, ce profond dégoût qu'ils avaient l'un de l'autre, c'était irrespirable, insupportable, alors pour calmer le jeu Ludovic joua l'autorité et recadra sèchement le bonhomme, il savait pertinemment que la femme ne se calmerait pas tant que le propriétaire aurait un pied dans son appartement.

— Monsieur Costa, je vais vous demander de sortir, je suis venu voir madame Belsanne et c'est avec elle que je dois parler, vous n'avez rien à faire là.

Le propriétaire, trop secoué par toutes les injures, recula de nouveau jusqu'à la porte mais ne la franchit pas, et plus la locataire lui demandait de se barrer, plus il s'entêtait à rester.

Ludovic avait pris la précaution de venir dans l'après-midi, sachant que les enfants seraient encore à l'école, précisément pour leur éviter ce genre de spectacle. D'autres négociateurs que lui n'auraient pas eu cette délicatesse, au contraire, ils en auraient joué et seraient venus en fin de journée pour que tout soit bien tendu et glauque. En repérant les lieux il y a quinze jours, il avait vite compris que le cas serait périlleux, la configuration était piégeuse, un bailleur et un débiteur qui vivent l'un au-dessus de l'autre, dans le même pavillon, ce n'est pas idéal.

Il finit par convaincre Costa de sortir en passant par le perron, de toute façon le bonhomme avait les jambes qui vacillaient, il était consumé par sa propre colère. Une fois la porte refermée, l'appartement retrouva son calme. Pour tester la jeune femme, Ludovic lui désigna le cubi là-bas sur l'évier en lui demandant : « On se sert un verre, histoire de détendre l'atmosphère ? »

À l'empressement qu'elle eut à servir deux grands verres pleins à ras bord, et à l'avidité avec laquelle elle avala le sien, Ludovic comprit tout de suite à qui il avait à faire. En voyant les photos des mômes collées partout sur les murs de la cuisine, il se dit que l'angle d'attaque le plus simple serait de jouer sur le ressort de l'intimidation, de sortir les papiers à en-tête d'huissier, de lui faire le coup de l'inventaire afin de voir ce qu'elle pourrait revendre pour payer les arriérés, de laisser planer des menaces à propos de la garde des enfants...

— Il dit que je paye pas, mais c'est pas vrai, la CAF paye une partie, ils lui envoient à lui, alors pourquoi il se plaint, ce vieux con, il a un pavillon, il a le jardin, moi j'ai même pas le droit d'aller dans leur jardin, et quand mes enfants jouent au ballon il leur hurle dessus...

— Vous étiez mariée avec le père des enfants ?

— Non.

— Et vous savez où il habite ?

— Je veux pas le savoir.

— Vous savez qu'il est solidaire du bail, même s'il habite ailleurs, même s'il disparaît dans la nature, il doit vous aider à payer ici.

— On n'est pas mariés, il ne me doit rien, je veux pas le revoir, ce salaud.

— Mais il a bien reconnu les enfants ?

— C'est pas vos histoires...

Là-dessus elle se calma, se tut, maintenant qu'elle était assise et que l'autre était parti, elle semblait essorée de toute colère, vidée.

Le temps filait. Ludovic puisait au fond de lui pour garder son calme, puis il égraina la litanie de formules affolantes qui font mouche à chaque fois, mais cette fille paraissait tellement paumée qu'en fait il avait un mal fou à durcir le ton et à tout enchaîner sur le mode du négociateur intraitable. Alors il essaya de se concentrer sur son intérêt à lui. Sur un coup comme celui-là, il y avait quatre mille euros à se faire, deux mille pour lui et deux mille pour la boîte. Le propriétaire était tellement à bout que Ludovic savait très bien qu'il n'aurait pas à lui forcer la main pour lui proposer le « Process'24 », pas de doute que le vieux serait prêt à payer quatre mille euros pour sortir le grand jeu. Des « Process'24 », Ludovic n'en avait géré qu'un, ça consistait tout d'abord à repérer les habitudes des locataires, puis à définir un jour J, et là, très vite, il fallait changer les serrures en l'absence de tout occupant, puis assurer l'enlèvement du mobilier et ensuite sécuriser le site avec un maître-chien pendant au moins vingt-quatre heures. Ce genre d'opérations c'était si trauma-tisant que ceux qui en faisaient les frais n'avaient jamais le réflexe de déposer plainte pour violation de domicile, une fois à la rue ils se concentraient sur une seule chose, trouver un endroit où coucher le soir, récupérer leurs affaires qui étaient là en vrac et parer à l'urgence.

Ludovic faisait mine de relire tous ses papiers, cher-chant quel ton adopter. Ils restaient là, tous les deux, dans un silence d'après l'orage. Ne sachant par où commencer, il releva le nez de son dossier et regarda la jeune femme. Il eut alors l'image d'Aurore quittant le bureau de Kobzham, aussi démunie et blessée, dans les yeux de cette jeune femme il retrouva cette même perdition hautaine, pourtant il savait bien que les deux cas n'avaient rien à voir, que l'environnement d'Aurore était autrement plus balisé et solide, autrement plus aisé que cette quasi-misère de Belsanne, et pourtant l'impuissance était la même, la détresse ultime de celle qui réalise que le réel vient de la rattraper, que tout menace de s'écrouler, que plus rien n'est sûr, que plus rien ne tient debout autour de soi, une femme sur le point de perdre pied mais qui n'ose pas se l'avouer. Devant lui elle malaxait son verre vide sans oser le remplir.

Ce qu'il reconnaissait à cette femme, ce qu'il trou-vait hautement estimable, c'est qu'elle ne tentait même pas de l'apitoyer, elle était là plantée dans sa détresse, assumant son désarroi sans même se chercher d'excuses, sans même invoquer le manque de chance, pas plus qu'elle ne reportait la faute sur les autres.

— Et votre mari, enfin le père des enfants, il fait quoi ?

— Je vous ai déjà dit que je ne veux plus entendre parler de lui.

— Dites, Mélina, là il faut m'aider un peu, Mélina...

Surprise de se faire appeler par son prénom, elle leva les yeux vers Ludovic, plus trop habituée à ce qu'on s'adresse à elle humainement.

— En deux mots, c'est quel genre de mec votre ex, un type un peu limite c'est ça, un type un peu border-line, c'est ça ?

— C'est ça.

Il essayait de rouler le plus vite possible sur le périphérique, il voulait absolument arriver avant Aurore au rendez-vous, seulement la circulation était dense en cet après-midi pluvieux, il ne passait que rarement la troisième. Vivre en ville distille ce genre d'angoisse dans les veines, le stress d'être bloqué au milieu des autres, de devoir gérer sa frustration, de se contenir en maudissant tous ceux qui sont autour... Coincé dans cet embouteillage, il était bloqué par ces milliers de présences agglutinées, autour de lui les autres n'étaient qu'un bloc compact et incommodant, une entrave, finalement tout le monde le gênait ici.

Elle voulait le voir, c'était urgent, mais l'essentiel pour lui c'était de la revoir, uniquement ça. Revoir Aurore c'était devenu comme un but, la tenir, se couper du monde en se plongeant dans son parfum. À sa seule pensée, il prit une profonde inspiration, l'envie de lui faire l'amour montait en lui comme un manque, une obsession. Avant Aurore, il y avait eu des années sans frôler un corps, sentir une peau, toucher des cheveux. Ce qui la rendait encore plus désirable, c'était ce désir qu'il surprenait en elle, cette attitude qu'elle avait quand ils se serraient fort, quand elle collait sa tête de toutes ses forces contre son torse, comme si elle cherchait à se cacher en lui, à se blottir au plus profond, ça le rendait fou de sentir ce besoin qu'elle avait de lui, alors que cette femme avait tout. Dès qu'une brèche se dégageait il s'y engouffrait, voulant absolument arriver en avance, ne pas tomber sur cette image, Aurore descendue d'un taxi, l'attendant seule, perdue dans cette grande salle, ou dehors, devant la terrasse de La Grande Cascade. Il donna un coup d'accélérateur, se faufilant entre les voitures serrées, en plus de revoir Aurore il voulait fuir ce rendez-vous avec la jeune Belsanne, bien conscient d'avoir fait là une belle connerie. Avec Mélina Belsanne, en fin de compte, il avait tout inversé, il avait pris un risque fou, au moment de partir, plutôt que de l'affoler, il lui avait soufflé ce qu'elle devrait faire. Finalement il avait flanché devant cette jeune mère, il ne se sentait pas de la malmener, « Mélina, la vérité c'est que Costa ne peut rien faire contre vous, et je vais vous dire, c'est même vous qui pourriez porter plainte contre lui, oui, pour violation de domicile, tout à l'heure il n'avait pas le droit d'entrer chez vous comme il l'a fait, de même que vous pourriez porter plainte pour insultes et menaces, rien qu'avec un dépôt de plainte à la gendarmerie, en ressortant tout ce qu'il vous a balancé, c'est lui qui sera auditionné, et si le dossier remonte jusqu'au juge, je vous prie de croire que le vieux passera vite fait en correctionnelle, à la limite, rebranchez-le demain, et filmez-le en douce avec l'iPhone quand il entre chez vous et vous engueule... Mélina, ce que je vous dis là, vous en faites ce que vous voulez, mais moi je vous assure que vous pouvez le mettre à genoux votre proprio... Maintenant, Mélina, je ne vous ai rien dit, hein, on s'est bien compris, Mélina, je ne vous ai rien dit... ».

L'accès à La Grande Cascade était fermé, un ballet de berlines noires monopolisait le parking, en sortaient des tas d'hommes en costume et manteau qui allaient vers le restaurant sans traîner dans le froid. Ludovic se gara en dehors, à l'écart de cette ronde de limousines avec chauffeur, aussi bien des voitures de location que des taxis G7 et des voitures de fonction. Il sortit de la Twingo pour fumer une cigarette, regardant ça à distance, l'établissement était privatisé pour une convention ou un séminaire, il y avait une marquise en plastique blanc et rouge, au-dessus de l'escalier, sur laquelle était floqué le logo d'une compagnie ou d'un congrès d'informatique, « World Big Data ».

Il avait plus de dix minutes d'avance, il aimait mieux ça, il aimait l'idée d'attendre Aurore, d'être concentré sur cette idée-là. Depuis qu'ils se voyaient il redécouvrait l'allégresse d'avant un rendez-vous, avec la possibilité toujours qu'elle ne vienne pas, cette incertitude qui le tenaillait jusqu'au dernier moment. D'ailleurs, si elle avait du retard ou un empêchement, elle n'aurait aucun moyen de le joindre. Cette incertitude-là le ravissait, voilà des années qu'il n'avait pas ressenti le trouble vertigineux d'attendre une femme, quand seul importe de la revoir, qu'on est exclusivement tendu vers l'instant des retrouvailles, qu'il n'y a pas d'autre projet, pas d'autre enjeu, se revoir avec le risque toujours que l'un des deux abandonne ou se désiste, que tout échoue d'une quelconque manière. Attendre l'autre c'est déjà partager quelque chose. Il se demandait pourquoi elle voulait le voir maintenant et ici, il se préparait à ce qu'elle ait besoin qu'il fasse quelque chose de plus ou moins concret, qu'il lui donne un coup de main. Apercevant au loin les tours de La Défense, ce fut comme si Kobzham le dominait encore une fois, Aurore irait-elle jusqu'à le solliciter pour récupérer son argent auprès de cet enfoiré, le faire payer d'une façon ou d'une autre, ce qui le ravirait. Quoi qu'elle lui demande il le ferait. Là, debout en plein courant d'air, le froid commençait de piquer, Ludovic sentait les frissons monter. Depuis qu'il était parisien il était devenu facilement frileux. À la campagne l'éxtérieur n'était jamais hostile, dans le froid il bougeait toujours, il ne faisait jamais de surplace, pas même à la chasse, à la limite il aimait bien se faire secouer par un coup de gelée ou une bonne pluie, marcher dans la neige aussi bien qu'en plein cagnard, alors qu'à rester planté sans bouger dans le souffle de ces deux avenues immenses, deux nationales aux perspectives interminables, il était pris de tremblements, comme s'il ressentait l'instant exact, la seconde précise où il attrapait froid, c'était curieux de concevoir ça, pourtant il demeurait immobile, se croyant le plus fort encore une fois. Pour se réchauffer il alluma une cigarette, et rien que l'odeur le calma. Accoudé au toit de sa voiture, il retrouva l'ivresse adolescente, cette sensation de flottement. Aurore ne le quittait pas. Aux premiers moments d'une histoire, l'idée de l'autre obsède, on y pense tout le temps, ce qu'on a vécu avant n'existe plus, le passé est

cette chose insignifiante et prodigieuse qui s'est conten-
tée de nous amener là, comme si vivre n'avait servi
qu'à ça, à ce besoin de retrouver l'autre.

La nuit était tombée. Il se fit rattraper par l'inquiétude, s'il lui était arrivé quelque chose elle n'avait
aucun moyen de le prévenir, et si elle faisait le numéro
du restaurant, il n'y était pas. Il sentait bien qu'aimer
cette femme était une suite de risques à prendre, non
seulement elle était mariée, mariée à un homme indis-
cutable, à l'aise, brillant, sur tous les plans elle était
très éloignée de lui, mais en plus elle était en train de
perdre pied. Une idée le terrifia, à ce jour, le seul être
au monde à être au courant de leur liaison, c'était
Kobzham. Les idées se bousculaient au rythme des
voitures qui continuaient d'affluer sur le parking, de
loin Ludovic voyait tout ce beau monde aller et venir
dans les grandes salles, par groupes les hommes se parlaient entre eux, des serveurs en veste blanche passaient
au milieu d'eux avec des plateaux remplis de coupes.
Jusque-là, ça ne l'avait jamais gêné d'être habillé en
jean et baskets, seulement si Aurore tenait absolument
à rentrer dans ce restaurant, à se fondre dans la masse
de ces gens-là, elle le pourrait bien, mais pas lui, pas
habillé comme ça.

Il était dix-sept heures vingt et il faisait nuit noire.
Après la quatrième cigarette il se répéta que s'éprendre
de cette femme ne mènerait à rien, le plus sage était
de faire marche arrière, de garder la tête froide. Ce
qu'il redoutait le plus c'était de faire une connerie, de
mettre le nez dans un monde où il n'avait pas sa place,
il devrait sans doute marquer plus de distance, se détacher. L'incident avec l'Australien c'était peut-être une

alerte, le présage que cette histoire ne lui apporterait rien de bon. Dans le fond il ne savait rien d'elle, et surtout elle ne savait pas tout de lui, il aurait dû lui raconter ce qu'avait été sa vie depuis trois ans, mais s'ouvrir sur ses douleurs c'est pas un cadeau à faire aux autres, Aurore attendait de lui qu'il la rassure, qu'il soit fort et n'ait peur de rien, il l'avait bien compris.

Maintenant il en était à tousser pour de bon, il n'avait qu'un tee-shirt sous ce mince blazer, il y avait pourtant des vêtements à l'arrière de la voiture, mais c'était un pull de chasse et une polaire zippée, il ne voulait pas qu'elle le voie avec ce genre de fringues sur le dos. Il resta dehors, étonné qu'elle ne vienne pas. Le vent glacial se confondait à l'humidité, il fouilla dans le coffre pour trouver de quoi se moucher, il avait là un tas d'affaires en vrac, un pantalon de chasse, des bottes, et même la carabine dans son étui, il avait oublié de la remettre dans le placard la dernière fois qu'il était descendu, il n'y avait même pas pensé, ça aussi c'était une pure connerie, ou un acte manqué, d'autant que son permis de chasse n'était pas à jour, il aurait dû le revalider sur Internet, un jour au bureau il devrait le faire, en même temps il s'en foutait, il ne chassait plus. Des poches du pantalon de camouflage il sortit deux vieux morceaux de Sopalin recroquevillés, il se moucha dedans mais ça n'en finissait pas, au point de tousser plus fort, d'une toux venue de loin, de dans le dos. Un taxi s'arrêta de l'autre côté des deux fois deux voies. Malgré les vitres teintées il savait que c'était elle qui allait descendre de la berline noire. Elle mit un temps fou pour régler. Les voitures roulaient vite à cet endroit, Ludovic fit signe à Aurore de se montrer prudente, il s'avança vers le milieu de l'avenue, il n'y avait pas de terre-plein central mais une large bande blanche peinte au sol, pourtant elle marcha vers lui en pressant le pas. Sans prendre la précaution de regarder avant de traverser elle s'élança vers lui, il fut touché par cette détermination, de la voir venir avec autant d'allant, ils se retrouvèrent en plein milieu de la chaussée, sans dire un mot elle plongea sa tête contre son torse, enfouissant sa tête dans son blouson, elle voulait qu'il l'engloutisse, elle avait froid. Ludovic lui dit, « Viens, on ne reste pas là... », elle le serra plus fort en enfouissant sa tête, « Non, attends, attends, rien qu'un peu... ». Ludovic n'aimait pas se donner en spectacle, surtout là parmi tous ces phares qui les balayaient comme des projecteurs. Aurore restait plaquée contre lui, elle se raccrochait à lui comme s'il était invulnérable, c'est là qu'il prit la mesure du malentendu, elle le considérait comme un homme à qui rien ne peut arriver, un homme affranchi de toute peur, il faisait tout pour renvoyer cette image, c'est vrai, alors qu'en cet instant il avait terriblement froid, il sentait le danger partout, il ne pensait qu'à ça, il aurait suffi qu'un scooter double trop large, qu'un camion les frôle de trop près, qu'une voiture déboîte, d'ailleurs on les klaxonnait, « Aurore, viens, on ne reste pas là... ». Mais Aurore ne voulait pas bouger, pire encore elle le serrait toujours plus fort en disant tout bas, « Ludovic, cette fois c'est mort... J'ai besoin de toi... ». Elle le répéta en forme de supplique douce, sans vouloir desserrer l'étreinte, « J'ai besoin de toi ».

Sans comprendre ce qu'elle voulait dire, d'un coup tout l'inquiéta, il voulut la regarder dans les yeux, lui demander ce qu'il y avait de nouveau, mais il se fit rattraper par le parfum de ses cheveux, et par ce qu'il sentait de son corps chaud sous la profondeur de ses vêtements, elle le submergeait d'une ivresse ankylosante, il était ému par cet abandon total avec lequel elle s'offrait. Même en ne faisant rien, simplement en ouvrant grand le poitrail, par sa seule présence il la protégeait, comme s'il pouvait abolir toutes ses désillusions passées, ses difficultés présentes. Il repensa à la jeune Mélina Belsanne, à la façon dont ses yeux s'étaient illuminés quand elle avait compris que, dans un jugement de Salomon, Ludovic sacrifiait la tranquillité de son client à sa sécurité à elle, elle avait pris ça comme un assentiment du monde, et là ce soir il sentait qu'Aurore espérait de lui quelque chose d'aussi miraculeux.

En jetant un œil sur le restaurant, elle sut pourquoi Ludovic était resté dehors. Par-dessus tout elle éprouva de la tristesse, elle était tellement déçue de ne pas pouvoir aller dans la grande salle et prendre un thé à l'abri, cachés dans la verdure de l'immense verrière, depuis ce matin elle attendait ce moment, elle en avait les larmes qui montaient...

— Tu vois, rien ne se passe jamais comme prévu.

— Encore heureux, lui répondit Ludovic, sinon on ne se serait jamais rencontrés.

Elle recula la tête pour le voir bien en face, elle voulait qu'il la regarde dans les yeux. Ludovic décela sur son visage une perdition désarmante, surtout qu'elle lui susurrait quelque chose qu'il ne comprenait pas, avec le bruit des voitures, des deux-roues, il l'entendait à peine, alors elle répéta, dans une intonation à l'envoûtant désespoir :

— C'est pire que les corbeaux...

— Aurore, qu'est-ce que tu racontes ?

— L'experte-comptable m'a tout déballé, cette fois Fabian veut me flinguer, tu comprends, pour de vrai il veut me flinguer...

Les enfants jouaient à l'étage, Aurore les appelait de plus en plus fort mais ils ne répondaient pas. Ils devaient pourtant l'entendre mais ne réagissaient pas, c'était bien le signe de ce pouvoir qu'elle avait perdu sur les choses, alors elle appela plus fort, en hurlant leur prénom, ils continuèrent de faire semblant de rien.

Elle n'en revenait pas. Elle réalisait l'ingratitude totale de ses enfants, l'indifférence délibérée de ces deux petits êtres qui ne pouvaient pourtant pas vivre sans elle, ce n'était rien que deux petits mammifères qui sans elle n'arriveraient même pas à trouver à manger, n'auraient aucune chance de survie, et malgré ça, malgré le peu de temps qu'elle pouvait passer avec eux, ils faisaient comme si elle n'était pas là, comme si elle n'existait pas. Ce n'était pas la première fois qu'ils faisaient la sourde oreille, seulement ce soir, après la semaine apocalyptique qu'elle venait de vivre, ça lui semblait plus insupportable que jamais.

Elle s'accroupit près de la baignoire qu'elle remplissait d'eau chaude, juste à la bonne température, chaude mais pas trop, depuis l'installation du nouveau chauffe-eau l'eau sortait bouillante, bien trop brûlante, c'était un vrai danger, elle devait moduler le flux des deux robinets de cuivre et de porcelaine, faire couler alternativement le froid et le chaud, à l'ancienne. L'eau jaillissait à gros bouillons, elle entendait les jumeaux cogner sur le plancher, ils jouaient à la bagarre avec leur demi-frère, ce soir ils étaient déchaînés parce que depuis ce soir ils étaient en vacances, pendant quinze jours ils n'iraient pas à l'école, plus que jamais ils seraient tributaires d'elle, totalement dépendants.

Elle redoutait l'approche des fêtes. Depuis toujours elle avait un problème avec cette période. Une fois passée la mi-décembre elle sentait le compte à rebours qui se déclenchait, à partir de là elle vivait dans une sorte de sas implacable où de jour en jour ils seraient de plus en plus nombreux à être rassemblés, enfermés, dans cet appartement, un piston dans lequel la pression n'en finirait pas de monter jusqu'à la soirée de Noël puis du jour de l'An... Rien que d'y penser ça l'affolait. Mais cette année c'était pire que tout, pendant les fêtes elle devrait décider soit de baisser les bras soit de se battre contre son associé. Elle se voyait mal organiser sa contre-attaque tout en gérant sa famille durant ces deux semaines, deux semaines où elle devrait à la fois préparer les réveillons, acheter des cadeaux pour tout le monde, organiser les repas et les voyages, à commencer par celui qu'ils feraient chez ses parents en Bretagne, sachant qu'avant cela les parents de Richard seraient à Paris pendant huit jours comme tous les ans, toutes les fins décembre ils quittaient Philadelphie pour passer Noël avec leurs petits-enfants, il en serait ainsi tant que la sœur de Richard ne se serait pas décidée à être mère elle aussi, tant que Kathleen n'aurait pas d'enfant ses parents feraient six mille kilomètres pour fêter Noël en France dans une ambiance Happy Christmas, entourés de cadeaux, de guirlandes, autour d'un sapin et d'un bon repas. Cette période Aurore la vivait de plus en plus comme un sacrifice, et cette année, donc, ce serait pire que tout. Si elle décidait de contre-attaquer Fabian et Kobzham elle devrait en même temps faire bonne figure, assurer les fêtes tout en se démenant pour rameuter des mandataires, briefer des avocats et dénoncer l'entente tacite de son associé et de son débiteur, ils avaient fait exprès de choisir le 20 décembre pour sortir du bois, ils savaient bien qu'elle aurait un mal fou à se retourner pendant ces deux semaines où tout s'arrête. Mais surtout elle ne voulait pas mêler Richard à ça, d'autant que ses parents seraient là dès samedi, ce serait prendre le risque de tout mélanger. Si elle lui demandait de l'aide, Richard jouerait de cet appel au secours pour manifester de la condescendance, aux yeux de tous il triompherait, il s'afficherait comme celui qui fait jouer ses relations pour sauver la boîte de sa femme. Pourtant s'il lançait sa bordée d'avocats de Lathman & Cleary, pas de doute qu'ils feraient tomber Fabian et Kobzham pour augmentation de passif frauduleuse, usage de faux, malversations, banqueroute… Sans Richard elle ne pouvait rien faire, à elle seule elle n'aurait jamais la force de frappe suffisante, ne serait-ce que pour décrocher un rendez-vous avec un avocat à la veille des vacances de Noël, à elle seule elle n'y arriverait pas, ils la renverraient à début janvier, et ce serait trop tard. Qu'est-ce qui resterait de sa boîte après tout ça, elle n'en savait rien.

Elle passa la main dans cette eau mousseuse qui gonflait, les enfants se laveraient seuls mais elle voulait qu'ils le fassent maintenant. L'eau était douce, enveloppante, elle embaumait le bain moussant au vétiver, Aurore eut la sensation curieuse de se sentir elle-même, de ressentir le parfum de son propre corps, elle revit la façon qu'avait Ludovic chaque fois de plonger son visage dans son cou pour la flairer, la respirer, humer ce vétiver à même sa peau, désormais chaque fois qu'elle sentait son propre parfum elle avait la sensation de le retrouver lui et sa façon animale de la renifler, de la serrer. Elle coupa l'eau, se leva pour jeter un œil au-dessus du petit rideau. Pour voir dehors, elle devait coller son nez au carreau et plaquer les mains de chaque côté de son visage, le regard rivé sur l'obscurité de la cour. Ludovic devait être là-bas, de l'autre côté de ces branches. C'était doux de le savoir juste là, en même temps que totalement affolant. Il n'y avait plus de feuilles, rien que les branches et les volées de rameaux. En face c'étaient bien ses fenêtres, mais elles n'étaient pas éclairées, il n'était pas rentré, ou il avait déjà tiré ses rideaux. Cet homme, dès lors qu'il n'était plus près d'elle, il disparaissait complètement, pas de message, pas de texto, pas d'appel, pas de mail, aucun moyen de se joindre. Elle ne savait presque rien de lui, à ce qu'il lui avait dit, le soir il regardait la télé, zappant d'une chaîne à l'autre, il allait prendre un verre parfois, avec des gars de son boulot, il aimait se coucher tôt. C'est étrange à Paris de se coucher tôt. Il se levait à six heures pour courir, ou pour être au boulot de bonne heure, surprendre les gens quand ils étaient encore chez eux. Elle s'en voulait de lui avoir posé si peu de questions sur lui, finalement ils ne parlaient que d'elle, de sa vie à elle, de ses problèmes à elle, au total elle ignorait quasiment tout de lui. Peut-être que ça l'arrangeait, qu'il n'avait pas envie de parler de son passé ou qu'il était foncièrement tourné vers les autres, un genre d'altruiste, mais est-ce que ça se peut d'être foncièrement tourné vers les autres, sans rien attendre en retour.

Elle gardait le visage collé au carreau, focalisée sur cette fenêtre sans vie, elle s'en voulait de s'être à ce point confiée dans le petit café où ils s'étaient retranchés finalement l'autre soir, elle n'aurait jamais dû rentrer dans les détails, pourtant ce coup tordu Ludovic l'avait vu venir, rien qu'en rencontrant Kobzham il avait flairé que ce type devait manipuler Fabian, que les deux pourraient lui tendre un piège, sans savoir qu'elle était déjà tombée dedans. Avant-hier, l'experte-comptable l'avait appelée à huit heures du matin, une veille de départ en vacances, ça n'arrivait jamais, elle voulait la voir tout de suite, en général c'était elle qui se déplaçait, mais là elle avait demandé à Aurore de la retrouver chez elle, et dans sa petite cuisine autour d'un café elle lui avait tout balancé. Fabian lui avait fait jurer de ne rien dire, mais elle ne se sentait pas de tenir ce genre de secret, surtout vis-à-vis d'Aurore, qu'elle aimait bien en un sens. Fin octobre, Fabian lui avait demandé de rassembler tous les documents comptables et financiers, les bilans et les comptes du dernier exercice, et même les extraits d'immatriculation RCS, les noms et les adresses des salariés... Elle avait compris ce que ça signifiait, qu'il se préparait à une procédure, mais il lui avait assuré que ce serait une procédure un peu spéciale parce qu'il avait déjà un repreneur, il s'engouffrait dans cette nouvelle disposition du code du commerce, l'article L642-2 de 2014 qui permet d'organiser en douce la restructuration d'une entreprise et d'imposer son plan de reprise au tribunal de commerce, en gros de se substituer au législateur, d'être plus fort que le droit. Seulement pour que tout se passe bien, pour ne pas nuire au succès du plan, personne ne devait être au courant, surtout pas Aurore, pour éviter toute contre-offre.

Du coup tout s'expliquait, depuis six mois Fabian et Kobzham avaient bien délibérément plombé les comptes, ils avaient tout fait pour saborder la boîte, de là ces commandes impayées, ces livraisons foirées, histoire de saigner l'entreprise et d'aller au défaut de paiement, si bien que Kobzham apparaîtrait comme un sauveur par l'intermédiaire de son frère, à titre de repreneur il se disait prêt à mettre six cent mille euros sur la table pour relancer la marque, dans un second temps il prévoyait même de réinvestir un million d'euros, de quoi rassurer le tribunal et les mandataires, et se garantir à coup sûr la reprise de la boîte. Sans rien y pouvoir elle se faisait voler sa marque.

Fabienne Nguyen lui avait expliqué que cette manœuvre, bien que traîtresse, accorderait une seconde vie à la boîte, le problème c'est qu'ils envisageaient de garder le nom Aurore Dessage, mais pas elle, ils comptaient l'éjecter et l'employer sous licence, elle fournirait des croquis à la demande, à partir de là ils décideraient de tout, fabriqueraient où ils voudraient, délocaliseraient les prototypes et vireraient l'atelier, le projet c'était clairement de capitaliser sur son nom, son image, de se servir d'Aurore Dessage pour commercialiser toutes sortes de produits, aussi bien des parfums que des sacs, des bijoux ou n'importe quoi.

Elle avait pris ça dans la figure sans pouvoir le confier à personne, sans oser le faire, il n'y avait qu'à Ludovic qu'elle pouvait le raconter, au fond d'elle, elle avait honte, elle se sentait humiliée, ridicule de s'être fait manipuler pendant des mois. Elle ne voulait en parler à personne, et surtout pas à Richard, surtout pas dans cette période de fêtes obligatoires, deux semaines de fausse liesse et de joie forcée... Alors dans ce café elle avait tout balancé à cet inconnu, sans retenue elle lui avait dit qu'elle s'était fait bouffer par ces deux salauds, qu'elle était leur proie, parce que le 5 janvier au tribunal ils ne feraient qu'une bouchée d'elle.

Elle regrettait déjà cette confession parce que Ludovic lui avait fait peur, jamais elle n'avait perçu cette expression sur le visage d'un homme, de la haine pure, granitique, en l'écoutant tout son corps s'était tendu, défiguré par une colère qui le rendait lointain, en plus il n'arrêtait pas de renifler, il se mouchait fort à en devenir rouge, ça lui donnait des allures de mauvais gars, ce visage rougeoyant le rendait encore plus impressionnant, il ne disait rien, sa seule réaction c'était de serrer sa tasse dans son poing, la tasse prête à exploser dans sa paume, reniflant comme un taureau prêt à charger.

La tête posée sur la vitre, le regard perdu vers ces fenêtres en face, elle repensait à ce que Richard lui avait raconté au sujet de Ludovic, cette façon qu'il avait eue de flanquer un coup de poing à l'Australien, Richard certifiait que ce voisin était un fou, un malade, qu'il fallait s'en méfier, a posteriori ça affolait Aurore, mais des cris dans son dos la firent sursauter, ils avaient voulu lui faire peur, ils avaient réussi, Iris et Noé avancèrent jusqu'à la fenêtre, comme elle ils repoussèrent le petit rideau pour plaquer leur visage sur le carreau froid, voir ce qu'elle pouvait bien regarder dehors. Dans la cour c'était la nuit la plus complète, seule la lumière venue de la salle de bains éclairait un peu les branches, les deux arbres endormis pour de longs mois, et au-delà des deux arbres il n'y avait que des fragments de lumière sur la façade d'en face. L'hiver, la vie s'arrêtait dans cette cour, comme en pleine forêt, un décor somnolent où plus personne ne se promène, des arbres inertes qui attendent le printemps.

Ce soir les jumeaux étaient tellement excités qu'elle préféra garder un œil sur eux, finalement. En général ils se lavaient seuls, mais cette baignoire était immense, plus d'une fois elle avait eu peur, surtout depuis qu'Iris avait manqué de se noyer cet été dans une piscine du Luberon, elle avait toujours en tête le bruit de ses jambes qui claquaient dans l'eau, ces cris qu'ils prenaient pour de l'amusement, ce jour-là ils étaient nombreux à jouer dans la piscine, mais personne ne s'était aperçu qu'Iris se noyait, perdus dans ce mélange de piaillements et de plongeons il y avait les gestes désespérés d'Iris qui s'était coincé la jambe dans sa bouée et qui n'arrivait plus à se rétablir, la tête sous l'eau. Cet épisode était marqué à vie dans sa mémoire, surtout que cette baignoire était rehaussée de trois marches, une lubie pharaonique des propriétaires d'avant mais qu'elle avait voulu garder, elle était impressionnante cette baignoire, elle faisait peur, d'ailleurs les enfants au début en avaient peur.

Elle retourna à la fenêtre, elle voulait voir si Ludovic était rentré, ne comprenant pas pourquoi ce ne serait pas le cas, en même temps il n'avait aucun compte à lui rendre, elle avait juste besoin de savoir ce qu'il faisait en ce moment. Dans la pénombre elle vit les deux tourterelles se poser sur les branches au fond, d'où pouvaient-elles bien venir, elles aussi, quelle était leur vie, les enfants dans son dos chahutaient en mettant de l'eau partout, Aurore repensa aux corbeaux, à cette peur qui la hantait quand ils étaient là, par association d'idées elle se revit parler à Ludovic dans le petit café, plus elle était rentrée dans les détails de l'histoire et plus elle avait vu son regard se perdre, il reprenait cette allure de colosse inquiétant qui pendant deux ans l'avait tenue à l'écart. Noé et Iris braillaient toujours, elle se retint de crier pour que Noé relâche Iris, il faisait mine de l'étrangler, elle avait horreur de ces jeux-là, elle avait horreur qu'ils soient excités à ce point. Ses yeux s'étaient habitués à l'obscurité, cette fois elle en était sûre, il n'y avait pas de lumière chez lui, bon sang qu'est-ce qu'il foutait... Puis il y eut un bruit mat, le genre de bruit qui arrête tout, Noé avait poussé Iris, sa tête en glissant avait percuté le rebord de la baignoire, la salle de bains se vitrifia d'un silence d'après accident, Iris restait bloquée, sans expression, Noé était désemparé, n'en revenant pas que son geste l'ait à ce point dépassé. Les mains sur le visage, Aurore se dit que c'était de sa faute, si elle les avait surveillés ce ne serait pas arrivé, tout était de sa faute, elle attendait qu'une expression revienne sur le visage de sa fille, elle s'approcha d'elle, en voyant sa mère le visage de l'enfant passa de la stupéfaction à la douleur, ses joues rosirent et très vite les larmes montèrent, la submergèrent, elle avait eu peur mais elle n'avait rien.

Aurore s'agenouilla et serra Iris contre elle, elle se colla à son enfant toute mouillée, dans le même mouvement Iris s'agrippa à sa mère, elle s'arrima à elle, ils se tenaient tous les trois, se serraient fort, Aurore sentait ses vêtements se tremper à leur contact, ils se perdirent dans un profond câlin, tout était calmé, elle n'osait plus bouger, dans une vie le drame est toujours là à rôder, tout près de tout abîmer. Aurore tourna la tête vers la fenêtre, elle eut de nouveau l'image des deux corbeaux sous la terre, elle songea à Fabian et à Kobzham, elle passait d'une peur à l'autre.

Il avait pris trois cachets d'un coup, il en était secoué de tremblements, en jetant un œil à la notice il avait vu que ces trucs étaient remplis de taurine et de vitamine C, de caféine, c'était une connerie d'en avoir pris trois, la pharmacienne lui avait dit pas plus d'un par jour, mais il en avait marre de cette crève, tousser le rendait fou. Toutes ces molécules de taurine devaient infuser en lui en se mélangeant au café qu'il avait déjà bu, du coup ce soir il tremblait vraiment.

Il était dix-neuf heures dix. Ludovic stationnait au pied de l'immeuble du boulevard Suchet depuis une heure, il avait eu le temps de cogiter. La veille, il était venu repérer, au même endroit, un peu en retrait. Il faisait face à ces splendeurs art déco, ces façades énervantes qui bordent le bois, rutilantes comme des devantures de palaces. Ce Paris-là, il ne le fréquentait jamais. Que ce luxe existe n'était pas une surprise, simplement il n'y venait jamais. Le Paris qu'il arpentait pour son boulot c'était l'exact inverse, les quartiers nord, la banlieue surtout, jamais le 16e. D'en bas on devinait les grands appartements qui couraient le long des balcons

éclairés. Au rez-de-chaussée des grilles cernaient des par-
terres jardinés, le bois de Boulogne se déployait en face.
Dans cette avenue il n'y avait que des berlines haut de
gamme, tout ici disait l'argent. En un sens Aurore par-
ticipait de ce monde-là, de cette bourgeoisie au pied
de laquelle il planquait dans la Twingo, ça le tenaillait
comme un complexe, plus que jamais lui apparut qu'il
n'avait rien à offrir à cette femme sinon sa force, c'était
sa seule monnaie d'échange, et pourtant il se sentait fié-
vreux comme un môme.

Il se revit il y a trois ans, le soir, quand il ressortait
de l'hôpital, dans cette même voiture, sur ce même
siège. Avant de mettre le contact il restait un long
moment tétanisé, les mains plaquées sur le volant, incapable de bouger, comme là maintenant. Si ce n'est qu'il
y a trois ans, la force ne servait à rien. Pour Mathilde
il n'avait rien pu faire, le plus révoltant dans la maladie
c'est son obstination, son entêtement, cette impuissance totale à laquelle elle renvoie. Aujourd'hui encore,
ça ne passait toujours pas, il n'arrivait toujours pas à
accepter que Mathilde ait perdu la bataille et qu'il n'ait
rien pu faire. La seule chose qu'il pouvait pour elle,
c'était aller la voir tous les soirs à Toulouse, faire plus
de cent kilomètres après le boulot pour lui apporter
chaque fois un bocal de soupe différent. Ils s'étaient
mis à croire en la soupe, à la fin il n'y a plus que ça
qu'elle mangeait, elle n'avalait plus rien en dehors de
ces potages faits avec les légumes de chez eux, de la
vallée du Célé, et rien que l'odeur quand elle ouvrait
le bocal, une odeur vivante de nourriture vraie, voilà
qui la transportait hors de cet hôpital, ça la faisait voya-
ger. Ludovic l'aidait à manger, et à chaque cuillerée il

pensait qu'elle se régénérerait, qu'elle revivrait à force de laper la sève de ces légumes nés de la terre où eux-mêmes étaient nés, et comme les médecins ne voyaient plus comment la sortir de son cancer, ils étaient prêts à croire à la soupe, qu'il lui en apporte tous les soirs de sa soupe, pourvu qu'elle mange, pourvu qu'elle récupère un peu de ce corps qui la quittait. Pendant trois mois, tous les soirs Ludovic avait fait l'aller-retour entre la ferme et Toulouse, et tous les soirs vers vingt-deux heures il rentrait dans la désillusion du vaincu, à ce même volant il roulait dans le soleil couchant, avec l'image de Mathilde couchée dans son lit. Ce n'était pas humain de vivre ça, il fallait le vivre pourtant, pendant plus d'une heure il roulait avec le bocal vide posé sur le siège passager, cette soupe qu'elle ne réussissait jamais à terminer, et que chaque soir il finissait d'un trait, sachant d'avance que le lendemain il roulerait de nouveau dans l'autre sens, le bocal de nouveau rempli, avec l'espoir que ces voyages durent le plus longtemps possible, ou qu'ils s'arrêtent, il ne savait plus.

Dix-neuf heures vingt.

Aurore n'était pas Mathilde, Paris n'était pas le Célé, mais c'était toujours la même voiture, ce même siège vide à côté de lui, sinon qu'il n'y avait plus de bocal. À cette même place il avait vécu soir après soir le spectacle d'un soleil qui abdique, quand il arrivait à la ferme il éteignait les phares, et là il faisait nuit noire. Aujourd'hui aussi il faisait nuit noire, et en plus il pleuvait, mais c'était l'image d'Aurore qu'il avait en tête, une femme aux abois mais qui ne voulait le dire à personne, une femme qui n'attendait peut-être rien de lui mais lui avait tout expliqué quand même, dans le petit café elle était rentrée dans les détails, par besoin de se confier, ou en espérant quelque chose.

Ce n'était sans doute qu'un signe, mais quand ils avaient voulu rentrer à La Grande Cascade, le portier avait fait barrage, leur disant que ce n'était pas possible, l'établissement était privatisé pour la soirée, Aurore avait insisté, elle l'implorait de les laisser rentrer, juste prendre un thé dans un coin, rien qu'un thé, mais le type ne voulait pas. Elle était terriblement déçue, blessée que La Grande Cascade de son enfance les rejette. Ce thé finalement ils l'avaient pris dans un café médiocre de Boulogne-Billancourt, un bar PMU le long d'une avenue, le premier venu. Ce décor avait achevé de l'accabler, c'était sans doute pour ça aussi qu'elle s'était mise à parler. Face à elle il faisait l'effort de réprimer toute surprise, il feignait le sang-froid, comme si tout cela ne l'étonnait pas, pourtant le coup était tordu, il aurait cru le milieu de la mode en dehors de ces magouilles. Ces enfoirés abattraient leur jeu pile entre Noël et le jour de l'An, ne lui laissant pas le temps de se retourner. Rien n'est immoral dans le business, mais ce qu'il y avait d'écœurant ici, c'était que ce montage était possible uniquement parce que Kobzham avait des alliés au sein même du tribunal de commerce, pour faire un deal pareil il fallait avoir le président dans la poche, du moins il fallait le connaître, peut-être même le fréquenter, l'infâme privilège des réseaux qui sévit à Paris, dans les affaires comme dans le reste, le réseau ça a valeur de passe-droit, ça court-circuite la règle, et s'il n'est pas interdit d'avoir des alliés dans la vie, quand c'est au niveau d'un tribunal de commerce et pour dézinguer cette femme-là, c'est dégueulasse.

Ludovic ne connaissait pas Fabian, mais il imaginait le genre d'enflure que ça devait être, l'opportuniste qui se range du côté du plus fort. Quant à Kobzham il l'avait pigé tout de suite, il savait même où il habitait. Renseignements pris, en plus de l'adresse il connaissait deux ou trois de ses habitudes, la demi-heure de jogging quotidien dont il se vantait, tous les soirs après le boulot, la veille comme aujourd'hui. C'est seulement à dix-neuf heures trente-cinq que Ludovic le vit sortir, en jogging noir comme la veille, les écouteurs sur les oreilles, un bonnet noir rabattu sur le visage, et son chien qui courait derrière lui, sans laisse. Comme la veille, encore, il traversa l'avenue et partit vers le bois à petites foulées.

La taurine c'est quelque chose qui énerve bien. Les mains crispées sur le volant Ludovic anticipait la jouissance égoïste que ce serait de lui foutre les jetons à cet enfoiré, de le mettre à genoux, tout ce qu'il voulait c'était le secouer, mais le secouer fort, lire l'effroi sur son visage au point qu'il en chiale, cette ordure, qu'au moins une fois dans sa vie ce type se foute à quatre pattes et se sente minable, il voulait qu'il l'implore, ce faux nabab, ce salaud qui l'avait pris pour un plouc. Lui flanquer la peur de sa vie, d'avance Ludovic le vivait comme un exutoire, lui qui passait ses journées à faire payer des petits joueurs, à impressionner des embrouilleurs en fin de droits, là pour une fois il tenait un vrai gros poisson, un escroc de grande ampleur, un riche, pas un paumé.

Il avait prévu de le cueillir au retour, quand il serait bien essoufflé, on leur avait appris ça en formation, c'était toujours mieux de flanquer un coup de stress à un type déjà hors d'haleine, en général ça choque bien.

Ce n'était pas pour rien qu'Aurore lui avait parlé du boulevard Suchet, et de ce rituel de Kobzham qui, une fois rentré du bureau, ressortait pour courir, ce n'était pas pour rien qu'elle lui avait donné toutes ces précisions. La seule chose dont elle ne lui avait pas parlé c'était de ce chien, un boxer qui restait quelques mètres derrière. Kobzham courait avec son chien. Déjà la veille il avait traversé l'avenue sans vraiment regarder, faut dire qu'il y avait peu de voitures par ici, il ne risquait rien. Puis, de nouveau, il partit par l'allée des Fortifications pour s'enfoncer dans le bois par la petite sente. Le chien devait être dressé, il demeurait à distance constante. Visiblement il courait quarante minutes, la veille il était revenu complètement cramé, la foulée lourde, en nage malgré le froid. Ce type se mettait dans le rouge.

Au tableau de bord il était dix-neuf heures quarante. Il aurait préféré attendre la semaine prochaine, avoir bien pris ses marques, seulement Aurore avait pointé cela aussi, cet enfoiré partait tous les ans pour les fêtes, une semaine aux sports d'hiver et une autre en Floride, Ludovic se voyait mal ruminer sa colère pendant quinze jours, garder en lui cette haine recuite et lui tomber dessus en janvier. Dix-neuf heures cinquante-cinq. Quinze jours ç'aurait été trop long. Ludovic sortit de la Twingo. En jetant un œil aux fenêtres des immeubles, il ne remarqua personne, personne pour le voir. Il s'avança vers la sente qui entrait dans le bois, il aurait aimé avoir eu le temps de repérer le bon arbre pour en jaillir au dernier moment, le coup de bol c'est que ce soir il faisait froid et qu'une pluie fine tombait, si bien qu'il n'y avait personne non plus dans les

parages, le vide complet, pas un chat, rien d'autre que
ce chien qu'il entendit au loin aboyer deux fois, ça
sentait le chien qui réclame, le signal du chien qui
comprend que la balade est finie, mais qui veut courir
encore et qui s'entête parce que son maître ne l'entend
pas, musique à fond. À trente mètres, là-bas dans le
bois, Ludovic distingua des éclats de bandes phospho-
rescentes, ce connard avait changé de trajectoire, il courait hors de la sente, en plein milieu des arbres sur les
feuilles mortes, pour exciter le chien sans doute, le
boxer qui aboyait de nouveau, Kobzham avait la foulée
lourde mais il traçait quand même, il vira à droite derrière les châtaigniers, ce soir il prenait un autre itiné-
raire, pas le temps de réfléchir, gorgé d'adrénaline et
de Strong Pill, le pouls à cent trente, Ludovic se lança
sur la droite à travers bois, il aurait préféré le choper
de face, surgir devant lui, histoire de bien le choquer,
les yeux dans les yeux, mais changement de programme
il le ferait par-derrière, l'effet de surprise n'en serait
que plus foudroyant. Dans la nuit d'encre, il accéléra
sa course pour remonter vers sa proie, il vit que le chien
l'avait repéré, il tenait sa clé de voiture calée dans son
poing gauche, en pic, au cas où l'animal aurait un mauvais réflexe. Il rejoignit facilement sa cible, prêt à la
saisir par le col, ce con n'entendait rien, à distance on
percevait le grésillement de ses écouteurs qui éructaient,
Ludovic lui attrapa l'épaule, d'un coup de paluche il
lui empoigna le survêtement, comme s'il alpaguait une
poule ou un chat, et Kobzham s'arrêta net, il se figea
comme s'il venait de se prendre un mur, dans un
réflexe de panique totale il se retourna pour voir qui
l'accrochait, quel genre de rapace lui plantait ses serres,

Ludovic fou de rage voulait le voir bien en face, mais soudain Kobzham s'effondra, il s'écroula, comme disjoncté. Ludovic n'eut pas le temps de comprendre que déjà il fallait gérer le chien, dressé ou pas ce clebs avait le sang chaud, il le mordait aux chevilles, il mordait sec, Ludovic lui visa la truffe d'un coup de poing, il lui décocha un direct comme à ces beagles perdus par les chasseurs qui deviennent fous, la truffe incisée par la clé le boxer poussa le cri terrible du chien éventré par le sanglier, du chien qui perd le dessus sur le gibier et qui se débine sans chercher à comprendre, Ludovic avait du sang plein la main, celui du chien, il l'avait salement amoché, Kobzham restait face contre terre, sans bouger, Ludovic ne pigeait pas, il ne l'avait même pas tapé, ce con, la confusion l'envahit parce qu'il avait du sang partout, mais c'était celui du chien. Sans se pencher, il attendit que Kobzham fasse un geste, qu'il se redresse, le regarde, mais face à ce bonhomme éteint, son plan perdait tout son sens, Ludovic se tenait là, désarçonné, les mains appuyées sur les genoux, bizarrement essoufflé, il regarda tout autour, personne, il faisait froid, la pluie avait redoublé, pas un bruit, hormis les gouttes qui percutaient les feuilles mortes, et le grésillement des écouteurs débitant hystériquement une musique à fond, une musique pas reconnaissable, un bourdonnement crispant. Ludovic ne savait pas s'il devait se baisser ou pas. Il ne voulait pas le toucher. Appeler les secours ce serait mettre le doigt dans un cycle d'emmerdements interminables. Pourtant il connaissait le geste appris au secourisme, le rugby n'est pas la guerre mais dans une jeunesse ça permet au moins d'être confronté à la vision d'un homme à terre, c'est affolant un homme qui s'effondre et ne réagit pas. Par acquit de conscience il voulut vérifier s'il ventilait, trouver son pouls, mais il ne pouvait pas le toucher, d'autant qu'avec ce sang, tout devenait bizarre. Les petites diodes bleues du cardiofréquencemètre marquaient Error et clignotaient comme les piles d'un véhicule en panne. Bon Dieu qu'il était dur à faire ce geste, même quand il le simulait aux entraînements, les deux poings serrés qu'on enfonce dans le sternum du mannequin, c'était impossible à faire, même sur un homme en latex c'était choquant, dans ces cas-là il fallait se concentrer sur l'idée de sauver une vie, ne penser qu'à ça, « sauver une vie », mais de cette vie qui était là à terre il s'en foutait, ce type c'était l'emblème même de ce qu'il méprisait, de ce qui le débectait. Autour de lui il n'y avait toujours personne, rien d'autre que des chênes et des marronniers, il le prit comme un signe, il se sentit consolidé par cette forêt, cette forêt complice qui semblait lui dire de ne rien faire, de ne rien toucher, tout ici garderait le silence, le chien s'était enfui, il n'y avait plus de vie en dehors de la sienne.

Dès cet instant l'homme qui court est un homme qui s'est fait peur, un homme qui se débine dans les dédales d'une déveine confinant au mystère, l'homme qui court est un homme qui se sauve, parce qu'il sait qu'il a foutu les pieds dans une sale histoire où il a tout à perdre, cet univers n'est pas le sien, il n'a rien à faire là, alors il se sauve, il fuit dans l'anonymat de cette terre humide qui avale ses pas, toute trace étant instantanément délayée par la pluie. En ressortant du bois Ludovic ralentit, à marche normale, il traversa l'avenue déserte comme s'il était le seul être humain sur terre, il leva la tête vers les immeubles, il vit des fenêtres allumées, des lumières chaudes et des illuminations de Noël, et toujours personne pour le regarder, avec cette pluie le dehors n'existait plus.

Le problème c'est que la vieille Twingo rouge de Mathilde, dans cette avenue elle dénotait, on la remarquait. Par chance il croisa peu de voitures et enchaîna les feux verts. En arrivant aux abords de la porte Maillot la circulation se densifia, à partir de là il eut le sentiment de se fondre de nouveau aux autres. En remontant l'avenue de la Grande-Armée il y avait de plus en plus de circulation, il fit le tour de la place de l'Étoile pour redescendre par les Champs-Élysées, il avait besoin de se noyer dans la masse et ça tombait bien, les Champs-Élysées étaient bourrés de monde, des voitures venues de partout pour voir les décorations de Noël, les faire admirer aux enfants, l'avenue n'était plus qu'un grand manège statique qui s'étirait jusqu'à la Concorde. Il n'en revenait pas d'avoir fait ça. D'avoir laissé un homme pour mort, ça le terrifiait. Chaque sirène de camion de police ou de pompiers le glaçait, à chaque coup de klaxon la peur fouillait en lui un peu plus profond, « C'est pas possible, j'ai pas pu faire ça... j'ai pas pu faire ça », il se le répétait comme un mantra. Au milieu des Champs-Élysées il n'y avait plus de recours, plus aucune sortie, qu'il tourne à droite ou à gauche c'était bouché de partout. Certains se mirent à klaxonner comme pour un mariage, d'autres parce qu'ils voulaient avancer, il y avait un mélange d'euphorie et de stress dans tout ça, une joie très éparpillée, ces millions d'ampoules qui couraient le long des arbres ça faisait comme un long fleuve de diamants. Dans les voitures tout autour de lui, ils étaient toujours à plusieurs, chose rare. Il était le seul à être seul. Il avait l'impression qu'on le regardait, parce qu'il était le seul à être seul et qu'il venait de laisser un homme pour mort, et ça devait se voir, ça se voyait qu'il venait de tuer quelqu'un, « Mais je ne l'ai pas tué », il s'imaginait déjà devoir l'expliquer, si le chien réapparaissait et qu'on le retrouvait blessé, couvert de sang, et si quelqu'un l'avait vu sortir de sa voiture pour s'enfoncer dans le bois, un quelconque fumeur de bord de fenêtre, pour lui ça deviendrait l'enfer... En même temps il n'avait rien fait. Il gardait les mains posées sur le volant comme s'il roulait vraiment, sauf que ça n'avançait pas. Dans sa fuite il faisait du surplace. Il se sentait piégé, piégé par eux tous, piégé par Aurore en premier, elle s'était servie de lui, depuis le début elle se servait de lui, mais sans rien lui demander, sans même qu'il s'en rende compte, mine de rien il finissait par faire tout ce qu'elle attendait de lui. S'il s'était confié à un proche ou à un ami, celui-ci lui aurait certainement dit de ne pas foutre les pieds dans cette histoire, qu'il avait tout à perdre en se mêlant des problèmes de cette femme, comme il avait déjà perdu la ferme, et Mathilde, et les vignes, finalement il perdait tout. Pour une fois ça lui sautait aux yeux, en se croyant le plus fort il perdait tout. Parce qu'il refusait toute aide. À tous ces gens dans les voitures autour de lui, il aurait presque eu envie de demander, « Qu'est-ce que je dois faire... ? », mais il sentait bien que, lorsqu'on le voyait si grand dans sa petite voiture, la tête légèrement baissée pour ne pas toucher le plafond, les épaules débordant le

siège, personne ne pouvait se dire que cet homme était
aux abois, alors jamais il ne l'avouerait. Surtout pas à
ceux-là, dans la voiture juste à côté ils étaient cinq,
jeunes, musique à fond, à danser sur place dans leur
BMW, à se passer le joint, le plus ostensiblement possible. Ludovic les regarda. Ça leur déplut. Les deux
types à l'avant le fixèrent avec une défiance totale, ils
lui dirent quelque chose, mais il n'entendit pas à cause
de la musique, de la vitre fermée, ils lui balançaient des
insultes probablement, à Paris certains sont prêts à se
battre pour un regard appuyé. Sans détourner le visage,
il baissa les yeux. Ce jeu-là n'en finirait donc pas.

Bon Dieu il voulait juste lui faire peur à ce mec et
en fin de compte c'est lui qui était mort de trouille.
Là tout de suite, il en aurait bien eu quelques-uns à
appeler, Jean, ou Mathis, ou Éric, l'ancien ouvreur qui
avait toujours les idées claires, ou Thierry, son cousin,
concessionnaire de matériel agricole, ou Joss, l'Anglais,
ou Bardas l'ancien prof de français, s'il les avait eus là
sous la main il aurait pu leur parler, mais pour leur
dire quoi, « J'ai laissé un mec au sol, je voulais juste
lui faire peur, je ne l'ai pas relevé… ». Du coup il aurait
fallu tout expliquer depuis le début, comme ça par téléphone, lui qui n'appelait jamais personne. Il le savait,
aucun de ceux-là ne l'aurait laissé tomber, pas un
n'aurait pensé à mal, seulement ils lui auraient tous
dit la même chose, « T'as fait une connerie ». Mais
quand en plus on les garde pour soi, ses conneries, ce
n'est jamais bon signe.

Ce matin elle avait mal partout, son corps lui commandait de ne pas se lever. Depuis l'arrivée des parents de Richard, Aurore était terrassée par une grippe féroce, deux jours de fièvre totale, elle restait au lit sans même la force de se redresser pour lire ou de regarder la télé, tout l'épuisait. Voilà des années qu'elle n'avait pas été alitée deux jours de suite, sans se lever ni manger.

En sentant les premiers symptômes, elle avait fait des recherches sur Internet en quête du remède miracle, elle avait trouvé des dizaines de recettes prodiges, beaucoup trop d'ailleurs, on y disait chaque fois que les fêtes étaient propices aux pics d'épidémies, non pas à cause d'une soudaine férocité des virus, mais d'une réalité sociologique, toutes ces familles qui se retrouvaient dans des environnements confinés se repassaient leurs virus.

Plus que jamais elle avait du mal avec les fêtes, la semaine d'après ils iraient chez ses parents pour le jour de l'An, d'ici là les parents de Richard seraient repartis. Avant de rentrer aux États-Unis ils voulaient faire un détour par l'Italie, chez une des sœurs du père. À Paris, il fallait sans cesse les accompagner partout, d'autant qu'ils ne parlaient pas le français.

Elle ne supportait pas de ne rien faire mais elle n'avait pas le choix, dès qu'elle se levait elle était prise de vertiges. Elle tendit la main jusqu'à la table de nuit, elle voulait voir sur un site météo si ce froid allait durer, et rien qu'en se redressant la tête lui tourna, elle se laissa retomber sur l'oreiller. L'avantage c'est qu'elle était seule, ils étaient tous partis. Richard s'occupait de ses parents comme un ambassadeur recevant des personnalités, il souhaitait chaque fois leur montrer à quel point Paris était féerique, à quel point sa vie était radieuse et réussie. Sans doute aussi qu'il se sentait coupable de vivre si loin d'eux, à chacune de leurs visites il prenait les choses en main et leur concoctait tout un programme, et puisqu'il avait promis d'emmener tout le monde au Disneyland Hôtel pour étrenner son pass VIP, ils étaient donc partis y passer deux jours, dans la Cinderella Suite, deux jours entre parenthèses dans ce monde de faux châteaux enchantés, grâce à Richard ils assisteraient ce soir à la cérémonie d'illumination du sapin de Noël et au festival des lumières, les enfants étaient ravis à la perspective de participer à cette prétendue féerie, au moins Aurore échappait-elle à ça.

Son autre angoisse c'était que sa société était fermée pendant quinze jours, d'habitude ils ne fermaient qu'entre Noël et le jour de l'An. Ça lui manquait de ne pas réfléchir à une prochaine collection, c'était la première fois que ça lui arrivait, elle n'avait plus aucune visibilité sur l'avenir, tout lui échappait et ça lui faisait mal. Quand elle avait annoncé à l'équipe que l'atelier serait fermé deux semaines, deux semaines au moins, ils avaient tous été bien plus inquiets que réjouis à l'idée de se reposer.

Toujours allongée, Aurore flottait entre idées noires et endormissements, elle n'arrêtait pas de penser à l'éventualité de devoir lâcher sa marque, de faire une croix sur dix ans de travail. Continuer sous les ordres de Fabian et Kobzham elle ne le pourrait pas, perdre tout pouvoir de décision et exécuter les directives de ces hommes-là elle ne le ferait pas. Quant à tout laisser tomber, à les planter tous, lâcher les employés, l'atelier, ce serait se vouer au remords de les avoir abandonnés. C'était sans solution. Ce qu'elle voyait, c'est qu'elle serait obligée de s'en remettre à Richard, de lui laisser l'initiative et qu'il lance les avocats de Lathman & Cleary sur l'affaire, ça la rendait malade, mais elle n'avait plus le choix.

Vers midi elle reprit du Fervex, elle aimait le parfum de cette poudre au goût de rhum qui empêche que le nez coule. Chaque nouvelle dose l'expédiait dans de curieux vertiges, tout son corps devenait cotonneux, comme sous l'effet d'une drogue. Ça lui ôtait l'envie de se moucher comme de réfléchir. Après ce deuxième Fervex elle ruisselait de sueur, elle avait la sensation de dériver sur un matelas pneumatique, petit à petit la somnolence la gagna, toute angoisse s'évapora, en fin de compte cette grippe était la fuite idéale, elle s'endormit profondément.

Elle se réveilla à quatorze heures quarante-deux, elle aurait pourtant juré avoir dormi des heures. Le jour était si sombre qu'on aurait pu croire qu'il faisait nuit.

Sur son portable il y avait toute une série d'appels man-
qués, elle n'avait pas senti le vibreur. D'abord, elle vit
les noms de Sandrine et Aïcha, sûr qu'elles se posaient
plein de questions, qu'elles s'inquiétaient à cause de ces
rumeurs de repreneurs, rien que de voir leurs prénoms,
ça réveilla ses scrupules de mauvaise patronne qui la han-
taient depuis des mois. Dans cette liste d'appels elle vit
aussi Richard, une seule fois. Mais le plus étrange c'est
que Fabian s'affichait cinq fois. Il l'avait appelée cinq
fois en moins d'une heure. Depuis trois mois il ne lui
répondait plus, depuis trois mois ce salaud faisait tout
pour l'éviter, et là il suffisait qu'elle tombe malade pour
qu'il appelle en rafale un samedi, au premier jour des
vacances. Elle garda le téléphone en main, incapable de
savoir quoi faire, elle n'avait aucune envie de lui parler,
pas la force en tout cas. Le pire, c'est qu'il appelait du
fixe de la société, ce qui voulait dire qu'il était au
bureau. Fabian seul au bureau en ce moment même, ce
type était la malveillance incarnée, il suffisait qu'elle
ait quarante de fièvre pour qu'il ait d'un coup à lui parler.
   Sans doute qu'il voulait tout lui balancer, croyant
la surprendre, mais pourquoi appeler cinq fois de suite
en une heure. Tout ce qu'elle voulait c'était replonger
dans son sommeil, tout oublier jusqu'au lendemain. En
reposant le téléphone elle le sentit vibrer du frisson
caractéristique du texto, elle ouvrit le nouveau message.
Fabian là encore, depuis son 06 cette fois : « Kobzham
a eu un accident. Faut que je te parle. Urgent trouver
plan B ! »
   Soudain tout s'agita, la fièvre, le Fervex et un grand
coup de paranoïa décuplèrent son mal de tête. Elle posa
les coudes sur le matelas, ferma les yeux pour se retenir

de basculer dans le trou noir juste là. Pire que dans un délire, mille images lui passèrent en tête… Déjà ça voulait dire qu'il savait qu'elle savait, il savait que la comptable lui avait tout balancé, signe que depuis le début elle était peut-être leur complice. Mais bien sûr que le mot essentiel dans tout ça, le mot qui tailladait le silence d'une intuition affreuse, c'était « accident », que Kobzham ait eu un accident, mais surtout quel accident, grave ou pas, est-ce que ça voulait dire qu'il s'était tué ou cassé la cheville ? Mais si c'était la cheville il ne parlerait pas de trouver un plan B, alors c'était qu'il était mort ? Ce qui la suffoquait le plus c'était la morgue de Fabian, son cynisme abject, il ne doutait pas une seconde qu'elle serait disposée à lui parler, depuis des mois il magouillait dans son dos et maintenant il l'appelait pour lui parler de plan B, comme si de rien n'était, comme s'il ne cherchait pas depuis des mois à la flinguer, mais quel genre d'ordure il était devenu ? Elle en avait le souffle coupé. Elle se redressa dans le lit, le smartphone au creux de la main, hypnotisée par ce message qui disparaissait au fil de la luminosité et que du bout de l'index elle ranimait, de nouveau le mot surgissait, elle ne voyait plus que lui « accident ». Pour toute réponse elle tapa juste « Quel accident ? » et, presque malgré elle, elle envoya le message et là elle trembla, d'avance elle chancela en guettant la réponse, elle pria pour que du tac au tac il lui dise qu'il avait eu un accident banal, de scooter ou de ski par exemple, pour qu'instantanément se dissipent ces intuitions atroces dont elle était envahie, des prémonitions peuplées de visions criminelles dans lesquelles elle voyait le regard noir de Ludovic quand il gardait la mâchoire serrée, cette impression barbare qu'il dégageait dès lors que son visage réprimait toute humanité. Mais la réponse ne venait pas, il ne lui répondait pas. Le con. Chaque seconde durait des minutes, c'était interminable, elle avait besoin de savoir pourtant, elle en brûlait...

Elle sursauta quand le téléphone vibra dans sa main. « Sais pas ! Jogging. » Là encore il la révoltait. Par ces deux mots, par cette non-phrase, elle retrouvait cette désinvolture, cette approximation, ce détachement qu'au début elle aimait chez lui, du temps où ils étaient complices, en y repensant ça la laminait de le perdre, d'être coupée de lui, pendant des années il avait énormément compté, se lancer tous deux dans l'aventure était joyeux, à l'époque elle aimait sa façon d'être évasif, ça le rendait terriblement différent des autres, mais maintenant ça lui donnait envie de le tuer.

Que répondre à ce texto ? Elle avait peur d'en savoir plus. Surtout elle n'avait aucune envie d'entendre sa voix. D'ailleurs c'était à lui de rappeler, de s'expliquer, mais tout cela ferait trop de choses à se dire, cette conversation serait toxique. Elle se leva en prenant appui sur les meubles pour garder l'équilibre, elle enfila son jogging et marcha jusqu'à la salle de bains. Le ciel était désespérément bas. Bien qu'en début d'après-midi, certaines lumières étaient déjà allumées, pas chez Ludovic. On voyait les deux fenêtres de son petit appartement, entre les deux troncs d'arbre. Il n'y était pas. Ou alors il restait dans l'ombre pour ruminer son crime. Non, ça ne se pouvait pas, c'est la fièvre qui lui faisait penser ça, elle s'en voulait de ne pas avoir son numéro, elle trouvait dérisoire cette coquetterie naïve de ne pas avoir échangé leurs coordonnées, de s'être crus au-dessus de ça, parce que là, il fallait absolument qu'elle lui parle, qu'il la rassure, qu'il lui dise qu'il n'y était pour rien, c'était horrible de songer que cet homme puisse être pour quelque chose dans la mort de quelqu'un, cet homme si proche, tellement proche, qui vivait là, juste en face d'elle, mais surtout en elle. Dans la glace elle se découvrit livide, comme enduite de talc. Elle ne se sentait pas de sortir, elle tenait à peine sur ses jambes, même là au chaud elle grelottait, elle ne savait plus ce qu'elle devait faire, d'ailleurs il n'y avait rien à faire, alors elle se recoucha, elle replongea dans son lit comme on plonge dans l'oubli total, histoire que tout s'abolisse, qu'on lui foute la paix, que le monde ne l'atteigne plus, qu'il n'y ait aucun message, aucune onde, aucun écueil à son sommeil, plus aucun problème, elle voulait juste dormir et se laisser porter par le manège des rêves, dans le fond tout aurait été plus simple si elle avait été avec eux à Disneyland.

Quand Ludovic ouvrit sa porte et la vit sur le palier, il ne se doutait pas de l'effort qu'elle avait fait pour venir jusque-là, il ne soupçonnait rien du mal de chien qu'elle avait eu à traverser la cour glaciale puis à monter tous les étages. La cage de l'escalier C, contrairement aux autres, était ouverte à tous vents, les fenêtres n'étaient pas étanches, il n'y avait pas de porte en bas, en hiver on y gelait vraiment. Aurore portait un jogging sous le manteau qu'elle avait ceinturé très serré, ses vieilles Converse lui servaient de chaussons, c'était insolite de la voir habillée comme ça, il craignit de comprendre pourquoi elle était là. Ce qu'il ne savait pas quand elle fondit sur lui, c'est à quel point elle avait peur, peur de lui parler, peur de lui demander ce qui s'était passé, peur de ce qu'il allait lui répondre. Sans un mot Ludovic posa sa tête sur celle d'Aurore, il passa ses doigts le long de sa nuque toute fine, la serrant tout contre lui, il sentit qu'elle avait de la fièvre, qu'elle était malade, il l'était aussi, mais ça ne se voyait pas. Aurore se recula, elle se décolla de cet homme pour le regarder bien en face, sans lui parler, en silence. Ludovic déchiffra ce qui la hantait, ces paroles qu'elle n'arrivait pas à dire, cette question qu'elle ne parvenait pas à lui poser, il comprit qu'elle était au courant, et que oui, Kobzham était bien mort, toute cette nuit il s'était dit qu'il s'était peut-être relevé après, qu'il avait juste fait un malaise.

— Écoute, je ne sais pas ce qui s'est passé. Je n'ai même pas eu le temps de lui faire peur. Ou alors si justement, je lui ai fait peur... Qu'est-ce qu'on t'a dit ?

Aurore voulait que Ludovic la reprenne dans ses bras, qu'il la serre contre lui, et ne pas avoir à parler de tout ça, mais à présent c'est lui qui la repoussait, la tenait à distance, il la regarda droit dans les yeux et lui demanda si on avait retrouvé le chien...

— Le chien ? Pourquoi tu me parles du chien ?

Il plaqua ses deux mains sur les épaules d'Aurore, la maintenant toujours à distance, évacuant toute tendresse, toute effusion.

— Aurore, pour moi c'est important de savoir : est-ce qu'il est mort sur le coup et est-ce qu'ils ont retrouvé son chien, parce que lui je l'ai méchamment bigné...

— Bigné ?

— Oui, je lui ai foutu un coup, fort, avec une clé, je l'ai tapé quoi, il avait une entaille et du sang, et s'ils le retrouvent son chien, je ne sais pas, ils se demanderont pourquoi on l'a frappé, et surtout qui.

Aurore s'opposa à la force de Ludovic pour se rapprocher, se blottir de nouveau tout contre lui.

— Mais attends, tu ne l'as pas tué !

Elle avait lancé cette incantation comme pour convaincre on se sait quelle instance divine qui aurait été là à les juger.

— Non je ne l'ai pas tué, mais il est mort.

En se serrant contre cet homme, en s'y plongeant avec tout ce qu'elle mobilisait de forces, elle embrassait l'amour et le diable, la peur et le désir, la mort et la gaîté, elle avait la sensation de se perdre en plein vertige dans ces bras-là, d'être embarquée dans une spirale qui n'en finirait jamais de les avaler. Désormais ils n'étaient plus neutres tous les deux, ils n'étaient plus ces deux amants fugaces que tout sépare. À compter de ce jour, elle se savait irrémédiablement liée à cet homme, de fait ils étaient enchaînés, ligotés, réunis par cette connerie qu'à cause d'elle il avait commise, elle savait l'avoir téléguidé jusqu'à Kobzham, c'était leur pacte, certes elle ne lui avait rien demandé, mais c'était par sa faute que cet homme qu'elle aimait avait causé la mort de l'homme qu'elle haïssait. D'un coup tout s'éclairait, mais tout lui faisait peur. C'était elle la coupable. Elle voulut éteindre la lumière pour aller s'asseoir sur le lit, qu'ils se posent là tous les deux sur le vieux sommier, qu'ils s'enlacent sans se parler, elle désirait simplement qu'il la serre fort et se nicher au plus profond de ses bras, là encore c'est elle qui le guida, elle l'emmena vers le lit, elle le mena et il se laissa faire. Ils s'allongèrent dans la pénombre, Aurore se coucha sur lui avec la curieuse sensation de ne pas peser plus lourd qu'une plume et ils restèrent comme ça, l'un sur l'autre à se sentir, sans plus un mot. Aurore ferma les yeux, elle respirait mal, la gorge prise et le nez bouché, pourtant elle retrouvait ce parfum, son parfum à elle, ce gel qu'elle lui avait offert, ce gel douche avec lequel il se lavait tous les jours, elle retrouvait son odeur à elle, mais sur lui, elle était comme chez elle dans les bras de cet homme. En rouvrant les yeux elle tourna la tête, elle vit le haut des fenêtres de son appartement de l'autre côté, les lumières du sapin clignotaient dans le salon, elle avait laissé la salle de bains allumée en partant, la chambre aussi, à vrai dire elle avait tout laissé allumé. Sa vie était là-bas à l'attendre, de l'autre côté, avec le sapin qui clignotait et les fêtes à venir, sa famille qui rentrerait demain, et pourtant elle était là, dans ce petit deux-pièces désuet, ce vieux bâtiment abîmé, un tout autre univers mais à la même adresse, une fois de plus elle se perdait dans ce gigantesque pas de côté...

— Qu'est-ce que tu vas faire ?

— Rien Aurore, y a rien à faire.

— Non, pour les fêtes, qu'est-ce que tu vas faire ?

— Je descends chez mes parents. La semaine prochaine.

Elle s'arrêta un instant sur cette image, elle ne savait rien de ses parents, de la ferme, de cette région d'où il venait, le sud de la Corrèze, le nord du Lot, ça ne lui disait rien en dehors des clichés sur la France profonde et la campagne.

— Le chien, ça change quoi ?

— S'il s'est barré, ça évite toute emmerde, par contre s'il s'est ramené chez lui avec la gueule en sang, c'est sûr qu'ils se poseront des questions.

Ludovic se redressa, soulevant Aurore dans le même mouvement.

— Aurore, il faut absolument que je sache si ce chien s'est tiré ou pas, faut que je sache si Kobzham est mort sur le coup ou pas.

— Mais qu'est-ce que ça change… ?

— C'est Fabian qui t'a appelée ?

— Il a essayé mais je n'ai pas répondu. On s'est parlé par textos.

— Alors appelle-le, maintenant.

— Non. Je n'ai pas envie de lui parler. Et puis je ne peux pas d'un coup me mettre à lui poser des questions sur ce chien !

— Aurore, il faut que je sache, parce que lui il peut faire le rapprochement, il faut que tu me dises ce qu'il sait…

Aurore s'assit difficilement, ses courbatures se réveillaient, le froid la gagnait. Elle sortit son téléphone de la poche de son manteau, et là elle vit qu'elle avait un nouveau message. Richard avait appelé, il y a cinq minutes, pendant qu'elle avait le corps collé contre cet homme. Ce message elle l'écouterait plus tard. Elle était bien ici, malgré la fièvre, malgré la peur, malgré ces ombres qui planaient, ici au moins elle se sentait farouchement vivante, son cœur lui pulsait le sang jusque dans la moindre fibre de ses muscles, tout son être était martelé par le désir et par la fièvre, dans la pénombre elle devinait Ludovic assis sur le bord de son lit, statue blessée, à voir cet être fort mais fragilisé, indestructible mais atteint, elle le trouva encore plus émouvant, encore plus beau, au-delà de la fièvre et de la peur elle était grisée par le désir irrationnel de le posséder, qu'ils se possèdent mutuellement, de constituer avec lui cette entité inédite où il est si intense de se serrer, si grisant

335

de s'aimer. Elle restait là, le téléphone en main. Elle se faisait peur en pensant à tout ça, elle se faisait peur de préférer ce désordre à la simplicité d'une vie toute faite, seulement cet homme blessé, cet homme qui avait pris de vrais risques pour elle, cet homme qui avait osé, ça la bouleversait. Pour une fois c'est elle qui voulut l'aider.

— Bon, je vais l'appeler. Mais j'ai juste envie de l'insulter, ce con, c'est de sa faute si on en est là…

— Aurore, faut juste qu'on sache ce qu'il sait, ne surtout pas lui laisser un coup d'avance, tu comprends, parce que s'il pige quoi que ce soit, alors là ce serait le comble… Non seulement c'est lui qui te plante, mais en plus il pourrait me faire tomber moi, il nous flinguerait tous les deux.

Aurore regarda Ludovic sans un mot, sidérée de le sentir aussi profondément anxieux, paniqué. Sans le montrer il était paniqué. Elle retrouva le dernier SMS de Fabian, elle cliqua dessus pour appeler, puis elle se détourna de Ludovic et se rapprocha de la fenêtre, elle voulait s'isoler tout en ne bougeant pas de là. Elle n'était absolument pas préparée à parler à Fabian, ne savait pas par quels mots commencer. À l'autre bout on décrocha, elle dit simplement, « C'est moi ». Il y eut un long silence de part et d'autre, puis, en fermant les yeux, Aurore prit son courage à deux mains.

— Qu'est-ce qui s'est passé ?

— Il s'est écroulé en faisant son jogging, à cent mètres de chez lui, dans le bois.

— Qui t'a dit ça ?

— Sa femme, elle m'a appelé ce matin, j'ai eu son frère aussi, à Hong Kong.

— Mais pourquoi tu me parlais d'accident ?

— Parce qu'il a fait une crise cardiaque, voilà pourquoi.

— Il est mort comme ça, sur le coup ?

— J'suis pas médecin.

Ils se turent, l'un et l'autre ne savaient plus comment enchaîner pour arriver à dire ce qu'ils avaient à dire. C'est brutal de recommencer à se parler quand on s'est fait la gueule pendant des mois.

— Bon. Écoute Aurore, je sais que la comptable t'a parlé, je lui avais dit de te passer le message, mais c'est pour le bien de la boîte, tu comprends ?

— Et le chien ?

— Quoi le chien, on s'en fout de son chien !

Aurore se retourna vers Ludovic, elle avait presque envie de lui sourire, leurs yeux s'étaient habitués à l'obscurité et on y voyait presque clair, un total soulagement l'irradiait, elle voulait le lui montrer, elle avait tellement envie de le rassurer, de lui dire que personne ne se souciait de ce chien, qu'il n'y avait plus d'ombre... Ludovic leva les yeux et vit Aurore qui lui souriait, il voyait bien qu'elle lui souriait. Mais déjà Fabian enchaînait à l'autre bout du fil.

— Aurore, faut vite se démerder pour lever les fonds, normalement son frère veut continuer...

— Il est mort sur le coup ?

— Aurore, je te parle de la suite là...

— Parce que tu te remets à me parler maintenant ? Depuis six mois tu montes ton coup en douce avec ce type, depuis six mois tu magouilles pour me faire gicler et maintenant tu te remets à me parler... ?

— Mais on allait te parler. De toute façon on allait te parler, mais fallait pas que ça fuite, tu comprends.

Aurore n'était pas préparée à cette conversation, elle ne voulait pas de ça pour le moment, autant par peur de trop en dire, que pour se laisser le temps de discuter avec les avocats, quoi qu'il en soit, là, elle n'avait plus envie de penser.

— Faut qu'on se bouge et vite, j'ai quinze jours pour trouver une solution...

— Comment ça « j'ai » ?

— Oui, « j'ai », tout est clair dans ma tête, j'attends de savoir quand son frère va venir à Paris, pour l'enterrement sans doute, de toute façon on a bouclé le dossier avec le groupe, normalement ils étaient tous d'accord...

— Mais arrête avec ces types... Tu me parles de continuer avec le frère, alors que le cadavre de Jean-Louis est encore chaud, mais t'es encore plus dégueulasse qu'eux...

Fabian ne renchérit pas. Aurore s'en voulut de s'être emballée, parce que l'urgence, dans l'immédiat, c'était de vite se verrouiller avec les avocats, de demander de l'aide à Richard et de passer à l'attaque, de tout faire pour éviter que Fabian n'ait le temps de comploter avec le frère parce que là elle n'aurait plus rien à dire, plus aucun pouvoir... À l'autre bout du fil Fabian faisait durer le silence, sûr d'avoir toutes les cartes en main, et pourtant il en rajouta une couche en demandant froidement :

— T'es calmée ?

Piquée au vif elle ne répondit pas, elle n'avait qu'une envie c'était de raccrocher, de le faire violemment, après tout elle avait l'info qu'elle voulait, pour le reste la bataille ne faisait que commencer, elle bouclerait le dossier avec Lathman & Cleary et ils feraient tomber ce salaud.

— Aurore, c'est qui le type avec qui t'as fait ton coup de bluff chez Kobzham ?

Elle en eut le souffle coupé. Aurore savait que Ludovic ne perdait pas une miette de ce qu'elle disait et qu'il l'observait, seulement en une fraction de seconde, sans qu'elle n'y puisse rien son expression changea du tout au tout, alors elle se détourna, elle regarda de nouveau par la fenêtre, vers chez elle, comme si elle voulait que Ludovic n'entende plus, ne devine plus rien de ce qu'ils se disaient au téléphone.

— Alors, c'est qui ce mec ?

— Pourquoi.

— Pour savoir si je dois le mentionner.

— Le mentionner à qui ?

— Et ben justement, je ne sais pas encore.

— Kobzham t'en a parlé ?

— Oui, et je peux te dire que ça l'avait foutu hors de lui que tu te ramènes à son bureau avec des gros bras.

Aurore ne savait pas quoi répondre ni quelle attitude adopter, elle se retourna vers Ludovic, il la fixait droit dans les yeux, elle ne put réprimer ses frissons, se disant à elle-même, bon Dieu, dans quelle galère je l'ai embarqué... Là-dessus elle se dirigea vers l'autre pièce.

— Écoute, c'était un conseil. J'avais besoin d'un conseil. Et puis quoi, t'es en train de plier la boîte dans mon dos pour faire entrer nos débiteurs dans le jeu, tu ne crois pas que j'avais des raisons d'avoir peur ?

— C'est pour le bien de la marque que je fais ça !

— Tu parles ! Mon cogérant qui coule sa boîte pour l'offrir à des repreneurs et me foutre à l'écart, tu trouves ça normal ?

— Aurore, faut vite qu'on multiplie par dix, faut qu'on passe aux parfums et à la cosmétique, sinon on est mort.

— T'étais pas comme ça, Fabian, tout ce qui t'intéresse maintenant c'est le chiffre, tu te rends compte que t'es prêt à me piquer mon nom et à me foutre sous licence, tu crois peut-être que je vais me laisser faire ?

— De là à y aller avec un killer...

— C'est pas un...

— La preuve !

Aurore revint dans la chambre. Ludovic avait reconstitué tous les éléments de la conversation, sans se lever il fit signe à Aurore, un signe qu'elle ne comprit pas. Entre la voix de Fabian qu'elle ne supportait plus et le geste étrange de Ludovic, elle se sentit totalement perdue... Elle marcha jusqu'à la salle de bains, au plus loin, pour reprendre le dessus elle lança à Fabian qu'elle avait vu des avocats, qu'elle leur avait passé le dossier, qu'il ne s'en sortirait pas comme ça et qu'elle ne le laisserait pas faire. Fabian lui répondit avec le plus grand calme.

— Aurore, ne te mets pas en tête de m'attaquer. Tu n'en as plus la possibilité de toute façon.

— Et pourquoi ça ?

— Faut qu'on se voie, Aurore. Faut qu'on se parle, parce que là ça change tout.

— Mais qu'est-ce qui change tout ?

— Kobzham m'avait dit que ce type avec qui tu te trimballes lui avait fait des menaces, et en plus y a des preuves.

— C'est faux, c'est du bluff...

— Passe, je suis au bureau.

— Non. Pas là. Je ne peux pas. Je ne peux pas sortir, je suis malade là, je suis HS...

— Demain ?

— Quoi, tu vas me dire qu'un dimanche tu seras au bureau ?

— À demain, Aurore.

Elle garda le téléphone en main comme une arme qui venait de tirer. Elle retourna dans la chambre, Ludovic la dévisageait d'un regard dur qu'il n'arrivait pas à nuancer. Aurore était perdue, comment pouvait-elle refouler sa réelle impuissance, sa fièvre, ses courbatures, d'un coup tout la reprenait.

— À ton avis, qu'est-ce qu'il peut nous faire ?

Ludovic se taisait. Il se frottait le visage pour se déprendre d'une poisse qui le collait, une angoisse qui lui crispait le visage comme un poison. Quand il alla pour se relever, Aurore s'avança vers lui et lui demanda de ne pas bouger, il se rassit au bord du lit. Aurore s'allongea en chien de fusil et posa sa tête sur ses genoux. Malgré l'angoisse qui venait de tout envahir, elle se lova contre lui comme si elle ne voulait plus bouger de là. Ludovic resta silencieux un long moment, il lui caressait les cheveux. Puis, regardant les fenêtres en face il lui dit qu'elle ferait mieux de rentrer, de l'autre côté ils devaient se demander où elle était passée... Aurore ne lui répondit pas. Elle ne lui dit pas que ce soir elle était seule, que là-bas il n'y avait personne, qu'ils avaient toute la nuit pour eux deux, rien que pour eux deux. Elle n'osait pas lui avouer, ne trouvait pas les mots. D'ailleurs, peut-être que ça l'encombrerait, qu'il avait juste envie d'être seul.

— Et si je dormais là ? suggéra-t-elle finalement.

Ludovic ne savait quoi répondre, il ne savait plus si elle jouait avec lui ou si elle le testait, et pourquoi faire ça maintenant ? Cette confusion ajoutait à son angoisse et embrouillait tout. Dans ces circonstances, il n'en revenait pas qu'elle se livre à ce genre de provocation, était-elle réellement prête à prendre le risque de dormir là, alors que sa famille l'attendait là-bas.

— Alors ?

— Aurore, je ne sais pas, je ne sais pas ce que tu entends vraiment par dormir… Mais, on t'attend en face.

— Je suis seule. Ils sont tous partis. Ce soir je peux dormir avec toi, manger avec toi, être là avec toi.

En disant cela, elle s'étira pour mieux se caler contre ses cuisses, pour être tout contre lui.

— Tu es ici chez toi, assura Ludovic.

Aurore lui passa les bras autour de la taille pour se nicher au plus serré, elle l'entoura comme on enserre un oreiller pour s'endormir. Et, de fait, elle s'endormit. Déjà elle dormait. Il le sentait à sa respiration lente. Il lui caressa le visage doucement, du bout des doigts, elle ne réagit pas. Elle avait une respiration d'enfant enrhumé. Il se retrouvait coincé. Il n'osait plus bouger. D'où il était, il voyait les arbres dans le noir, le haut des fenêtres en face, le clignotement régulier des illuminations du sapin de Noël. Il avait mal aux bronches et à la gorge mais il avait envie d'une cigarette, d'attraper son paquet, il ne voulait pas la réveiller ni se mettre à fumer à côté d'elle, et pourtant il en avait besoin de cette cigarette, parce que tout l'affolait, pas seulement ce chien, mais aussi la certitude que Kobzham avait parlé de lui à Fabian, à partir de là Fabian pouvait parfaitement faire le con et se mettre à se jouer d'eux, pour le coup il avait toutes les cartes en main. Le seul moyen de savoir quelles infos ce salaud avait sur lui, c'était de le choper, de lui poser frontalement la question. Mais là il ne pouvait rien faire. Aurore non plus. Elle dormait. Alors il ne fit rien d'autre que ressasser. Plongé dans le noir et le silence complets, il envisagea tout, d'avance il vit le tableau, Fabian qui se met à parler de lui à l'entourage de Kobzham, puis aux flics, leur rapportant ses soi-disant menaces, et la famille qui fait le rapprochement avec le chien blessé, et le risque en bout de course de se prendre ce chef d'inculpation que lui-même considérait comme pleinement justifié, non pas pour coups et blessures ou agression, mais pour « non-assistance à personne en danger » voire « homicide involontaire ». Ce non-crime se retournerait contre lui, contre elle aussi. Aurore n'avait pas pris la mesure de la situation, l'inquiéter davantage n'arrangerait rien, à la limite ça la ferait fuir, et cette femme il avait peur de la perdre, sans la posséder le moins du monde il redoutait déjà qu'elle ne se sauve, qu'elle ne s'enfuie. De ne pas pouvoir bouger, de ne pas pouvoir fumer le rendait fou, mais il tint bon, en lui caressant toujours le visage.

Une demi-heure plus tard, Aurore ne s'était toujours pas réveillée, la tête posée sur ses genoux, sans soubresaut ni mouvement. Il n'avait pas cessé de passer sa main dans ses cheveux bruns, c'était une drogue de la caresser, il repensait à Mathilde endormie les derniers temps, qu'il apaisait comme une enfant. Il regarda Aurore, il observa son beau visage, son cou, ses paupières, son visage d'ange parti loin dans le sommeil. Mais elle n'était pas un ange ni un don du ciel, c'était peut-être même tout l'inverse. À force de ne pas bouger, de tenir cette position, il avait mal au dos, aux jambes, partout, il était piégé, Aurore en réalité lui faisait mal... Possible que depuis le début, cette femme lui ait instillé un genre de doux poison, il se sentait lui-même devenir toxique, malade, mine de rien cette fille l'influençait, le manipulait sans arrière-pensée, sans s'en rendre compte ils se laissaient tous deux dériver vers les limites, à en devenir machiavéliques, à en sombrer, depuis qu'ils se voyaient ils coulaient, simplement en se laissant aller dans le mouvement naturel de l'âme, leur âme à tous les deux. Cette relation leur faisait mal.

Dans le noir total qui baignait la pièce, tout lui apparaissait sous un autre angle. Depuis le début elle lui faisait faire ce qu'elle voulait, même au-delà, seulement cette fois ils étaient allés trop loin. Ludovic comprit pourquoi Coubressac lui avait laissé un texto cet après-midi, pourquoi il voulait le voir lundi matin, si ça se trouve Kobzham avait fait son enquête pour savoir où il travaillait, et lui ou Fabian avait déjà appelé Coubressac pour lui demander des comptes, savoir si son agence avait bien envoyé quelqu'un à La Défense, lui dire que ça s'était mal passé, tout était envisageable... En regardant les fenêtres allumées de l'autre côté, il continua de caresser le visage d'Aurore, de glisser ses doigts le long de son visage, qu'importe qu'elle se serve de lui ou pas, après tout ce n'était pas un problème, ce qui était sûr c'est qu'elle était là, à côté de lui, son rôle n'était pas de l'affoler, mais de la protéger, de la garder près de lui. Ce qu'elle lui donnait était énorme, incommensurable, ne serait-ce que ça, l'avoir endormie sur ses genoux, la caresser du bout des doigts, c'était un tout, ça l'apaisait totalement. Il ne voulait surtout pas l'affoler, et la manière ultime de ne pas le faire, c'était de toujours devancer sa peur, de l'épargner, seulement cette fois il en était certain, Fabian avait fait le rapprochement, ce type ne manquerait pas de se mettre sur leur route, leur route à tous les deux, et d'ici peu il les gênerait vraiment.

— Cinq ans mon pote ! Si le mec était vivant quand tu t'es barré et qu'en plus il y a un témoin, alors là je te raconte pas. T'es mal...

— Mais, je te dis que je ne l'ai pas touché !

— D'accord, mais on ne peut pas dire que t'as eu le geste qui sauve, ce serait même l'inverse... Arrête les frais Ludo, tire-toi de ce merdier ; attends j'ai un double appel, bouge pas je te reprends !

Ludovic était installé en terrasse devant le double express qu'il venait de boire, il faisait froid, il était le seul client dehors. Le serveur croyant bien faire avait allumé le parasol chauffant alors qu'il détestait cette sensation de rôtir sous le gril, il aimait encore mieux avoir froid. Il se décala de deux places. Face à lui, de l'autre côté de la rue, c'était l'heure de pointe chez le marchand de légumes, une bien maigre heure de pointe. Quand il faisait aussi froid les gens préféraient faire leurs courses dans les allées tempérées du Monoprix. Il regarda faire ces Tunisiens chez qui il venait d'acheter deux sacs de légumes. Les quatre vendeurs passaient leur vie dans cette large boutique ouverte à tous vents, ils étaient gelés malgré le petit radiateur planqué sous la caisse. Par moments ils étaient trois à s'agglutiner derrière cette caisse, ils profitaient de la faible chaleur en se regroupant dans moins d'un mètre carré, ce qui semblait les souder, en tout cas ils se marraient bien.

Il était sorti sans réveiller Aurore. Il avait glissé un oreiller sous sa tête pour remplacer ses genoux. Malgré le contexte il redécouvrait la plénitude de savoir que quelqu'un l'attendait à la maison, qu'il n'était pas seul au monde. En ville la solitude a un écho démesuré. Il aurait cru que ce serait le contraire, qu'en ville, vivre seul serait un genre de bienfait, une bénédiction, la compensation de toutes ces heures occupées à évoluer au milieu du monde, à être sans cesse entouré. En fait non. En le voyant qui toussait, les trois Tunisiens lui firent un signe de loin, pour plaisanter ils lui dirent de venir les rejoindre près du chauffage, il y avait une place. Jamais il n'avait eu une toux pareille. De la main il leur répondit que tout allait bien. D'ici leurs fruits semblaient factices, surtout les oranges et les pommes, elles avaient un aspect verni, artificiel, comme s'ils les enduisaient de cire ou d'un produit brillant, mais leurs légumes étaient corrects.

Il avait pris des pommes de terre, des poireaux, des navets et du céleri, pas de chou parce que ça empeste. Il lui ferait la surprise de préparer une soupe, comme ça elle se réveillerait dans un parfum de légumes qui cuisent. Son téléphone sonna. Mathis rappelait. Mathis travaillait pour le cabinet de son père à Brive, lui était à Figeac, il n'était qu'assureur mais il avait fait du droit, ils étaient amis depuis le collège, ils avaient joué dans le même club à Villeneuve. Mathis était un vif, demi de mêlée et capitaine, le genre de gars direct qui parlait toujours droit.

— Dis, mais c'est pour un client de Coubressac que t'as merdé ?

— Mathis, j'ai pas merdé, je voulais juste le bouger, ce type je l'ai même pas touché, il s'est écroulé de lui-même.

— Tu l'as bien touché un peu ?

— Non, à peine à l'épaule.

— Mais bon, si tu l'attendais, c'était bien pour lui tomber dessus, ça relève de l'acte fautif, ça, et je te le répète, si t'ajoutes ça à la non-assistance à personne en danger et aux menaces, alors là je ne te fais pas de dessin, on est d'accord.

— Sur le papier, oui.

— Donc, c'était pour Coubressac ?

— Non.

— Tu fais des extras c'est ça, tu travailles au black ?

— Non.

— Écoute Ludo, je ne sais pas trop quoi te dire, mais là il ne te reste plus qu'à prier pour que la police ou la gendarmerie, je ne sais pas bien comment ça se passe à Paris, n'ouvre pas d'enquête, t'as plus qu'à mettre un cierge pour qu'on ne lance pas de procédure.

— Qui pourrait le faire ?

— S'il y a un doute, la police peut le faire d'elle-même, sinon si quelqu'un dépose une plainte… Mais s'il n'est pas mort sur le coup et que tu l'as laissé sur place, tu te rends compte du merdier ? T'es sûr que tu ne lui as pas foutu un coup, même pas un ?

— Je l'ai juste chopé par l'épaule, c'est tout !

— Ouais, mais bon Ludo, je suis bien placé pour le savoir, j'ai joué avec toi, tu ne donnes pas de coup mais tu fais mal quand même...

— J'te dis que je ne l'ai pas tapé.

— Et qui était au courant de tes embrouilles avec ce bonhomme ?

— Personne. Juste un type qui travaille avec lui, un associé.

— C'est emmerdant. T'es assez grand pour savoir ce que t'as à faire, mais dans ce genre de boulot évite les extras, tu le sais, ton boulot c'est limite quand même.

— C'est pas mon boulot qui est en cause, le recouvrement c'est pépère, crois-moi.

— Oui. Je vois ça...

— Bordel, je te dis que c'était pas pour le boulot !

— C'était pour qui alors ?

— Une amie.

— Ne me dis pas que t'es en train de plonger pour une femme !

— Mathis, j'ai pas besoin que tu me fasses la morale, j'ai juste besoin de conseil.

— Et ben t'as plus qu'à croiser les doigts pour que cet associé ne la ramène pas. Qui d'autre pourrait faire le rapprochement ?

— Personne. À part ce type, personne.

— Ben si Ludo, si...

— Je te dis que non, bordel !

— Cette femme, elle est bien au courant, non ?

En ne retrouvant pas ses repères autour d'elle, en se réveillant dans ce noir inhabituel, elle prit peur. Recroquevillée sur ce lit complètement étranger, elle avait profondément dormi, seulement en rouvrant les yeux sur un monde sans attache elle se mit à paniquer. Elle portait toujours son manteau mais elle grelottait. Elle se redressa pour se déprendre de ce mauvais rêve mais tout lui revint instantanément, les lumières allumées de son appartement en face, les Velux des mezzanines éteintes, cela disait bien que les enfants n'étaient pas là, que chez elle il n'y avait personne.

Elle jeta un œil sur son téléphone, pas de message, rien, pendant plus d'une heure elle avait dormi et le monde avait suivi son cours sans se préoccuper d'elle. Cet infime éloignement lui faisait du bien. Elle ne savait pas si elle devait attendre que Ludovic rentre, ou si elle ferait mieux de retourner chez elle, pour le moment elle ne désirait qu'une chose, se glisser à l'intérieur de ce lit tellement elle avait froid, mais elle ne le pouvait pas. Elle tâtonna autour de la table de nuit pour allumer la lampe vieillotte. Autour d'elle, rien n'inspirait confiance, rien ne donnait envie de se poser, de s'installer. Elle avait la sensation d'être dans un vieil hôtel de fortune, loin, très loin, comme l'autre soir à Annonay, cette soirée atroce dont elle avait pourtant une forme de nostalgie. Il aurait pu lui laisser un mot, un signe, mais non, cet homme était un intuitif, il n'en finissait pas de toujours tout deviner, et il s'imaginait que les autres fonctionnaient comme lui. Elle regarda de l'autre côté de la cour et ressentit le besoin profond de se retrouver chez elle, dans son confort, de retrouver ses marques, son lit. En même temps elle avait envie de le revoir, lui. En inspectant le petit deux-pièces, elle ne remarqua rien de notable, rien sur les étagères, pas de papiers, juste une rangée de vieux livres qu'il ne devait pas ouvrir, toute une collection à fausse dorure du Reader's Digest, Maupassant, Dostoïevski, mais pas d'affaires qui traînaient, pas de bibelots, pas de photos, pas de magazines... Comment cet homme pouvait-il vivre ici depuis deux ans sans avoir laissé la moindre empreinte, la moindre trace ? Il y avait seulement deux paires de baskets et des chaussures de ville neuves posées au pied du bar. Dans la cuisine non plus il n'y avait rien. Par contre dans les placards tout était bien rangé, une batterie de casseroles complète, des assiettes en ordre. Dans le frigo, il n'y avait que du beurre, du fromage, une boîte de thon et du jus d'orange. C'était étrange de voir un intérieur de frigo aussi dégagé. Par cette vision elle comprit ce qui la fascinait chez cet homme, il s'en tenait à l'essentiel.

Elle avait toujours de la fièvre, mais nettement moins mal à la gorge, elle se sentait cotonneuse, c'est que le Fervex agissait toujours, elle en ressentait une mollesse générale, un alanguissement. Elle regarda de nouveau en face, se disant que rentrer serait la solution la plus convenue, elle se ferait un thé, s'endormirait, attendrait que Richard l'appelle et que demain soir ils rentrent tous, les attendre au chaud, à l'abri... Pile à ce moment-là son téléphone sonna. C'était de nouveau Fabian. Avec une ironie bien mordante, il lui dit qu'il venait d'avoir Tania au téléphone, la femme de Kobzham, il avait aussi parlé à son frère qui depuis Hong Kong suivait l'affaire, et qui arriverait demain, il lui dit que maintenant il comprenait mieux pourquoi elle tenait tant à prendre des nouvelles du chien. Aurore l'écoutait sans l'entendre, comme une voix off dans un film, une voix venue de très loin. Le chien avait été récupéré ce matin du côté de la porte d'Auteuil, la gueule en sang, des gens l'avaient vu avant mais n'avaient pas osé l'approcher, finalement quelqu'un avait appelé les flics pour qu'ils s'en chargent, il était tatoué mais ne portait pas de collier, et la femme de Kobzham était allée le récupérer chez un vétérinaire à Neuilly.

— Péter la mâchoire d'un boxer, il a dû y aller fort, ton gars !

— Tu te fais des films, Fabian, tu te fais des films.

— Tu sais, Aurore, je me fais mon petit dossier, je le garde sous le coude, si des fois tu voulais me balancer tes avocats.

— Ne me dis pas qu'on en est là, Fabian, tu réalises dans quelle merde tu nous as foutus...

— Pardon, Aurore, mais je crois que tu t'y es foutue toute seule dans cette merde. Moi, je ne pense qu'à la marque, à son avenir, rien de plus, tout le reste c'est tes salades, tes histoires, tu mélanges tout, **Aurore**, le business et le sexe, tu le vois bien, ça te porte pas chance...

Hagarde, déboussolée, elle en vint à penser que c'était lui qui avait raison. Par un invraisemblable inversement des rôles, elle se rangeait presque à son point de vue, dans le fond elle avait tous les torts. C'était lui le salaud qui montait son coup en douce depuis des mois, et pourtant, là, à l'écouter, elle se sentait en faute, elle se retrouvait dans le camp des assassins, tandis que lui triomphait dans le camp de la morale, des mecs réglos, pour le coup c'était lui l'innocent. Il les considérait même comme des meurtriers, des criminels, en fin de compte il les tenait pour de vrai, il avait tous les arguments. En raccrochant elle réalisa qu'il pourrait parler à Richard, aux flics, mais à Richard avant tout, lui parler de Ludovic, cet assassin, elle pensa aux enfants, il pouvait la cramer aux yeux de tous. Qu'il l'éjecte et récupère le contrôle de la société devenait presque accessoire à côté de tout ça.

Au pied du lit elle vit une boîte d'aspirine et des complexes vitaminiques. Elle se dit que cet amour leur nuisait, un peu comme cette crève que Ludovic avait dû attraper en l'attendant sous la pluie, il la lui avait refilée sans doute en l'embrassant, cette crève ils se la repassaient l'un à l'autre, ils n'en finissaient pas de s'abîmer.

Elle se rallongea sur le lit, dans la pénombre elle inspecta le vieux couvre-lit matelassé aux motifs anciens, parfaitement standard, l'idée l'effleura qu'elle était encore gamine quand cette étoffe avait été tissée, il y avait le même couvre-lit en Bretagne chez sa grand-mère, elle se recroquevilla, posa les deux oreillers sur sa tête pour se tenir chaud, c'était bon de se rendormir là, dans l'antre de cet homme généreux, ce fauve malchanceux.

Il passa une tête dans la chambre, Aurore dormait toujours. La petite lampe était pourtant allumée, elle avait dû se réveiller et se rendormir. Elle avait fait le choix de rester. En montant les escaliers il était sûr qu'elle ne serait plus là, qu'elle aurait préféré retourner chez elle.

Il ferma la porte de la chambre et éplucha les légumes avant de les faire cuire à la cocotte-minute. Dès les premiers bouillonnements de l'eau, le petit appartement fut envahi par l'odeur intemporelle de soupe. Le navet et le poireau, la branche de céleri, il avait bien fait de ne pas ajouter de chou. Il ouvrit la fenêtre pour fumer une cigarette en gardant le haut du corps à l'extérieur. L'odeur se diffusait jusque dehors. Après les soupes que pendant des mois sa mère avait faites pour Mathilde, il en préparait une pour une tout autre femme, dans une tout autre histoire. Encore une fois, entre une femme et lui, il était question de soupe, comme s'il n'avait que ça à offrir, la rusticité de ce réconfort. Ou alors ça venait de lui, il ne se sentait exister qu'auprès d'êtres en demande. Ou bien c'étaient les autres autour de lui qui devenaient fragiles, tout le monde se fragilisait.

Sans plus aucune feuille aux arbres le grand appartement en face paraissait encore plus impressionnant. Jamais il ne pourrait offrir un luxe pareil à qui que ce soit, jamais il n'avait vécu dans ce genre de grand volume, tout confort. Il n'en revenait pas qu'Aurore ait préféré se rendormir dans son vieux lit plutôt que de retourner dans cet appartement qui semblait l'attendre. Il repensa à l'allusion de Mathis, c'est vrai qu'Aurore était la seule à être au courant de tout, si elle se détournait de lui, si elle le lâchait, il faudrait alors se méfier d'elle en plus de Fabian. Il était leur jouet à tous les deux.

Elle arriva dans son dos sans qu'il s'en rende compte, lui qui croyait ne jamais se laisser surprendre, elle avait marché jusqu'à lui et se colla à son dos pour se protéger de l'air du dehors. Ludovic écrasa sa cigarette et referma la fenêtre.

— C'est cette odeur de soupe qui m'a réveillée, je me suis sentie replongée en enfance. Ludovic, je, enfin je peux te prendre une cigarette... ?

— Quand on a mal à la gorge, c'est pas vraiment recommandé.

— Rien qu'une, j'en ai besoin.

Ludovic lui en offrit une et s'écarta, elle rouvrit la fenêtre et s'avança pour laisser la fumée partir à l'extérieur, puis sans se retourner elle dit le plus calmement possible :

— Tu sais, ils ont retrouvé le chien.

Ludovic baissa le gaz sous la cocotte-minute et alluma la grande ampoule de la cuisine.

— C'est Fabian qui t'a prévenue ?

— Oui. De toute façon il avait déjà fait le **rapprochement**, enfin je veux dire, Kobzham lui avait parlé de toi, de l'engueulade, des menaces.

Ludovic rejoignit Aurore au bord de la fenêtre et lui prit sa cigarette sur laquelle il tira avidement.

— Et donc, à ton avis, il a en tête de s'en servir comme monnaie d'échange, du genre si tu mets le nez dans son business, il me balance aux flics ?

— Il ne me l'a pas dit comme ça, mais à mon avis, oui.

— L'enfoiré. En plus maintenant il a les mains libres, il doit plus se sentir.

— Le frère de Kobzham arrive demain et va prendre le relais à mon avis, de toute façon les deux frères bossaient ensemble. Mais bon, je suis sûre que Fabian lui a déjà parlé de toi.

— Ouais, mais en même temps il a pas de preuve, on s'est engueulé une fois, ça ne prouve rien.

Ludovic s'efforçait de jouer l'assurance, il avait beau refouler sa conversation avec Mathis, il sentait bien que cette histoire allait lui retomber dessus, et rien que sur lui. En une taffe il fuma la cigarette jusqu'au filtre, qu'il planta dans la jardinière de terre abandonnée, accrochée au garde-corps...

— Bon, écoute, ce soir on va d'abord bien manger, ce soir on oublie tout ça, d'accord ; et demain il fera jour, comme disait ma grand-mère.

Il mit la table, coupa du pain dans une assiette, plia des morceaux de Sopalin, il dressa une table modeste, mais où rien ne manquait. Aurore referma la fenêtre et resta là à regarder dehors, elle n'osait plus penser, obnubilée par ce décor, cette cour où il ne se passait rien. À un moment deux jeunes rentrèrent, ils allumèrent la cour et montèrent bruyamment dans l'escalier C, puis plus rien. Les autres, c'étaient des fantômes derrière des rideaux tirés, qui l'observaient peut-être. Elle ferma le rideau.

Ils mangèrent la soupe comme s'ils étaient retirés dans un chalet de montagne, loin de tout, et qu'il fallait prendre des forces et se préparer à toutes sortes de périls. C'est vrai que ce bouillon faisait un bien fou, presque palpable, Aurore avait de nouveau les joues rouges, de belles couleurs. Ludovic débarrassa les assiettes, il dit qu'il avait acheté une bûche. Elle le regardait faire, elle admirait cette force résolue avec laquelle il empoignait chaque objet, elle en avait l'intime conviction, cet homme était fiable, lui au moins il ne changerait pas, alors que tous les autres autour d'elle n'en finissaient pas de changer, à commencer par ses enfants, sans que personne s'en rende compte de mois en mois ils changeaient, devenant tout autres en se révélant, ils changeaient de taille, de visage, un jour ils changeraient même de voix. D'une certaine façon Richard lui aussi n'en finissait pas de changer, à mesure qu'il gagnait en pouvoir il gagnait en confiance, considérant de plus en plus qu'il était au centre de tout. Fabian surtout avait changé, passant de l'allié au traître, et tous les autres au boulot, eux aussi ils avaient changé, depuis que ça se passait mal ils étaient devenus méfiants, ils ne l'écoutaient plus, ne la respectaient plus. Dans tout ça seul Ludovic était sûr, et comme ils n'avaient pas la moindre connaissance en commun, elle pouvait tout lui dire, jamais il n'y aurait ce risque qu'il répète quoi que ce soit à quiconque, ils étaient tous deux dans une intimité radicale, seuls contre le reste du monde mais tellement proches, complices, elle n'en revenait pas.

Après la bûche que Ludovic avait rapportée de la pâtisserie, ils prirent un café. Aurore le fit parler. Il vivait seul depuis longtemps, ne connaissait personne à Paris, et n'y avait pas rencontré de femme. Avec Richard ils ne faisaient plus l'amour depuis trois ans. Dans le fond il était comme elle, elle était comme lui. Elle était attendrie par cette sensation jumelle.

— Et toi avec ton mari, c'est l'amour parfait ?

— Oui. Enfin presque.

Elle lui confia qu'elle n'avait pas réellement embrassé une bouche, un corps, avec fougue, depuis longtemps, depuis longtemps elle ne s'était pas fait toucher avec cette avidité folle qui les avait pris tous les deux. Avec Richard ils dormaient comme deux frère et sœur, rien de plus, il y avait bien sûr de la tendresse, une douce complicité, mais qui prenait de plus en plus ses distances. En parlant à Ludovic, elle redécouvrait toutes ces vérités qu'elle ne disait jamais, tout ce qu'à soi-même on n'ose pas avouer. Elle lui dit qu'après tant d'années de vie commune, c'était impossible de passer de l'amour à l'habitude sans résignation. Ludovic songea qu'il aurait bien aimé, malgré tout, en être encore à « l'habitude » avec Mathilde.

Il n'était que vingt-deux heures mais Aurore voulait déjà se coucher. Elle se serait bien douchée, mais il faisait trop froid dans cet appartement, elle avait envie d'avoir chaud. Elle prit la main de Ludovic et le guida vers la chambre. Ils y avaient déjà fait l'amour les jours précédents, mais là, le simple fait d'aller du même pas vers ce lit, ça semblait intimidant, bien plus embarrassant que de faire l'amour dans la salle d'attente de Kobzham ou sous un arbre. Ils s'approchèrent du lit comme deux mômes gênés. Aurore enleva enfin son manteau, elle ôta son jogging et son tee-shirt et se glissa entre les draps un peu rêches, mais propres et profonds, comme dans une maison de campagne. Ludovic avait un mal fou à se faire à cette idée, à la rejoindre là, maintenant, c'était comme plonger dans un fleuve pour qui ne sait pas nager. Il garda son caleçon et se glissa à son tour sous les draps, ils restèrent un temps côte à côte, allongés sur le dos, troublés par cette étonnante disposition. Pour l'un comme pour l'autre cela faisait longtemps qu'ils ne s'étaient pas mis au lit avec une personne autre, autre que l'autre habituel. Là pour le coup ils étaient très loin de leurs habitudes, dormir seul pour Ludovic, et pour Aurore se coucher auprès de Richard. C'est comme s'il leur fallait tout recommencer depuis le début. Refaire les présentations. Ils n'arrivaient pas à se dire quoi que ce soit, ni à se prendre, ni à se toucher. Le téléphone d'Aurore sonna à ce moment-là. Son manteau était au pied du lit. Ludovic tendit le bras et lui passa le vêtement. Elle sortit le téléphone et regarda qui appelait avant de répondre, c'était Richard. Elle hésita puis décrocha, comme si elle était chez elle, encore malade, elle lui demanda des nouvelles de leur soirée, elle leur parla, aux uns et aux autres. Ludovic écoutait ça sans sourciller, un peu étonné tout de même de la facilité avec laquelle elle parvenait à ne rien trahir, à mentir plus exactement, parce qu'elle leur mentait, elle leur disait qu'elle n'avait fait que dormir, qu'elle n'avait pas bougé de son lit de toute la journée. Comment aurait-il pu en être autrement ? Ludovic était surpris de son aplomb. En même temps c'était le signe qu'elle le mettait au-dessus d'eux tous, qu'à lui elle réservait la vérité. Elle raccrocha en laissant retomber le téléphone et se tourna vers Ludovic. Il n'y avait rien à dire de plus après ça. Elle pensait au mal que ça faisait, de mentir. Lui pensait déjà à demain, à Fabian, il faudrait vite le cuisiner et savoir quelles preuves il avait vraiment.

— Tu sais, Aurore, j'endosserai tout.

— Pourquoi tu me dis ça.

— Je ne sais pas, si un jour y a un problème t'auras qu'à dire que tu m'en avais parlé, qu'un jour tu m'avais raconté leur arnaque, comme ça, en voisin, rien de plus, normalement ça se parle, des voisins, pas vrai ?

— Ici, pas tant que ça, mais…

— En tout cas si ça tourne mal je prendrai tout sur moi.

Elle ferma les yeux. Ludovic lui caressait toujours le visage, elle aimait ça, elle savait que cette main pourrait la caresser des heures durant, elle en était sûre de cette main, une main aux si doux mouvements, les longs doigts allaient tout autour de son visage, un peu dans la nuque, cette main c'était comme une drogue, alors elle s'endormit sous la main qui lui cajolait le visage, cette même main qui avait frappé un chien et foudroyé un homme, cette main tueuse qui la caressait.

Ludovic ne comprenait pas pourquoi, mais faire l'amour ce soir, alors que pour une fois ils avaient toute la nuit devant eux, ç'aurait été complètement déplacé. C'était un comble. Pour une fois qu'ils étaient seuls, au calme, sans limite, il y aurait eu comme un sacrilège à profiter de cette facilité. Il ne bougeait plus pour ne pas la réveiller. Il savait qu'il ne pourrait pas dormir, il manquait de place, il n'avait plus l'habitude de manquer de place dans un lit, d'autant que celui-là n'était pas large. Il y a surtout qu'il y dormait seul depuis longtemps, c'en était devenu une habitude. Il se prépara à rester comme ça, le dos calé contre le mur, à gamberger toute la nuit et à se retenir de tousser parce que ce rhume ne passait pas, son flanc gauche lui faisait mal. Il passait ses doigts sur le visage d'Aurore et ça lui faisait un bien fou. Dehors, le grand appartement le dominait, il le voyait par la fenêtre qui se détachait dans la nuit, derrière les fenêtres du salon les lumières clignotaient. Il était sublime cet appartement, mais ce qui l'avait impressionné le plus chez eux c'était le mur de photos dans le salon, des photos d'Aurore, de son mari, de leurs enfants, des photos prises un peu partout, à New York, à Rio, dans des jardins à la campagne, sur des bateaux, à la neige. Ces gens vivaient dix fois plus que lui. Il n'avait rien à voir avec eux. Cette femme, il ne savait plus s'il avait vraiment voulu l'aider ou simplement la défier. Ce dont il était certain par contre, c'est qu'il prenait le risque de déstabiliser son couple, alors qu'ils étaient mille fois plus armés que lui, mille fois plus solides. Face à ce couple il n'était qu'un tocard. Il ne faisait pas le poids. Ils l'écrabouilleraient. Il voulut fermer le rideau pour ne plus voir ces fenêtres en face mais impossible de se lever, Aurore dormait sur lui. Alors il fixa cet appartement

qui le dominait dans la nuit, avec ses fenêtres cligno-
tantes, on aurait dit qu'il venait vers lui, il avait eu
tort de s'approcher de ce couple, en se frottant à eux
il avait tout à perdre, ce milieu n'était pas le sien, il
n'aurait jamais dû s'approcher d'eux, ils finiraient par
le broyer.

C'était leur première bataille de boules de neige. Depuis ce matin le monde était à eux, ils avaient roulé seuls dans l'aube noyée sous les flocons, il n'y avait personne sur la route. Ludovic s'était endormi vers cinq heures du matin, Aurore à ses côtés dormait profondément, il en était presque fier de ce sommeil, fier qu'elle soit pleinement abandonnée, apaisée, lui par contre n'avait pas fermé l'œil avant le petit matin, passer toute une nuit à côté d'elle c'était encore plus inouï que de lui faire l'amour. Quand il s'était réveillé à sept heures, Aurore était déjà devant la fenêtre, émerveillée par le spectacle des flocons qui tombaient, plongeant la cour dans la féerie cotonneuse des boules à neige qu'on retourne. Il faisait encore nuit, son appartement était mis à distance par cette nuée de flocons, il en devenait irréel, perdu comme une maison isolée au fin fond d'une steppe. La neige se renforçait, recouvrant tout, les toits, la cour, les branches des arbres, tout devenait blanc. Fascinée par ce spectacle Aurore s'était retournée vers Ludovic, elle voulait qu'ils prennent sa voiture pour aller voir le jour se lever sur la campagne enneigée, voir le matin naître sous cette blancheur neuve et propre. Ludovic aurait voulu d'abord faire un café, prolonger cette grâce du réveil à deux, traîner un peu au lit, mais Aurore disait que le café ils le prendraient là-bas, quelque part dans la neige.

Ils étaient sortis de l'autoroute A6 au niveau de la forêt de Fontainebleau. Depuis Paris ils avaient roulé le long d'un paysage immaculé, sur une autoroute tout juste salée, l'Île-de-France se réveillait sous un épais manteau blanc, impeccable, parfaitement préservé. Il n'y avait personne.

Après ces cinquante kilomètres vers le sud, la chute de neige s'était adoucie, les nuages avaient lâché quelques dernières salves, avant de dégager et de libérer un grand ciel bleu, si bien que maintenant il faisait grand soleil sur ce monde uniformément blanc, l'espace était inondé d'une lumière franche et glacée qui régénérait tout. Ils auraient pu se croire très loin, largués dans des plaines perdues du Grand Nord. Devant eux la forêt s'offrait comme une terre inédite, Ludovic n'avait pas de pneus adaptés et les petites routes n'avaient pas été déneigées, c'était une pure folie de sortir des grands axes mais il maîtrisait l'affaire en roulant prudemment, doucement, sans coups de volant brusques.

Ils avaient trouvé un café ouvert à Barbizon, où ils avaient pris un petit déjeuner comme s'ils étaient des clients de l'hôtel, Aurore avait ramené ses cheveux en arrière, ils tenaient en chignon grâce à un crayon à papier. Malgré son simple jogging, ses baskets et son manteau dépareillés elle était élégante, chacun de ses mouvements était une pose, équilibrée, gracieuse.

Ludovic la regardait tout en buvant son café, là, quand il y avait du monde, il ne se sentait pas le droit de l'approcher, il avait des prudences d'amant intimidé, se retrouver là avec elle dans ce petit matin d'avant les fêtes, pour ainsi dire en amoureux, ça l'impressionnait. Il ne méritait pas ce moment-là, et encore moins cette liberté qu'il s'autorisait en lui prenant la main, c'était audacieux de la toucher là, dans une salle de restaurant, devant tous ces gens, mais il en avait besoin. Il n'arrivait pas à se défaire de cette idée, Aurore avait un mari, des enfants, des beaux-parents, tous ces êtres existaient en cet instant même et ils allaient la lui reprendre dans quelques heures, d'une certaine façon elle était à eux, lui n'était là que par accident. De l'accident justement, il voulait lui en parler, toute la nuit il n'avait pensé qu'à ça, mais il n'osait pas gâcher la grâce de ce petit déjeuner, cette largesse qu'offrait le soleil de briller sur un monde de neige sans le faire fondre, sans rien en abîmer. En ressortant du café la lumière était aussi éclatante qu'un matin en montagne, leurs pas crissaient sur la poudreuse fraîche, et ils ne purent résister à se lancer des boules de neige. Ils retournèrent à la voiture. Avant de démarrer, Ludovic attendit qu'Aurore décide si elle voulait rentrer maintenant à Paris, s'en tenir à cette virée matinale et filer voir Fabian. Mais non, elle voulait profiter des quelques heures qu'ils avaient devant eux, profiter de ces décors immaculés avant que tout ne finisse en boue et ne bascule vers la nuit. Sortie de Paris, c'était comme si elle s'était extraite de sa vie, de son histoire, de sa famille, qu'elle avait tout aboli, plus aucun problème n'existait, même sa grippe ne la gênait plus, sinon qu'il lui restait un bourdonnement d'oreilles et que tous les bruits autour étaient assourdis. Ludovic avait bien remarqué qu'elle avait déjà reçu plusieurs coups de fil ce matin, elle avait juste jeté un œil sur son téléphone, avant de le replonger dans son sac. Il ne voulait pas assombrir cette légèreté, mais elle l'inquiétait, c'était même affolant de voir à quel point Aurore semblait avoir tout effacé, ne parlant plus de Fabian ni de Kobzham, ni de ces menaces qui les cernaient de toutes parts, plus rien ne paraissait l'inquiéter. Il se dit qu'elle n'avait plus besoin de lui, qu'au contraire maintenant il la gênait, le plus simple pour elle serait de vite le plaquer ou de se défaire de lui, de se débarrasser de lui d'une façon ou d'une autre. Ce qui le désespérait le plus dans cette perspective-là, c'était bien qu'elle se détache, qu'elle n'ait plus aucune envie de le voir. Cette femme il ne voulait pas la voir comme une aventure, loin de là, pourtant il savait que ce n'était jamais bon de s'emballer, et qu'autour de lui il n'y avait personne pour lui dire de se reprendre, de se méfier, et cette prudence, cette distance à garder, toutes ces consignes il sentait bien qu'il aurait dû lui-même se les rappeler.

— Dis-moi Aurore, pour Fabian on fait quoi ? finit-il par lui demander.

— Je n'ai pas envie de parler de ça...

— Oui, mais, crois-moi qu'avec ce genre de tordu faut pas perdre de temps, si on ne le borde pas, il peut très vite devenir dangereux, c'est une ordure ce mec-là, s'il peut me coincer il n'hésitera pas...

— Je passerai au bureau plus tard, en rentrant.

— J'irai avec toi.

Ludovic avait dit cela par pure bienveillance, mais avec une intonation un peu inquiétante.

— Ludovic je t'en supplie, on n'en parle pas maintenant… Viens, on va voir si l'étang est gelé.

— Quel étang ?

Elle le guida en utilisant la géolocalisation sur son smartphone. Ils sortirent de la forêt puis après dix minutes de ligne droite sans croiser une voiture ils pénétrèrent dans un autre secteur de la forêt, ou une autre forêt, il ne connaissait absolument pas cette région, il ne savait pas où elle l'emmenait, ces panneaux ne lui disaient rien et surtout il était absorbé par la conduite. Cette route par laquelle elle lui demandait d'aller était vierge, personne encore n'était passé par là. Sans être périlleux c'était délicat de conduire là-dessus, le sol était gelé, la neige tenait. Tout était blanc autour d'eux. Grâce à l'application Here, Aurore suivait leur progression sur son écran, elle visait tel petit chemin, elle parlait d'aller glisser sur l'étang, il faisait tellement froid depuis des semaines, l'étang devait être bien gelé.

— T'as déjà fait du patinage ?

— Jamais.

Au carrefour des Quatre-Chemins, Ludovic jeta un œil sur l'écran qu'elle tenait en main pour voir si c'était la route de droite qu'il fallait prendre, et là le téléphone sonna. En surimpression s'affichèrent le prénom et la photo de Fabian. Aurore rejeta tout de suite l'appel.

— T'aurais dû décrocher…

— Ça fait trois fois qu'il appelle, je n'ai pas envie de lui parler.

Pour le coup, Ludovic eut envie de la brusquer.

— Aurore, s'il cherche à te joindre c'est qu'il a un truc en tête… Faut pas lui laisser un coup d'avance !

Elle ne réagit pas. Elle se concentrait sur cette carte qu'elle élargissait du bout des doigts. Elle prolongeait ce bain d'insouciance. Elle avait besoin de ce relâchement, de se déprendre de toutes ces tensions, de tous ces autres qui l'envahissaient.

Tout au bout d'un chemin ils arrivèrent à la lisière d'une immense étendue blanche au milieu des arbres, l'étang gelé et recouvert d'une neige immaculée. Ludovic s'arrêta et ils descendirent de voiture. En contrebas près de la rive il y avait un grillage, et au sommet d'un poteau un écriteau rouge avec une inscription en lettres blanches, « Baignade interdite ». Aurore en fit une photo, c'était insolite cette instruction de ne pas se baigner dans l'eau glacée. Elle songea à la mettre sur son compte Instagram, tout en réalisant que tout le monde se demanderait alors où elle était, ce qu'elle foutait là. Elle préféra rapporter son smartphone dans la voiture, comme si le simple fait de l'avoir sur elle risquait de la compromettre.

Ils firent le tour du grillage pour s'approcher de l'étang. Aurore posa timidement le pied dessus. Ludovic lui prit la main pour la retenir, lui disant que ce n'était pas une bonne idée. Elle osa davantage et s'avança sur la glace, pas trop rassurée, au bord ça semblait solide. Ludovic lui tenait fermement la main, s'appliquant à bien rester sur la terre ferme. Elle voulait juste tenter quelques glissades le long de la rive, du bout de ses pieds elle soulevait la neige, ça glissait bien.

— Viens, au bord c'est solide, elle est épaisse…

— Aurore, c'est pas la peine de tenter le diable.

— Ça ne t'amuse pas de glisser ?

— Pas vraiment, et je suis trop lourd pour ce truc, tu ne devrais pas monter là-dessus.

— Allez viens…

— Non.

Aurore lui lâcha la main et s'écarta pour aller un peu plus loin. En prenant un peu d'élan elle faisait de franches glissades, plus ou moins longues. Ludovic ne voulait pas la suivre, pas plus qu'il ne voulait lui dire d'arrêter, il s'assit sur le ponton qui l'été servait aux barques et aux plongeons. Il alluma une cigarette tout en regardant Aurore. Il n'en revenait pas de cette femme étonnamment gracile, élégante jusque dans le moindre geste, rien que dans la façon qu'elle avait d'effectuer ses quelques pas d'élan, elle avait des manières de danseuse, même en perdant l'équilibre elle demeurait gracieuse, la tête droite, le cou tendu comme un volubilis, renouant avec une totale insouciance. Elle était tout l'inverse de lui. En fin de compte il l'enviait, il enviait sa jeunesse, sa grâce, c'était un moment volé à une vie qu'il n'avait pas, un fragment de couple. Sur l'instant, il eut envie de vivre avec elle, de ne plus la quitter, d'être lié à elle, mais ça ne se pouvait pas, ce soir elle serait de nouveau chez elle, de l'autre côté de la cour, irrémédiablement loin.

Pourtant liés ils l'étaient, de plus en plus même. Il savait que si Aurore tenait à lui, c'est qu'elle le croyait fiable, inébranlable. Ce serait terrible pour elle de découvrir qu'il n'était pas aussi fort que ça. Il ferait tout pour lui épargner cette désillusion, même s'il voyait bien que les événements se mettaient à le dépasser, que depuis deux jours tout s'envenimait,

373

comme ç'avait été le cas avec la maladie de Mathilde, et comme ça l'était aussi avec sa mère qui chaque jour se rapprochait un peu plus de l'absence, il redoutait de renouer avec sa grande hantise : n'avoir plus de prise sur rien, ne plus rien pouvoir.

Il savait que si Fabian avait appelé trois fois, c'était évidemment pour reparler du chien. Si ce chien était réapparu avec la gueule en sang, pour Fabian ce serait facile de coincer Ludovic, de coincer Aurore aussi, cette femme qui s'amusait en se risquant à des glissades de plus en plus longues. Si Fabian se lançait dans ce genre de chantage, s'il parlait aux flics, avec un élément aussi tangible qu'un chien blessé par un coup de poing, en plus de tout le reste, il parviendrait à lui coller un homicide sur le dos, dans la foulée il lui ferait perdre son boulot chez Coubressac et balancerait sa liaison avec Aurore, ce serait sans fin... Fabian les tenait. Aurore était obligée de renoncer sans résistance, sans plus la moindre possibilité de contre-attaque, si elle dépêchait ses avocats, Fabian déballerait tous ses arguments à charge. Ludovic se rendait compte que dans tous les cas de figure il serait perdant, à moins qu'Aurore ne se laisse faire, qu'elle ne réagisse pas, finalement tout dépendait d'elle, c'est elle qui tenait son destin entre ses mains. Il se frotta la tête jusqu'à se faire mal, il avait froid sur ce ponton. Il avait le sentiment d'une punition, d'une damnation, pour quelques jours d'amour avec cette femme interdite, pour quelques jours de bonheur il devait payer le prix fort, provoquer la mort d'un homme et se retrouver en taule. Mais bon Dieu quel était ce mauvais sort qu'on lui avait jeté et qui le poursuivait, et comment s'en défaire ? Pour sortir de ce cauchemar, il suffirait de la planter là, après tout, de se barrer, là maintenant, sur le coup il y pensa, sauver sa peau en la plantant là, se dégager de toute cette histoire, cette sale histoire qui s'envenimait...

— Tu sais, Aurore, je n'ai pas l'habitude de demander de l'aide, mais ce serait bien de savoir pourquoi il essaye de te joindre...

Elle se concentrait sur ses glissades, de plus en plus à l'aise, grisée par ses enchaînements de pas chassés, comme sur une patinoire, elle n'avait pas entendu sa phrase et semblait très loin de s'en soucier.

— Qu'est-ce que tu me disais... ?

Face à une telle inconséquence il se dit que dans le fond tout venait d'elle, tout était de sa faute, depuis le début c'était elle qui l'embarquait dans cette spirale fatale, non seulement elle lui mettait sous le nez une vie à laquelle il n'avait pas accès, sur laquelle il n'avait aucune prise, mais en plus elle le mouillait dans des histoires irrattrapables, et ces embrouilles maintenant lui retombaient dessus, il sentait que Fabian avait déjà dû appeler Coubressac pour lui raconter qu'un de ses employés faisait du zèle, qu'il travaillait au noir, il allait perdre son job, avoir les flics sur le dos, et tout venait d'elle, alors oui pour que tout s'arrête il suffirait de la lâcher.

En la voyant chuter là-bas sur l'étang, il décida de ne pas bouger, de ne pas marcher vers elle pour l'aider à se relever, de toute façon il était trop lourd pour cette glace, à peine deux pas et il s'enfoncerait dedans. Il ne chercha même pas à savoir si elle s'était fait mal, après tout qu'elle coule, que tout en finisse, la pensée l'effleura une troisième fois.

Elle se redressa difficilement, en frottant son manteau elle lui lança un regard contrarié, étonnée qu'il n'ait pas bougé. Il ne lui demanda même pas si ça allait, en fait elle riait déjà, ça l'amusait, Ludovic se prit la tête à deux mains, paupières fermées il se frottait les yeux, les tempes, le cou, il avait mal à la gorge, aux bronches, au point que chaque inspiration le brûlait, mais surtout il ne voyait plus quelle décision prendre pour revenir au réel, ni par où retrouver la raison, cette femme le rendait fou, depuis qu'il la fréquentait tout se déréglait, dans cette histoire il avait tout à perdre, déjà il y avait la mort d'un homme, une mort qu'on lui reprocherait, qu'il se reprochait, et s'il chopait ce Fabian il ne pourrait pas rester calme... Cette fièvre l'enrageait, il en avait marre de ces embrouilles, il avait juste envie d'en finir, de se lever et de se barrer, ce serait plus simple, mais il y eut ce hurlement déchirant, bref mais saisissant, la glace avait cédé à plus de dix mètres du bord, en une fraction de seconde Aurore avait été aspirée jusqu'à la taille mais surtout elle se figea, instantanément tétanisée par la peur, le froid, et prise de spasmes, elle n'arrivait plus à respirer. Ludovic se leva d'un bond, abasourdi de la voir disparaître à moitié, ne serait-ce qu'à moitié, la vision était atroce. Il avança sur l'étang en prenant appui le long du ponton, il s'y appuyait le plus possible pour ne pas peser de tout son poids sur la glace, se faire léger, mais ce ponton il dut pourtant le lâcher pour se rapprocher d'Aurore qui ne bougeait plus. Il marcha prudemment, presque sur la pointe des pieds, sans le moindre choc, en glissant doucement, seulement cinq pas plus tard la glace céda sous lui, et tout son corps fut aspiré par l'eau froide, il s'enfonça lourdement, à cause de ses chaussures à la con, ces chaussures au cuir trop raide, trop pointues, voilà maintenant qu'elles étaient gobées par la vase, il avait de l'eau jusqu'à la taille, le souffle coupé, il cassa la glace devant lui avec les mains, à s'en faire mal et continua comme il put vers Aurore, qu'il parvint à agripper, il la tira à lui en lui passant les bras autour du corps, ses pieds pesaient des tonnes, l'eau glacée et la boue visqueuse retenaient chaque pas qu'il faisait, il n'arrivait pas à avancer, le corps vitrifié par le froid total qui le mordait, il avait un mal fou à porter Aurore et à avancer en même temps, c'est alors qu'il se vit se noyer avec elle, dans ce coin perdu, quelle connerie. Aurore tremblait, elle était secouée de mouvements nerveux, des sortes de convulsions, elle inspira à grands coups, et souffla, inspira de nouveau, et souffla, puis elle se mit à rire, ça l'amusait de les voir rejoindre la rive dans une pesanteur jumelle, ils étaient trempés jusqu'au ventre, frigorifiés, mais elle riait, « Tu m'as sauvé la vie… Tu m'as sauvé la vie ! ». Ludovic en progressant vers le bord ne riait pas. Déjà parce qu'il avait eu peur, peur de se noyer pour de vrai, et ensuite parce que son point de côté le fouillait pire qu'une lame dans le bas du dos, ce froid le broyait. D'avance il savait qu'il leur faudrait enlever leurs pantalons et leurs chaussures, faire sécher le tout sous la ventilation de la voiture poussée à fond, une vraie galère en somme, à la résolution de laquelle, de par son esprit pratique, il songeait déjà.

Le soulagement fut total, une fois dans la voiture avec le chauffage soufflant au maximum. Ludovic étonna Aurore en sortant une vieille chemise à carreaux, un pantalon de chasse et des bottes du bric-à-brac qu'il y avait derrière, dans le coffre et sur la plateforme poussiéreuse remplaçant les sièges. Elle ôta son jogging et passa la chemise à la laine rêche, une chemise trop longue qui lui faisait comme une robe, elle se retrouva cuisses nues. Ludovic lui tendit sa paire de bottes, elle les enfila, ses jambes flottaient dedans, mais elles étaient sèches et lui tenaient chaud, jamais elle n'avait été aussi mal habillée, ces vêtements l'enveloppaient d'une rugosité totale, mais ils la sauvaient.

— Garde les bottes pour l'instant, le temps que tes baskets sèchent, par contre ton jogging ne séchera jamais.

Elle fouilla à son tour dans le bazar, trouvant des morceaux de tissus, un gros pull, un chiffon, en déroulant une couverture elle découvrit, glissé sous la plateforme, un fusil de chasse dans son étui, c'était donc avec ça qu'il avait tué les corbeaux. Ludovic acquiesça, puis cala ses chaussures sous la soufflerie, ses pieds n'arrivaient pas à se réchauffer. Au bout d'un long moment, ils finirent par se prendre dans les bras. Ludovic ne cessait de grelotter, cette eau glacée lui avait brisé les os, décollé les poumons, Aurore le frictionnait mais rien n'y faisait, il avait le souffle court et ce point douloureux dans le flanc gauche, ses pieds étaient toujours gelés à l'unisson de son corps, il ne bougeait plus, n'était plus capable de prononcer le moindre mot.

— Tu sais, tu devrais enlever ton pull, le bas est tout mouillé, faut pas que tu restes comme ça, tu trembles.

— Ça va aller, c'est sec en haut, tout va bien, c'est juste que ça m'a choqué de te voir couler d'un coup, ça m'a choqué.

Aurore le serra contre elle en s'emplissant de son parfum. Ces bottes chaudes et ce pull épais la faisaient revivre, elle en ressentait un impressionnant bienfait, passer comme ça de l'eau glaciale à la douceur enveloppante de l'habitacle l'apaisait, comme un sauna à l'envers, tandis que Ludovic grelottait toujours, avec l'air têtu de celui qui ne veut pas l'avouer. Elle songeait à la difficulté qu'elle aurait à ne plus voir cet homme, pourtant un jour il le faudrait bien, dès ce soir peut-être. Quand il avait sorti un pantalon de chasse et ces hautes bottes de pêche, quand elle avait découvert le fusil, plus que jamais elle avait réalisé à quel point cet homme lui échappait complètement, qu'ils n'avaient rien en commun, rien de familier, et malgré ça, à ce moment précis, il était l'être duquel elle se sentait le plus proche, le plus intime. En plongeant sa tête dans son cou, les yeux fermés elle se dit, Je ne le connais que depuis un peu plus d'un mois, mais il est entré en moi par une porte cachée, secrète, que lui seul a su trouver... Ils se serraient fort l'un contre l'autre, perdus dans l'instant, mais se posant chacun toutes sortes de questions. Elle avait bien trop besoin de repères, elle savait que son mari, ses enfants, sa famille, son travail balisaient sa vie et la préservaient de la peur de flotter qu'elle avait connue dans le passé, à chaque fois qu'elle avait vécu seule elle avait eu le sentiment de se perdre, incapable de se faire à manger le soir, de se réveiller le matin, noyée dans le temps. Elle serait paumée si elle se soustrayait à cet agencement qui réglait sa vie depuis huit ans, rien que là, ce matin, la simple idée de savoir que sa famille n'était pas chez elle, qu'elle en était séparée, en un sens ça l'affolait, elle se sentait marcher au-dessus du vide, ne plus reposer sur rien, se raccrochant à cet homme que dans le fond elle ne connaissait pas. Tout en le serrant éperdument dans ses bras, elle eut envie d'appeler Richard, de savoir s'il était toujours bien là, quelque part, à l'aimer, et Iris et Noé aussi, et même Victor son beau-fils, et ses beaux-parents, c'était idiot mais tellement compréhensible, tellement fort pour elle, sans se l'avouer elle avait tellement besoin d'eux, de leurs présences...

— Ludovic, excuse-moi, mais il faut que je téléphone.

— À Fabian ?

— Non, à mon mari, à mes enfants...

Il voulut sortir pieds nus de la voiture pour la laisser téléphoner tranquille, elle trouva cela délicat de sa part, et élégant.

— Reste. Tu peux rester.

Ludovic prenait sur lui pour réprimer ses tremblements, il n'arrêtait pas de grelotter, il aurait préféré être dehors pour ne pas l'entendre mais il avait froid, ou peur, les deux, il ne savait pas. Il écouta Aurore parler à ces êtres essentiels. Il s'effaça autant que possible, ne faisant pas un bruit. Il se retrouvait relégué, écarté, oublié. Aurore dut le sentir, alors elle mit le haut-parleur pour ne pas complètement l'exclure, pour qu'il soit bien embarqué avec elle dans le même mensonge. Ça le gênait de tout entendre. Aurore, assise juste à côté de lui, n'avait pas la même voix, ses intonations étaient douces, assurées. D'un coup elle était loin, très loin de lui. Elle lui prit la main. Hanté par le sentiment de gêner, il l'écouta mentir, elle disait être chez son expert-comptable, elle disait travailler et que son rhume allait mieux, d'ailleurs cet après-midi elle passerait au bureau et y resterait jusqu'au soir, ils se retrouveraient à la maison ou iraient au restaurant. Elle taisait tout de l'apocalypse qui les environnait. De son côté, Richard disait qu'il avait appelé le cabinet d'avocats, il avait même parlé à Lathman lui-même, il disait l'avoir briefé et ils se tenaient prêts à partir à la charge, entre les passifs douteux et les faux bilans il y avait plein d'angles d'attaque pour les faire plonger...

— Non, Richard, on ne va pas faire comme ça... Enfin je ne sais pas, c'est plus compliqué que prévu. Je dois d'abord parler à Fabian cet après-midi, je...

— Écoute, Aurore, laisse tomber Fabian, fais comme si de rien n'était, la semaine prochaine on lance une procédure de sauvegarde pour geler les actifs, ils seront coincés, en jetant un œil au dossier Lathman est sûr de serrer Kobzham pour non-déclaration de revenus, carrousel de TVA, un type qui importe par conteneurs à Amsterdam et à Anvers, c'est obligé qu'il jongle avec la TVA...

— Richard, oublie Kobzham, s'il te plaît oublie-le, le vrai problème c'est Fabian...

— Mais Fabian on le coince pour soustraction de comptabilité, détournement d'actifs, organisation de banqueroute, comme je te l'ai dit... Ne t'en fais pas, tu vas les flinguer à vie tous ces gens-là...

— S'il te plaît Richard, écoute-moi, on ne va pas faire comme ça...

— Ne t'en fais pas, Aurore, on est plus fort qu'eux. *The winner takes it all...*

Une fois qu'elle eut raccroché, elle posa son téléphone sur ses jambes nues, souffla comme si elle venait de produire un effort démesuré.

— Pardon.

— Pour l'avocat ?

— Non, pardon de mentir devant toi. Et de leur mentir à eux aussi, tu vas me prendre pour une menteuse.

Aurore sentait Ludovic totalement replié sur lui-même, jusque-là elle n'avait jamais songé qu'il puisse se méfier ou s'éloigner d'elle.

— Ne me dis pas que ton mari va vraiment lancer ses avocats sur cette affaire ?

— J'en ai parlé une fois avec lui, mais je n'aurais pas dû, j'ai fait une connerie, une énorme connerie.

— Aurore, faut arrêter de déconner... Tu sais que si t'attaques Fabian il va me tomber dessus, il peut me pourrir la vie, me balancer aux flics, c'est pas rien tout ça.

— Je sais, mais Richard ne comprendra jamais que je ne réagisse pas, je suis coincée, Ludovic, je suis coincée, je ne sais plus ce que je dois faire... Après tout, ça peut se blesser tout seul un chien ?

— Bon Dieu, Aurore, non mais tu déconnes ou quoi ? Et le rendez-vous chez Kobzham ? Et ces soi-disant menaces que je lui aurais balancées, tu vois pas que ça commence à faire lourd comme charges ?

— Mais moi je n'ai jamais voulu que tu ailles le tuer...

— Mais bordel je ne l'ai pas touché !

Ludovic n'arrivait pas à se calmer, il avait froid, mal à la gorge et pourtant il avait envie de gueuler, il se contenait pour ne pas exploser, garder la tête froide, gérer calmement la situation.

— Écoute, si demain tu lui balances tes avocats, c'est moi qui me prends tout...

— Ludovic, je ne peux pas rester sans rien faire...

— Aurore, ce mec peut me coller la mort d'un homme sur le dos, faut plus déconner là !

— Mais tu n'as rien fait !

— Homicide involontaire, non-assistance à personne en danger, s'il me balance j'en prends pour cinq ans, parce que moi j'aurai jamais des avocats comme les tiens, Aurore, je ne les ai pas, alors c'est vraiment pas le moment que tu me lâches, Aurore, tu m'entends, on gamberge calmement mais faut pas que tu me lâches.

En sortant de la forêt, ils tombèrent sur un petit village à la disposition étonnante. À droite de la grande place il y avait un restaurant de prestige, La Toque blanche, une table gastronomique visiblement chic, et juste de l'autre côté, L'Auberge, un endroit traditionnel et désuet. Après un coup d'œil à la carte, ils optèrent pour le second. En poussant la porte vitrée aux rideaux vichy ils sentirent les regards se tourner vers eux, la vieille auberge était déjà remplie. Autant Ludovic, avec son pantalon de treillis, pouvait passer pour un chasseur ou un forestier, autant Aurore avec le pull kaki, ses bottes d'homme deux fois trop grandes et son chignon improvisé, était moins évidente à cataloguer. C'était une taverne authentique, un rendez-vous de chasseurs, le genre d'établissement qu'il est toujours surprenant de trouver à cinquante kilomètres de Paris. Ludovic salua les hommes au bar et recueillit leur bonjour comme un assentiment. Le patron leur trouva une table au fond, la dernière de libre, près de la cheminée. En traversant la salle, Aurore et Ludovic s'efforcèrent de faire bonne figure. Face à ce couple inédit le patron ne perdit rien de sa superbe, énumérant les entrées et les plats sur un ton quasi chantant, tout en tenant l'ardoise. Ils optèrent pour le pot-au-feu, le patron remporta son ardoise en disant que ça marchait, et en lançant à Ludovic :

— Pour le vin vous avez la carte... Je serais vous j'irais sur du gamay !

— Alors, faites comme si vous étiez moi.

Aurore regarda Ludovic. Depuis qu'elle le connaissait elle enviait l'apparente assurance de cet homme, mais en cet instant elle savait que cette maîtrise était feinte. Il était pâle, étonnamment éteint, la tête basse il se passait sans cesse les mains sur le visage.

— Ne t'en fais pas, Ludovic, je suis là.

Le patron vint leur servir deux fonds de verre pour leur faire goûter le vin. Ludovic avala le sien d'un trait et le tendit aussitôt pour qu'on le resserve.

— Ça ira ?

— Une seule bouteille, c'est pas sûr.

Aurore se rendait compte que Ludovic forçait le trait, il faisait tout pour ne rien laisser paraître mais ses gestes étaient tendus, son visage crispé, intérieurement elle le sentait en panique, il but deux verres coup sur coup. Elle chercha ses mots et, se voulant rassurante, elle lui prit la main.

— Ludovic, qu'est-ce que tu ferais à ma place ? finit-elle par demander.

Il savait que l'intérêt d'Aurore, c'était d'attaquer, que sa priorité c'était de garder sa boîte, il ne pourrait pas l'en dissuader, mais ne voulait pas non plus lui concéder le moindre assentiment, alors il la laissa à ses choix.

— C'est à toi de voir, Aurore.

Une serveuse leur apporta une marmite en fonte emplie d'un pot-au-feu fumant, le patron les rejoignit au moment où elle commençait à les servir, déjà il les traitait comme tous les autres clients autour d'eux, en habitués. Il organisa le garnissage de leurs assiettes, indiqua à la serveuse où ajouter les os à moelle, alla lui-même chercher le pain grillé et le gros sel. C'était réconfortant. Il remarqua alors que le bas du pull d'Aurore était humide et lui proposa de l'enlever pour le faire sécher devant la cheminée. Aurore s'exécuta, gênée de s'afficher simplement vêtue de cette chemise à carreaux grossière et pas très nette. Ludovic, lui, ôta ses chaussures et, pieds nus, alla les poser sur les côtés de l'âtre. À l'intérieur de la salle, ils étaient la cible de tous les regards parce que le patron en rajoutait, supposant tout haut les raisons pour lesquelles ils étaient trempés, une chasse à courre qui avait mal tourné, « Une chasse au cerf montée sur le dos de monsieur », il disait ça tout en regardant Aurore et en plaquant ses mains sur les épaules de Ludovic qui se rasseyait.

— Oh là, mais il est mouillé votre pull à vous aussi, faut le faire sécher !

— Mais non, c'est rien que le bas, ça va aller, et depuis le temps que je l'ai sur moi, c'est de l'eau chaude.

— Oh, mais faut pas déconner avec ça, mettez-vous bien devant le feu, voilà.

Cette franche familiarité, cette apparente gaîté étaient totalement déplacées, insolites, dans cet endroit où ils ne connaissaient personne. Aurore et Ludovic se retrouvaient comme un couple qui aurait l'habitude de venir là, ils étaient piégés dans la sensation trompeuse d'être réellement ensemble. Ludovic remplissait les verres dès qu'ils étaient vides, aussi bien celui d'Aurore que le sien, il voulait la faire boire, non pas pour l'influencer, mais pour voir jusqu'où elle était prête à aller. À la mi-temps du pot-au-feu, une fois la bouteille finie, le patron en amena mécaniquement une seconde, il proposa à Aurore de la resservir, d'une mimique convaincue elle lui fit signe que oui.

— Alors, vous êtes venus pour la chasse chez Daguenau ?

— Connais pas, répondit Ludovic.

— Vous n'étiez pas aux sangliers ?

— Non. Nous c'est les corbeaux...

Le patron ne saisit pas l'astuce, puisque de toute évidence il y en avait une. En les écoutant tous les deux, Aurore repensa à l'étui qu'elle avait vu dans le coffre, la carabine avec laquelle il avait tué les oiseaux, elle en eut comme un saisissement, de savoir que Ludovic était armé, comme la plupart des hommes ici vraisemblablement.

— Le corbeau, vous savez comment on le prépare ici ? reprit le patron.

— Ne me dites pas que vous le cuisinez ?

— Si, on le met au four avec un caillou, et quand le caillou est cuit c'est que le corbeau est prêt...

Aurore était déboussolée par cet humour douteux, écœurée par ces rires qui se soulevèrent autour d'eux, parce que les autres tables écoutaient, Ludovic força le rictus pour donner le change, mais son point de côté continuait de lui planter sa lame, comme si l'eau glacée lui avait pincé le nerf ou perforé le poumon, il faisait l'effort de ne rien montrer, mais de ce plongeon dans l'eau glacée il en souffrait mille fois plus qu'Aurore, la fièvre renforçait le sentiment d'irréalité qui l'enveloppait, il trouvait tout étrange, c'est qu'il perdait le contrôle pour une fois, tout lui échappait. Son verre à peine fini il nota qu'Aurore le reservait déjà, tout en finissant le sien, qu'elle reremplit aussitôt. Il ne savait pas ce qu'elle attendait, ni par quel sortilège elle chercherait à se débarrasser de lui.

À force d'alcool le présent se dilate, il est dictatorial, il occupe toute la place. Le vin aidant il n'y a plus ni avenir ni passé, on est simplement là. La seule façon de ne pas affronter la réalité c'était de faire durer ce déjeuner, de ne plus en sortir, alors ils prirent du fromage, des desserts et doublèrent les cafés. Aurore ne savait absolument plus comment agir, quoi dire à Fabian, comment le combattre, elle était hantée par l'image de la carabine, par le fantôme de Kobzham affalé dans les bois, alors elle se focalisa sur ce déjeuner hors du temps, cette faille temporelle de laquelle elle ne voulait plus s'extraire, en face de cet homme si loin, si proche.

Le patron les invita à s'installer dans le petit salon, derrière, où il y avait deux fauteuils près d'une autre cheminée, le temps que leurs vêtements finissent de sécher. Dès qu'ils furent au calme, dans cette sphère chaude et réconfortante, Aurore eut le pressentiment que c'était la dernière fois qu'ils se voyaient, elle fit tout pour que rien ne transparaisse de cette impression mais cette pièce sombre, à l'écart, elle la vivait comme une antichambre quelconque, une salle d'embarquement, comme si le moment était venu en quelque sorte de se quitter. Pour vite effacer cette sensation, elle voulut le faire parler, cet homme, qu'il se raconte, là maintenant, elle avait envie qu'ils sachent tout l'un de l'autre, qu'ils se connaissent au plus intime, qu'ils se disent tout, elle lui demanda quel était son rêve le plus profond, celui d'hier ou d'aujourd'hui, qu'importe, son rêve c'était quoi ? Il lui dit que son rêve ce serait de repartir vivre là-bas, à la campagne, de monter un projet, une base de loisir, un gîte rural dans une ancienne carderie, la vallée du Célé était un monde amplement suffisant, et jamais il n'avait eu autant envie d'y retourner que maintenant... Cette fois encore, ils refaisaient le même constat, ils n'avaient rien en commun, et pourtant une sensation commune les rapprochait, une sorte d'isolement familier, de solitude jumelle. Il lui demanda d'où venait Richard, et à mesure qu'elle lui en parlait, l'incompréhension qu'il éprouvait se renforça, Richard était né dans l'État de Géorgie, avait vécu à Chicago, à Singapour, à Londres puis à Paris, d'ici quelques années son rêve c'était évidemment de retourner aux États-Unis pour y prendre d'encore plus grandes fonctions, un jour c'est sûr ils quitteraient Paris, ou se partageraient entre les deux pays, pour elle ce serait un vrai souci, pour les enfants aussi, ils feraient des allers-retours, elle lui dressait le tableau d'un genre de vie qui lui échappait complètement, il n'était jamais allé aux États-Unis et ne trouvait rien qu'extravagant ou d'anormal à cela. Plusieurs fois elle lâcha au détour des phrases, « Je te montrerai des photos tout à l'heure au bureau ». En la voyant couler dans le lac, l'intuition lui était venue qu'elle voulait qu'ils coulent tous les deux, qu'ils se noient et que tout en reste là. Puis il y avait eu cette manière dont elle avait regardé la carabine, en passant la main dessus, fascinée, pour le coup il ne voyait absolument pas pourquoi cette femme s'intéressait à lui, sinon qu'elle attendait qu'il l'aide à se débarrasser de tous ceux qui l'encombraient, mais ce qu'il venait de comprendre c'est qu'à cet instant précis les deux êtres qui l'encombraient le plus au monde, ses deux pires ennemis, c'étaient bien eux-mêmes, son pire ennemi c'était bien ce couple impossible qu'ils formaient, elle et lui. Il la resservit de nouveau, il remplit son verre, histoire de voir si ce genre d'idée lui passerait par la tête, ou peut-être qu'elle voulait se débarrasser de quelqu'un d'autre, de Fabian pourquoi pas, elle se figurait peut-être que tout serait aussi facile que pour les corbeaux. Il ne la comprenait plus.

Maintenant qu'elle avait bu, elle semblait gaie, presque heureuse, plus ils parlaient et plus il se rendait compte à quel point cette femme était loin. Dans un accès de méfiance, il guettait le moment où elle lui demanderait de dégager, de lui faire de l'air, et si elle retardait celui de rentrer à Paris, c'était pour profiter de ces derniers instants, une sorte de cérémonie d'adieu, après quoi elle le balancerait comme une merde, elle le laisserait tomber dès ce soir, elle pourrait parfaitement le faire puisqu'elle était sûre de pouvoir mettre Fabian hors jeu et de garder sa boîte, et maintenant qu'elle n'avait même plus Kobzham dans les pattes, elle n'avait plus rien à craindre, dans l'affaire c'était la seule qui s'en sortirait par le haut, alors que Fabian comme lui finiraient en taule, ce serait le comble.

Tout était de sa faute, il avait voulu se frotter à un monde qui n'était pas le sien, au monde des malins, des friqués, et il en payait le prix. Paris le dépassait, cette ville, ces gens, tout à Paris le dominait, il était minuscule face à cette malignité, cette morgue citadine... Là, pour le coup, il se trouva con, piégé, il avait de plus en plus mal en dedans, chaque inspiration lui cisaillait les côtes. C'était pire encore depuis qu'il venait de comprendre qu'elle n'avait plus besoin de lui. Au contraire. Il la gênait à présent. Vis-à-vis de son mari, de Fabian, des flics, il la gênait, pour elle, il n'était plus rien qu'un voisin gênant dont elle ferait bien de se débarrasser, c'est pour ça qu'elle l'avait emmené sur l'étang.

— Ludovic, tu me fais peur quand tu me regardes comme ça...

Avec une moue déçue elle lui reprocha d'être absent, grave, sinistre, de ne pas profiter de ce moment, et elle lui reprit la main. Sans être particulièrement rassurante, elle lui sourit et dit tout simplement :

— On y va ?

Il eut le sentiment de la suivre comme on suit son bourreau. Ils rentrèrent à Paris dans une lumière grise. Le soleil avait disparu, la neige tenait de moins en moins dans les champs, au bord des routes elle n'était plus qu'un magma marronnasse et terreux, le merveilleux manteau blanc de ce matin avait viré au boueux, cette neige parfaite du voyage aller était devenue boue. Plus ils approchaient de Paris et plus Aurore se faisait rattraper par la situation. Elle se regarda dans le miroir de courtoisie, une manière de voir les choses en face, elle se trouva pâle, elle lut la peur sur son visage, et ses hantises qui remontaient, ça l'énerva et elle rabattit sèchement le pare-soleil. Elle sentit qu'elle aurait un mal fou à affronter ça, tout lui sembla insurmontable. L'insupportable, en l'occurrence, c'était bien d'avoir toutes les cartes en main, de nouveau elle les avait. L'insupportable, c'était de devoir choisir entre trois deuils, perdre sa boîte, perdre son associé ou perdre cet homme, cette nouvelle donne dans sa vie. Cependant, pour ne pas le perdre, cet homme sur lequel sa main était posée, elle devrait non seulement bafouer son mari, mais surtout laisser le champ libre à un associé qui la dézinguait depuis des mois, prendre le risque de laisser sa boîte lui filer entre les mains. Elle aimait poser sa main sur la cuisse de Ludovic, elle lui jeta un coup d'œil, absorbé par la conduite, il avait le visage fermé, il était ailleurs, un peu absent. Elle l'aimait, cet homme assis à côté d'elle, elle aimait sa présence à la fois massive et discrète, jamais elle n'avait connu un être aussi délicat, à croire qu'il devait être tout fragile à l'intérieur, peut-être qu'il l'était, en effet. Elle était prête à le protéger, à le défendre, en cet instant elle avait simplement envie de le rassurer, de lui dire qu'elle ne le lâcherait pas, qu'elle ne le quitterait pas, jamais, pourtant ils ne vivaient pas ensemble, loin de là, mais en même temps elle ne voyait pas comment elle pourrait faire un jour le choix de ne plus le voir, cet homme, de ne plus l'avoir à côté d'elle.

— Ludovic, ça va ?

Il ne répondit pas. Il fit juste un petit mouvement de tête pas convaincu, il aurait aimé feindre l'assurance mais il ne voyait absolument pas comment s'en sortir, et plus que tout, il ne savait plus comment la rassurer, cette femme.

— Tu sais, Ludovic, je voulais te dire… Repose-toi sur moi.

Il lui lança un regard incrédule, comme s'il ne comprenait pas, qu'il ne saisissait pas en quoi elle pourrait le protéger, alors qu'au contraire tout s'envenimait, tout se noircissait autour d'eux. Il se concentra de nouveau sur la route. Puis à y repenser il y vit comme une promesse, une promesse qu'il n'avait jamais envisagée.

Devant la façade de l'atelier, Ludovic prit la réelle mesure des enjeux. Au-dessus du porche il y avait une enseigne en lettres de néon nacrées, « Aurore Dessage », ce qui ne manquait pas d'impressionner. Aurore lui dit de se garer sur la place livraison, derrière la Smart noire, « celle de Fabian ». Ils restèrent dans la Twingo, moteur éteint, sachant qu'en sortir signifierait le début des hostilités. Elle lui prit la main. Il se sentait dans le même état qu'au seuil d'un rendez-vous, se préparant à affronter toutes les situations possibles, ne sachant jamais comment ça allait tourner, à chaque fois il marquait un temps, il évaluait, devinait dans quelle disposition se mettre, un peu comme on hésite devant un climatiseur entre chaud et froid, on ou off, cet état d'esprit d'avant un rendez-vous il le connaissait par cœur à force, sinon que, aujourd'hui, il faisait un effort pour se sentir légitime, plus que jamais il savait qu'il avançait sur un champ de mines. Une Smart noire, ça ne l'étonnait pas que ce type roule dans une Smart noire, légèrement abîmée, avec des tas de petites rayures et d'éclats un peu partout sur la carrosserie,

397

marques d'un automobiliste indélicat qui se garait sans doute un peu n'importe comment, un type pas trop scrupuleux qui ne faisait pas beaucoup attention.

— Sinon, en dehors de tout ça, il est clean ? demanda-t-il soudain.

— Qu'est-ce que tu veux dire par là ?

— Il n'a pas... je ne sais pas, des lubies, les cartes, l'alcool, la drogue ? Après tout, s'il s'amuse à nous coincer, en retour on a peut-être de quoi le coincer, lui aussi...

— Non, Ludovic, il faut qu'on arrête de faire monter la tension, je ne veux pas qu'on rentre dans ce jeu-là...

— Mais dans le jeu on y est, Aurore, on y est déjà, dans le jeu, et en plein dedans même. Si tu me donnes quoi que ce soit pour le choper, je te jure que je le raterai pas.

— Non, Ludovic, on va s'y prendre autrement.

Aurore ouvrit la portière et descendit de la voiture. Ludovic lui emboîta le pas. Devant l'immeuble elle sortit un gros jeu de clés de son sac, avec la plus épaisse elle déverrouilla la porte, puis une fois dans le hall, elle fit un code, mais visiblement l'alarme était déjà neutralisée. Ludovic la suivait sans un mot, ils traversèrent tout le rez-de-chaussée, jusque dans le showroom, sur la droite. La salle était vaste, avec des portants et des miroirs. Une demi-douzaine de fauteuils anciens étaient recouverts de cuir blanc, impeccables. Aurore d'un coup s'activa, elle devint tout autre. Il la vit se métamorphoser devant lui. Elle quitta les grosses bottes, le vieux pull atroce et la chemise, une fois déshabillée elle attrapa plusieurs robes, en passa une noire, puis opta pour une autre, noire elle aussi, mais plus courte. Avec son blouson et son pull-over toujours à moitié mouillé Ludovic n'osait pas s'asseoir dans cette pièce où tout était salissant. Les peintures étaient blanches, des moulures beiges couraient au plafond, il inspecta les lieux comme s'il s'agissait de les évaluer, ce salon faisait plus de cent mètres carrés. De là on apercevait le grand escalier qui montait dans les étages, constitué d'une ferronnerie design en acier et cuivre. Ludovic fit le tour de la pièce en n'osant tâter l'étoffe des modèles rangés le long du mur sur des cintres dorés. Au milieu d'un agencement de miroirs, Aurore vérifia comment cette robe tombait sur elle, puis elle choisit une paire de chaussures dans un dressing dissimulé derrière les glaces. Avec tous ces miroirs qui se répondaient, ces quelques fauteuils cossus et ces cuivres lustrés, tout ici inspirait la perfection, les jeux de reflets amplifiaient la pièce. Où qu'on regarde le salon se répercutait sans fin. Ludovic concevait l'orgueil intime pour elle de se savoir maîtresse de ce petit univers-là, l'insupportable perspective de devoir tout abandonner.

D'une certaine façon il n'en revenait pas, sans rien montrer de son étonnement il n'en revenait pas. À la voir ainsi, au cœur de son royaume, elle était encore plus impressionnante, cette femme avait donc bien réussi à construire une boîte réellement imposante, un vrai petit empire, il se sentait un nain à côté d'elle. Même là, sans bouger, dans la fraîcheur de la pièce, il n'arrêtait pas de transpirer, sa fièvre était forte, le sang lui battait dans les tempes et sa vue se brouillait comme dans un kaléidoscope. Il osa enfin se poser dans un des fauteuils, mais, même assis, la douleur ne passait pas, à croire que la glace du lac lui avait cisaillé une vertèbre, tout mouvement était douloureux. Aurore vint se placer face à lui, assise sur ses talons. Plus que jamais elle le fascinait. En considérant la fragilité de sa situation, la menace que tout ça lui soit enlevé, qu'elle se retrouve exclue de sa propre société, elle en devenait poignante, et sacrée.

— Tu sais, je crois que c'est mieux si je monte seule.

— Il est où ?

— Son bureau est au troisième. Tu m'attends là.

— Comme tu le sens.

— J'ai peur que s'il te voit, il ne se croie obligé d'en faire des tonnes.

— Il va en faire des tonnes.

Aurore posa sa tête sur les genoux de Ludovic, cet homme qui une fois encore était là, au plus près d'elle, qui ne la lâcherait pas. Elle soupira. Elle aurait préféré qu'il reste à ses côtés, qu'il monte avec elle, elle se serait sentie plus forte s'il avait été près d'elle, comme pour le rendez-vous chez Kobzham.

— Quelle horreur. Pardon de te faire vivre ça.

— Aurore, je ne sais pas ce que tu veux négocier avec lui, mais s'il a en tête de me coller la mort de Kobzham sur le dos, je préfère qu'il me le dise en face...

Elle connaissait Fabian, cet orgueil qu'il aurait à ne pas se laisser impressionner, elle avait trop peur de leur réaction, à l'un comme à l'autre.

— Tu as ton portable sur toi ? demanda-t-elle.

— Oui.

— Appelle-moi.

Ludovic fronça les sourcils.

— Tu sais bien que je n'ai pas ton numéro...

Aurore lui prit son téléphone des mains et composa son propre numéro, ce qui fit sonner le sien, qu'elle décrocha aussitôt.

— Tu vois, c'est comme si tu étais là, près de moi...

Elle sortit de la pièce, le téléphone à la main, puis elle s'engagea dans l'escalier. L'oreille collée à son téléphone, Ludovic l'entendait monter les marches, il eut cette image de la chasse, quand ils chassaient le long des reliefs du Célé, ils se servaient tous de leur portable pour communiquer en mode talkie-walkie. Il l'entendit monter les trois étages, puis il y eut le bruit de ses talons sur le parquet, le long d'un couloir qui résonnait, et il perçut enfin la voix de ce salaud. Pour autant il n'arrivait pas à l'imaginer, la voix était lointaine, il y avait le parasitage des bruits de tissus, jusqu'à ce qu'Aurore pose son téléphone sur une table, qu'il soit stable et sans choc. Apparemment elle l'avait rejoint dans son bureau, s'était assise en face de lui, ne disait rien, mais, à son souffle, il sentit qu'elle était nerveuse. Fabian dit juste :

— T'es venue seule ?

Enfin Ludovic tenait quelque chose de ce type, ne serait-ce que sa voix.

— T'as pas amené ton nouvel ami... ?

Enfin il le tenait cet enfoiré, ce salaud à la merci duquel il était, il était juste là, trois étages au-dessus de lui.

— Fabian. Tu manigances ça depuis quand ?

— De quoi tu parles ?

— Planter la boîte pour la reprendre avec eux, tu manigances ça depuis quand ?

— Non, Aurore, c'est pas comme ça qu'il faut voir les choses.

— Alors vas-y, explique-moi.

— Écoute, je crois que toutes ces histoires t'échappent, et en même temps c'est un peu normal, il faut que ça t'échappe, moi depuis le début je suis là pour que tu crées tranquillement, que tu fasses tes collections sans avoir à te soucier de rien, tu comprends, l'essentiel c'est que tu fasses tes modèles sans que tu aies la moindre question à te poser.

— Fabian, ne me prends pas pour une conne, ça fait six mois que tu fais tout pour qu'on se plante, six mois que tu fous la boîte à genoux pour la ramasser à la petite cuillère.

— Qu'est-ce que tu racontes ?

— Ce que tu fais là, Fabian, c'est pas seulement dégueulasse, mais c'est un délit : majoration de passif, manœuvres frauduleuses, abus de confiance, banque-route, ça te parle ?

— Je vois que madame a vu ses avocats.

— Je peux te faire envoyer en prison pour ça.

— Non, Aurore, non, je ne crois pas. La mort de Jean-Louis change pas mal de choses, je ne vais pas te faire un dessin...

— Si, si justement, vas-y, vas-y, fais-moi un dessin !

— J'ai mieux que ça.

Ludovic entendit Fabian se lever et prendre des papiers.

— Alors, qu'est-ce que t'en penses ?

Il y eut un silence, Ludovic songea à une rupture de communication, puis il entendit que Fabian tendait quelque chose à Aurore, et qu'il lui lançait sur un ton d'insupportable ironie :

— Des photos c'est mieux qu'un dessin, non, attends, j'en ai d'autres !

— C'est quoi, ça ?

— Le boulevard Suchet...

Aurore fit le choix de raccrocher, ou alors la communication s'interrompit d'elle-même. Ludovic ne pouvait pas le savoir, mais ça le rendit fou de ne plus rien entendre. Cela dit, il n'avait pas besoin d'en savoir plus. Il voulut se lever de ce fauteuil trop confortable, mais cette lame dans son dos le fouillait de plus en plus profond, il eut du mal à se déplier, à se tenir droit, où qu'il regarde il se voyait, répercuté par les miroirs, voûté, se tenant les reins, son déséquilibre réfléchi à l'infini, il ne savait plus quoi faire, la rejoindre serait à coup sûr une connerie, une de plus, il en avait le souffle coupé. Il imaginait que là-haut des phrases allaient fuser, que le ton allait monter entre eux, qu'ils allaient s'engueuler, s'insulter, mais non, pas un bruit, même en retenant bien son souffle il n'entendait rien. Si ça se trouve elle attendait qu'il monte, qu'il lui fasse peur à celui-là aussi, elle attendait qu'il débarque avec son calibre et qu'enfin il la débarrasse de cet encombrant, la voiture était là, devant la vitrine, la carabine dedans, elle savait qu'elle était dedans...

Il refit le numéro pour qu'elle décroche dans le bureau, mais il tomba directement sur la messagerie. L'inconnu, c'était de savoir comment Aurore réagirait maintenant que l'autre enflure avait joué son joker, en ajoutant à cela les témoignages des assistantes de Kobzham et les coups de fil à Fabian où il lui avait parlé des menaces, et d'autres preuves encore sans doute, la vie de ce Kobzham devait être pourrie de caméras de surveillance, c'est clair que ce salaud le ferait accuser d'homicide. Il était maître du jeu. Si Aurore l'attaquait, cet enfoiré balancerait tout, du coup Ludovic se prendrait

une mise en examen, Fabian tomberait pour banqueroute, seule Aurore s'en sortirait. Seule... C'est pour ça
qu'elle ne répondait pas.

Il y avait de quoi se taper la tête contre les murs,
seulement partout où il tournait le regard, il ne voyait
que son image, il ne voyait que lui, le corps plié, les
vêtements lourds, il devenait lui-même son propre
ennemi, celui qu'il se désignait. Tout était de sa faute.
Il ne pouvait pas en rester là. Il ne pouvait pas laisser
les autres décider de son sort, ce n'était pas possible
de laisser les autres décider de son sort, ce n'était pas
possible de tomber à cause d'un minable de ce genre.
La tête lui tournait, il posa ses mains sur ses genoux
pour récupérer son souffle, c'était plus fort que lui mais
il fallait qu'il monte, qu'ils les voient en face, il fallait
qu'il lui claque la gueule à cet enfoiré, c'était sans doute
la dernière des conneries à faire mais il ne supportait
pas l'idée que sa vie dépende de ce type... Il ferma
les yeux, en inspirant des petits coups secs il fit monter
l'influx pour s'enrager au plus profond, il se prépara
à avaler les trois étages et à gicler dans le bureau de
ce mec pour tout foutre à plat, quitte à les brusquer
tous les deux, il était chaud bouillant, décuplé par la
fièvre et tout l'alcool qu'ils avaient bu ce midi, il se
redressa en inspirant fort mais là il se prit un coup de
poignard dans le dos, ça le taillada en dedans, le
clouant net et le foutant à genoux, la douleur était
telle qu'il s'écroula sur le carrelage froid, comme sur
les éclats de glace d'un étang gelé qui s'ouvrirait sous
lui, l'aspirant vers le fond

« Le scorpion n'a aucune conscience, aucune forme d'intelligence ni de raisonnement, cependant si le scorpion ne pense pas, il sait se battre, il tue dès qu'on l'attaque, ce sont les deux seules choses qui se passent dans sa tête, réagir et tuer... Il en va de même pour les grands animaux quand ils s'engagent dans la plaine, où il n'y a plus ni arbres ni buissons, à partir de là les prédateurs ne peuvent plus se camoufler et les proies s'offrent à eux. Parmi cette belle faune à découvert, les buffles en imposent, surtout quand ils progressent en troupeau, par centaines, rien ne leur résiste. Et pourtant, s'ils sont bien les plus lourds et les plus forts de tous les animaux rapides, s'ils pèsent une tonne et courent à près de soixante kilomètres-heure, il y a pour eux une règle à ne jamais oublier : ne pas s'isoler. Il est bien entendu que les lionnes ou les guépards n'ont aucune chance face à des centaines de buffles qui font corps et balancent des coups de cornes, par contre dès qu'un buffle s'égare, dès qu'un buffle s'écarte du groupe pour aller boire et qu'il se retrouve seul, alors on peut dire de celui-là qu'il est condamné, les lionnes ou les guépards se jetteront dessus, le solitaire se fera tuer. »

Jamais il ne passait deux jours au lit devant sa télé, d'autant qu'en période de fêtes il n'y avait rien que des documentaires animaliers et des vieux films, à longueur de journée, des dessins animés aussi, mais le plus souvent des documentaires animaliers, de belles images où des bêtes splendides chassent en longues cavalcades, des félins dont on épouse les mouvements au ralenti, des splendeurs qui n'ont qu'un seul projet en tête, distribuer la mort, sans état d'âme ni pudeur, et devant les caméras. Ludovic regardait ça sans changer de chaîne, sonné par les doses d'opioïdes qu'il prenait depuis deux jours, fasciné par ce buffle entaillé de toutes parts, ce solitaire qui pliait face à une meute de lionnes, on le sentait aux intonations de la voix du commentateur, ça allait mal finir.

Avant-hier c'est Aurore qui était allée lui acheter les médicaments. Elle lui avait préparé les doses à prendre parce que l'ordonnance était complexe, le médecin lui avait prescrit du paracétamol codéiné associé à un antalgique opioïde et des patches à mettre en interdoses en cas de douleur entre les prises de comprimés, et même avec les schémas que la pharmacienne avait dessinés sur les boîtes, pour lui ça demeurait ésotérique, d'autant que tous ces médicaments l'assommaient.

Depuis deux jours il se sentait écrasé, à tout subir, où qu'il se tourne tout l'inquiétait, tout l'affolait, sa vie, le devenir de la ferme, de sa mère, ce grand vide qu'était sa vie, ces douleurs qui le clouaient, cet homme qui était mort à cause de lui, et le désordre qu'il avait mis dans la vie de cette femme... Aurore était passée dans la matinée. Elle a dit qu'elle repasserait ce soir, ou plus tôt, il ne savait plus. Depuis quarante-huit heures il était suspendu à elle, à ses allées et venues, à cause de la souffrance et de la somnolence induite par les médicaments, il ne pouvait plus se lever. Il n'aurait jamais pu aller jusqu'à la pharmacie, ni même remplir un verre d'eau au robinet. En ressentant cette décharge foudroyante avant-hier il avait immédiatement pensé à une récidive de sa hernie discale, mais le docteur lui avait diagnostiqué une pneumonie, il n'y croyait pas, il savait que cette douleur c'était celle de la hernie qui l'avait foutu par terre quand il avait vingt-cinq ans, l'obligeant à arrêter le rugby et le collant trois semaines au lit avec des infiltrations en série. Le médecin lui avait fait une ordonnance pour passer une radio, parce qu'il en était convaincu, il y avait aussi des signes de pneumonie. Seulement il était hors de question qu'il sorte pour ça, de toute façon un 23 décembre, veille de réveillon, ce serait un enfer d'aller passer une radio, et comment se lever, comment aller à trois stations de métro d'ici, faire la queue, reprendre rendez-vous, revoir un toubib, ça le rendait fou d'être bouffé par ce genre de préoccupations, il était abattu par la sensation de subir, de n'avoir plus aucune prise sur rien, mais surtout d'avoir foutu un bordel monstre dans la vie de cette femme au point qu'il n'osait plus la regarder en face, au total il n'avait rien arrangé, au contraire, il avait tout envenimé, de toutes parts il était piégé, comme ce vieux buffle-là, effondré devant lui, des mâchoires de lionceaux lui fouillant les chairs, c'était sans solution...

Tout ce qu'il pouvait faire pour le moment, c'était de tendre le bras pour attraper ses gélules. À partir de maintenant il ne prendrait plus que les deux antidouleurs qui ratissent large, il ferait l'impasse sur les antibiotiques, même si Aurore lui avait dit de les prendre, il ne les avalerait pas. Par acquit de conscience il jeta un œil aux notices de toutes ces saloperies qu'il s'enfilait depuis deux jours, il se sentait tellement cassé et nauséeux qu'il aurait bien aimé savoir ce qu'il s'envoyait dans le sang, et là sur ces petites feuilles salement pliées il vit quantité de contre-indications écrites en tout petit, certaines en très gros, des mises en garde affolantes avec des triangles rouges qui parlaient de risques, de troubles, d'hallucinations, de dépendance et même de décès en cas de surdosage, en fait c'était un véritable arsenal de substances mortelles qu'il avait sur sa table de nuit, une batterie de poisons, ces gélules il aurait suffi de les sortir toutes, de les diluer dans un grand verre d'eau et c'en aurait été fini de tout.

Quand Aurore revint dans l'après-midi, il lui demanda de fermer le rideau. Il ne voulait plus voir leur appartement en face, il ne voulait rien voir du dehors, et surtout pas chez eux, il voulait juste se terrer, disparaître devant cette télé allumée. Depuis la cuisine elle lui proposa de faire un thé, il accepta, depuis deux jours elle s'occupait de lui comme personne. Quand elle l'aida à se redresser dans le lit il était encore plus étourdi que le matin, le plus troublant c'était de la voir aller et venir autour de lui, cette sensation irréelle d'avoir quelqu'un vivant autour de lui, existant. Elle lui avait préparé deux plateaux, un pour le goûter un autre pour le soir, pour qu'il ait tout à portée de main. Mais c'est ce qu'elle avait fait avant-hier dont il ne revenait toujours pas. Cette femme il ne savait pas vraiment qui elle était, pourtant il était au moins sûr d'une chose à son propos, c'est que personne d'autre qu'elle ne lui aurait donné une telle preuve d'amour, ce qu'elle avait fait personne n'aurait pu le faire, d'ailleurs sur le coup il avait refusé et ne l'acceptait toujours pas. La veille au soir il lui avait dit de ne pas laisser tomber, il avait peut-être tout à perdre dans l'histoire mais il voulait qu'elle attaque Fabian, ce n'était pas possible que ce salaud soit le seul à s'en sortir, il fallait absolument qu'elle le contre et le fasse tomber. Chahuté par les doses de codéine, il lui redit de tout balancer à ses avocats, qu'ils s'y attaquent à plusieurs et qu'ils le mettent à terre, ce chacal, et qu'ensuite ils le bouffent, comme tous ces animaux qu'il voyait faire depuis deux jours à longueur de savane, qu'elle lâche la meute et qu'ils le dépouillent. Mais non, rien à faire, elle ne voulait pas.

— Crois-moi, Ludovic, je sais ce que je fais.

Ce qu'elle pensait surtout, c'est qu'avec tous les médicaments qu'il prenait, il n'était plus vraiment lucide, il flottait dans une conscience très abstraite et semblait tout le temps à moitié endormi, un peu ailleurs. Elle savait ce qu'elle faisait et abandonnait toute procédure.

Ludovic n'avait plus la force de s'y opposer. Ce dont il se rendait compte, c'est qu'elle le ménageait, elle lui parlait comme à un blessé, un blessé qu'elle avait aidé à se relever, parce que c'est elle qui avait conduit la Twingo pour revenir du bureau, ils étaient repartis de là-bas comme deux blessés fuyant le feu adverse, deux blessés qui se sauvent sous les tirs ennemis. Parce que oui, Fabian avait bien appelé Coubressac pour lui dire qu'un de ses employés travaillait au noir et proférait des menaces, oui, Fabian avait bien constitué un dossier pour déposer plainte et se tenait prêt à le balancer aux flics. Elle lui avait annoncé ça, tout en le ramenant dans la voiture, il en était d'autant plus suffoqué qu'il n'arrivait plus à respirer. Ensuite elle l'avait aidé à monter les escaliers, puis elle avait appelé SOS Médecins, le toubib lui avait tout de suite fait deux piqûres, après quoi il lui avait prescrit ces batteries de médicaments, elle était descendue à la pharmacie chercher toutes ces boîtes, et depuis il ne pouvait même plus se lever de son lit, cloué par la douleur, groggy par les opioïdes, il ne bougeait plus.

Au moins il se sentait clair, vis-à-vis d'Aurore il se sentait clair, au moins il pouvait se regarder dans la glace, parce que ce matin encore il lui avait de nouveau proposé de se sacrifier, une fois de plus il lui avait dit, « Aurore, attaque, pense avant tout à toi, à tes intérêts, sauve ta boîte, laisse-le me balancer, je m'en fous, je saurai me défendre, bien sûr on me fera des tas d'histoires mais dans le fond je n'ai rien à me reprocher, dans l'histoire je perdrai sans doute mon boulot et des mois de procédure, mais cet homme, bordel, je ne l'ai pas tué, alors vas-y Aurore pense d'abord à toi... ». Seulement il faut croire qu'elle était plus forte que lui, ou hautement plus altruiste, parce qu'elle avait d'abord pensé à le protéger lui.

Après le dépôt de bilan la boîte se retrouverait délestée de toute dette, un coup dur pour les fournisseurs et les autres créanciers, mais au moins la marque serait comme neuve pour les repreneurs, et Aurore Dessage ils l'auraient alors rien qu'à eux et ils en feraient ce qu'ils voudraient, des robes, des sacs et des parfums. En échange ils s'engageraient à injecter de l'argent et à garder le personnel, et qu'importe si ce n'était pas très clean, aux yeux du tribunal de commerce l'essentiel c'était bien de sauver les emplois. Fabian reprendrait la boîte avec l'appui d'un repreneur, non pas le mort, mais son frère et tout son staff, parce qu'eux ils savaient bien que dans les affaires il ne faut jamais chasser seul mais toujours en meute, que dans les affaires il ne faut jamais s'isoler, il ne faut jamais partir seul sans s'assurer de ses appuis, à moins de chercher à se faire bouffer.

Au troisième jour il fut réveillé par le mouvement du rideau qu'on ouvrait, et tout de suite rattrapé par la honte de se montrer couché, une fois de plus. Il esquissa un mouvement pour se lever mais fut arrêté net par la douleur. Aurore venait d'inonder la pièce de lumière, elle était là devant la fenêtre, ça se mit à sentir le café, il faisait grand jour, le soleil tapait en plein dans la cour, ce matin lumineux de décembre remplissait la chambre d'un éclat de printemps.

— T'as bien dormi... ? Tu sais que ce soir c'est Noël... ?

Ludovic n'était pas habitué à parler le matin, surtout pas dès le réveil, il répondit d'un sourire forcé, il clignait des yeux face à la fenêtre rayonnante, sur le moment il en voulut à Aurore d'avoir ouvert en grand, il était dix heures pourtant, il avait un mal fou à ajuster son regard sur sa montre, elle était amusée de le voir à ce point groggy, elle semblait d'une gaîté étonnante.

— Tu sais, je ne pourrai pas revenir dans la journée, alors je veux juste être sûre que tu aies tout. Pour ce soir je t'ai apporté un petit réveillon en kit, je l'ai mis dans le frigo, tu pourras te lever jusqu'à la cuisine... ?

Quand on ne va pas bien c'est très vite pénible d'entendre les autres demander à tout bout de champ, « T'as besoin de quelque chose, qu'est-ce qui te ferait plaisir ? ». Le mieux c'est quand ils anticipent en apportant ce qu'il faut, en le devinant. Cette femme l'impressionnait, il ne comprenait pas la place qu'elle avait prise en lui, ne sachant pas bien ce qu'il fallait attendre d'elle, ni ce qu'elle attendait de lui.

— Iris et Noé t'embrassent !

— Attends, je comprends pas, là-bas tu leur dis que tu viens me voir ?

— Oui. On est amis, pas vrai ?

— Oui.

— Et puis demain on part. Pendant une semaine je ne serai pas là. Tu y arriveras ?

Il n'avait pas envisagé ça, d'un coup il se sentit perdu, largué dans cette semaine à venir, cette semaine l'affolait, il ne l'avait pas prévue, n'y avait pas pensé, une semaine coincé là, à avoir mal, sans pouvoir sortir ni se lever, une semaine impossible, d'avance il n'en voulait pas de cette semaine, surtout pas celle-là, entre Noël et le jour de l'An, une semaine à gamberger, à ruminer... Ce soir c'était Noël et pourtant ni sa sœur ni son père ne l'avaient appelé, ne serait-ce que pour savoir s'il descendait, ils n'avaient même pas cherché à savoir s'il serait avec eux pour les fêtes, ça les arrangeait peut-être qu'il ne vienne pas, le beau-frère devait être ravi de ne pas l'avoir dans les pattes, son père aussi devait être tranquille, au moins il n'y aurait pas d'histoires, son père tout ce qu'il voulait c'est que la ferme continue, avec son fils ou un autre qu'importe, tout le reste il s'en foutait, quant à sa mère, elle ne devait même pas savoir que c'était Noël. Il réalisa que là-bas ils n'avaient pas besoin de lui, sa famille n'avait plus besoin de lui, à la limite ça les arrangeait qu'il ne vienne pas, qu'il ne dérange rien...

— Et pour la pommade, comment tu feras quand je ne serai pas là ?

— Je m'en sortirai.

Aurore ne le reprit pas, elle fit semblant de croire à son air déterminé. Pour lui mettre la pommade, il dut se tourner le plus possible sur le côté, autant qu'il le pouvait, alors que tout mouvement lui faisait mal. Elle caressa doucement cette force échouée, cette vallée de muscles douloureux. Ludovic ferma les yeux, ne dit plus rien, ces médicaments plus ce massage, tout le faisait flotter dans une absence ouatée.

Avant qu'elle parte elle voulut lui parler, elle tenait à lui dire que l'accident de Kobzham la sauvait, sans quoi en ce moment même, elle serait en train de les affronter, Fabian et Kobzham, elle serait en train de se battre bec et ongles pour sauver sa boîte et se sortir de leurs griffes, ce serait épuisant, démoralisant, à la longue elle les aurait peut-être mis au tapis mais pour quel résultat, pour tout reprendre comme avant, et à nouveau porter cette boîte à bout de bras, encore plus seule que jamais, épuisée par des semaines de procédure, sans compter que par la suite il aurait fallu tout relancer, reconquérir la confiance de tout le monde, les remobiliser tous... Jamais elle n'aurait pu endurer tout ça. Alors elle lui dit nettement les choses, elle lui dit que son métier ce n'était plus comme ça qu'elle voulait le faire, c'était une vraie chance de tout remettre à plat, de tout recommencer à zéro, aujourd'hui les jeunes créateurs qui se lançaient, ils le faisaient seuls, ou à deux, en autoentrepreneurs, en artisans, pour elle ce serait l'idéal de produire en petites quantités avec les bons relais, mais plus jamais elle ne se lancerait dans la production à grande échelle, cette vie l'écœurait, elle ne s'en rendait même plus compte mais elle s'y noyait dans cette vie. Du coup, elle se sentait neuve, légère, elle avait la sensation d'un nouveau début...

Il l'écoutait sans la croire, il pensait qu'elle bluffait, qu'elle minimisait pour ne pas qu'il culpabilise.

— Je t'assure Ludovic, c'est un mal pour un bien, je n'ai plus envie de passer ma vie à subir la pression, ce n'est pas la vie que je veux...

Il sentait bon, ce baume, un mélange de camphre et d'arnica. Aurore était absorbée par les caresses qu'elle lui donnait. Au bout de ses doigts elle ressentait le dos qui se détendait, Ludovic flottait dans un quasi-sommeil, pourtant il y avait autre chose qu'elle voulait absolument lui dire avant de partir. Mais il dormait déjà. Alors c'est à elle-même qu'elle se le dit. Elle se parlait comme si cet homme l'écoutait... Je ne peux pas refaire ma vie, mais je ne peux pas vivre sans lui, sa présence m'est trop précieuse, sa présence me remplit, à côté de lui j'ai l'impression la plus nette d'être moi. C'est un choix démesuré de quitter la personne avec qui on vit, avec qui on est installé depuis des années, avec qui on a des enfants, c'est une décision impossible à prendre, parce qu'elle ouvre sur trop d'abîmes, rompre c'est assumer de défaire son existence mais aussi celle des autres autour, au risque de tout

perdre, de les perdre eux-mêmes, au risque de tout déstabiliser. Quitter c'est se redonner vie à soi, mais c'est
aussi redonner vie à l'autre, quitter c'est redonner vie
à plein de gens, c'est pour ça que les hommes en sont
incapables, donner la vie est une chose qu'ils ne savent
pas faire. Seulement cet homme au bout de mes doigts,
je l'aime bien plus qu'il ne l'imagine, il ne peut pas
se douter à quel point, pour ne pas l'affoler je ne lui
dirai pas. Pas maintenant.

Le soir il y avait le dîner, l'unanime réveillon, c'est une chose tout de même d'être seul ce soir-là. Il n'alla pas chercher le plateau-repas dans le frigo, il n'avait pas faim, il n'y arrivait pas. Face à lui son rideau était ouvert, Aurore avait oublié de le refermer. Le JT de vingt heures ne parlait que de foie gras, de bûche et de sapin de Noël. Un instant il éteignit la télé pour être dans le noir complet et voir l'appartement d'en face, chez eux toutes les lumières étaient allumées, depuis son lit il voyait des têtes par moments, il voyait les enfants qui passaient le long des fenêtres, puis d'autres gens, visiblement il y avait du monde, c'était fascinant comme spectacle, mais totalement démoralisant, sans rien faire il les regarda depuis son lit, sans pouvoir se lever, sans rien pouvoir vivre de cette soirée de réveillon qu'il devinait là devant ses fenêtres, c'était comme si la vie le quittait, qu'il ne parvenait pas à la rattraper, seuls les autres nageaient pour de vrai dans le réel, alors que lui ne parvenait à rien, même plus à se lever, il prit la boîte de Tramadol et décapsula deux tablettes entières de gélules qu'il vida une à une dans

419

le verre d'eau, ça faisait une pâte épaisse au fond du verre. Il ajouta les deux tablettes d'antalgiques codéinés, des gros cachets compacts et durs comme de la pierre, il fallait que ça fonde, que ça s'imbibe, mais ça ne fondait pas, il voulut les casser du bout de la cuillère mais en amorçant le geste il se prit un coup de sabre dans le dos, ce soir il avait mal, le moindre geste le fauchait, alors il laissa le verre sur la table de nuit, le temps que les comprimés s'imbibent, qu'ils fondent d'eux-mêmes, que tous ces comprimés fondent et qu'ils se fondent en lui. Parfois l'avenir se limite à ça, à quelques heures devant soi, mais cette semaine qui s'amorçait il ne voulait pas la traverser, une semaine à encaisser ses remords sans bouger, il ferait tout pour ne pas la vivre, cette semaine-là, surtout pas comme ça.

Le matin il se réveilla sur le côté, il ne savait pas comment il avait fait dans la nuit pour parvenir à se tourner, il ne s'en souvenait pas, pourtant quand il ouvrit les yeux il avait la tête tournée vers la table de nuit, avec ce verre opaque et pâteux juste devant lui, cette fois tous les gros cachets avaient fondu, il n'y avait plus qu'à le boire, ce verre, à le mélanger à une grande giclée de whisky et à l'avaler.

Il fit l'effort de se lever, tout doucement, ce qu'il y avait d'atroce dans cette douleur, c'était la hantise de se rompre en deux, comme si le corps pouvait se casser net, aussi sèchement qu'un crayon à papier. Sur l'étagère il attrapa la bouteille de Black Label, en la soulevant il se tordit comme s'il portait un sac de plâtre, mais il ne la lâcha pas et arriva à la poser sur la table de nuit, sans se rasseoir, il mit un temps fou à la dévisser et remplit le grand verre à ras bord de whisky, en touillant ça faisait une mélasse affreuse. Il était onze heures mais le jour n'était pas franchement levé, il avait dormi comme une masse, les rideaux étaient toujours grands ouverts, des flocons timides tombaient évasivement, le ciel et les toits étaient fondus dans la même teinte ardoise. En face, les lumières étaient allumées. Il hésita à se rapprocher de la fenêtre, de peur qu'on ne le voie, en même temps, ça lui faisait un mal fou d'être debout. Déjà il ressentait le besoin de se recoucher, c'était totalement démoralisant. Il avait besoin d'une cigarette, alors il longea les murs, il s'y appuya pour aller jusqu'à son blazer près de la fenêtre, trois jours qu'il n'avait pas fumé. Ce médecin avait tort, ce n'étaient pas les poumons, il le sentait à ce besoin avide de s'emplir les bronches, d'aspirer à grands coups la fumée. Dans la poche intérieure de sa veste, il tomba sur son téléphone déchargé depuis trois jours, il n'y avait même pas pensé, à ce téléphone, finalement ils l'avaient peut-être appelé. Il fit l'effort surhumain d'attraper le cordon du chargeur qui pendait le long de la commode pour y brancher l'appareil, qui se ranima instantanément en émettant un petit frisson de retour à la vie et un couplet de trois notes. Il voulait juste savoir si on avait cherché à le joindre. Mais alors il vit qu'en face les Velux venaient de s'éteindre, là-bas ils étaient sur le point de partir, il ne savait plus ce qu'Aurore lui avait dit. Il mit le nez au carreau et là en bas il aperçut les jumeaux qui jouaient dans la cour, il ne fallait pas dire les jumeaux, lui avait-elle dit, on ne devait pas les appeler comme ça, mais les dissocier en appelant chacun par son prénom, Iris et Noé, il se souvint de ça en les voyant, ils avaient des doudounes et des bonnets comme s'ils étaient à la montagne et qu'ils s'amusaient au pied des pistes. Ils avaient rassemblé assez de neige pour faire un semblant de bonhomme, un bon petit tas, Ludovic pencha la tête pour les regarder faire, fasciné par l'application totale avec laquelle ces deux petits êtres jouaient. Puis sans qu'il comprenne pourquoi, ils se relevèrent d'un bond et allèrent au beau milieu des buissons, ils coururent se cacher, mais d'en haut il les distinguait très bien. Les fenêtres en face cette fois étaient éteintes, sûr qu'ils partaient. Seules les illuminations du sapin continuaient de clignoter dans la pièce, il se dit qu'Aurore les avait laissées pour lui, comme une attention. La lumière s'alluma dans l'escalier A. Les deux enfants étaient bien cachés, depuis la cour ils étaient parfaitement dissimulés, mais d'en haut il les voyait fomenter leur dérisoire effet de surprise. Ces légers flocons qui flottaient dans l'espace rendaient tout cela irréel, comme un décor de boule à neige. Ludovic ne put s'empêcher de se dire que ces deux enfants en bas dans la cour, c'étaient les enfants d'Aurore, cette femme qu'il ne reverrait pas, alors il voulut la voir partir, au moins ne voir que ça d'elle, il la guetta du côté des marches, puis regarda de nouveau du côté des enfants, et là les deux petites têtes étaient levées vers lui, ils l'avaient repéré, dans un réflexe idiot il recula le visage, comme s'ils ne devaient pas le voir, puis il se ravisa tout de suite, oubliant jusqu'à sa douleur, les deux petites têtes étaient toujours levées vers lui, deux petites têtes au-dessus de leurs grosses doudounes, alors dans un mouvement jumeau, ils lui firent chut en mettant le doigt devant la bouche, ils comptaient sur lui pour ne rien dire. Il ne sut pas bien comment leur répondre, il leur fit juste coucou bêtement de la main, mais déjà le jeu pour eux avait repris le dessus. Puis les parents de Richard arrivèrent au bas des marches avec leurs valises, oui, ce devait être eux. Richard entra dans le hall, il venait de dehors, il avait dû se garer devant la porte ou avait trouvé un taxi, Ludovic recomposait la manœuvre, il n'en saisissait pas tout, sinon que cette fois ils partaient tous. Les enfants étaient toujours bien cachés. Aurore serait la dernière à descendre. Quand elle apparut au bas de l'escalier, il se sentit fautif et recula une nouvelle fois. Il ne fallait plus la regarder, il fallait les laisser partir, il fallait les laisser retourner à leur vie, tranquilles. Dans sa position de retrait, il alluma sa cigarette, inspira avidement la fumée, le temps qu'ils sortent tous et qu'il n'y ait plus personne dans cette cour. Il laissa passer trente secondes, en bas il n'y avait plus le moindre bruit, il s'approcha de nouveau de la fenêtre, et Aurore se tenait accroupie près des deux enfants, elle époussetait leurs doudounes maculées de neige terreuse, ils étaient tous les trois près de la grille. Les deux enfants devaient le guetter car dès qu'il approcha sa tête du carreau, ils lui firent des grands au revoir de la main, avant qu'Aurore à son tour lève les yeux vers lui, elle était radieuse, radieuse ou soulagée de le voir debout, elle se remit debout et lui fit un salut de la main elle aussi, d'en haut il vit ces trois sourires qui lui disaient au revoir, ou à bientôt, ces trois sourires qui le laissaient sans le quitter. Ils sortirent de la cour et disparurent sous le porche.

Puis il y eut des petits coups discrets à sa porte, ce n'était pas possible qu'on cherche à le voir mais on frappa de nouveau, pas fort, et le téléphone qui ne sonnait plus, voilà qu'il se mettait de nouveau à sonner, à croire que des vies le rattrapaient de toutes parts, comme un vieux muscle de nouveau irrigué par le sang, pour lui c'était toute une épreuve d'aller jusqu'à la porte mais il voulait voir dans l'œilleton qui c'était, une petite silhouette apparut, avec un fichu sur la tête, équipée pour le grand froid...

— Mademoiselle Mercier ?

— Alors, mon grand ! La voisine d'en face m'a tout expliqué... Mais faut pas vous en faire, je vais m'occuper de tout, ce soir j'irai chercher le pain, ça me fera du bien de sortir, hein, alors pour ce soir, vous n'avez besoin de rien ?

— Non. Je vous assure... Ou un peu de pain, oui, si vous voulez.

Depuis le palier elle jeta un œil sur sa chambre et remarqua que son oreiller était tombé au pied du lit, elle rentra d'autorité en lui disant qu'elle allait donner un coup de fraîcheur, retendre ses draps.

— Petite Odette, non, ne vous cassez pas la tête, laissez, laissez...

— Je sais ce que c'est. Je vois bien que t'oses pas me demander. Mais on va dire que c'est un juste retour des choses, ou un retour d'ascenseur, hein, je te renvoie l'ascenseur, c'est bien comme ça qu'on dit ?

Ludovic était encombré par cette petite bonne femme, et totalement honteux de se montrer ainsi diminué, d'autant que par moments elle se mettait à le tutoyer, sans problème elle passait du vous au tu, mais il y a surtout qu'elle le mettait mal à l'aise à rentrer comme ça, la vérité c'est qu'il avait honte, vêtu d'un caleçon et d'un tee-shirt en guise de pyjama, il restait planté là, le bras appuyé au mur, faisant un effort pour se tenir droit, même s'il n'y arrivait pas. Son téléphone émit trois fois de suite la tonalité tonique de réception des messages. Il le prit en main pour voir.

— Oh mais ta tisane là, elle est froide, je la réchauffe ou j'en fais une autre... ?

Des trois textos, il ne vit que celui reçu en dernier, parce qu'il était d'Aurore, Aurore déjà, il cliqua dessus tout de suite, « Dis, jure-moi que cet été tu me montreras à quoi ça ressemble une carderie... Promis ? Je t'embrasse ». Il ne savait quoi penser. Il n'avait jamais imaginé qu'Aurore puisse un jour descendre dans sa vallée. Il la trouvait tellement différente, tellement à l'opposé de là d'où il venait, ça lui semblait insensé de la voir un jour là-bas. En même temps elle en avait envie, visiblement elle en avait vraiment envie.

Il aperçut alors Mlle Mercier qui reniflait son grand verre, elle l'inspectait dubitative et écœurée.

— Bon, tu ne me réponds pas, allez, je la jette. Je la jette et je t'en fais une autre ?

— Oui. On va la jeter, Odette. On va la jeter.

— Je t'apporterai des miennes, tilleul et poivre, je suis sûre que tu ne connais pas ça !

Il ne l'avait jamais vue comme ça cette petite dame, alerte, ne boitant même plus, elle vida son verre dans l'évier, le rinça scrupuleusement et repartit vers la porte toujours ouverte, elle se retourna vers lui, se parlant comme à elle-même :

— Bon, une tisane, du pain, et quoi encore ?

Elle était là à attendre qu'il lui demande quelque chose d'autre, à espérer qu'il ait besoin d'elle, ce n'était pas si courant qu'elle puisse aider quelqu'un, comme si l'idée de pouvoir lui filer un coup de main la renforçait d'une énergie nouvelle, comme si de pouvoir l'aider la faisait revivre... Il ne la priverait pas de ce cadeau. Il ne priverait personne de ce cadeau.

NORD COMPO
m u l t i m é d i a

Composition et mise en pages
Nord Compo à Villeneuve-d Ascq